L'HEURE ÉCARLATE

DU MÊME AUTEUR

Des vérités cachées, Belfond, 2008 ; Pocket, 2009
Morts sur la lande, Belfond, 2008 ; Pocket, 2010
Noire solitude, Belfond, 2009 ; Pocket, 2011
Blanc comme la nuit, Belfond, 2010

Vous pouvez consulter le site de l'auteur à l'adresse suivante :
www.anncleeves.com

ANN CLEEVES

L'HEURE ÉCARLATE

Traduit de l'anglais
par Claire Breton

belfond
12, avenue d'Italie
75013 Paris

Titre original :
RED BONES
publié par Macmillan, Londres

Si vous souhaitez recevoir notre catalogue
et être tenu au courant de nos publications,
vous pouvez consulter notre site internet :
www.belfond.fr
ou envoyer vos nom et adresse,
en citant ce livre,
aux Éditions Belfond,
12, avenue d'Italie, 75013 Paris.
Et, pour le Canada,
à Interforum Canada Inc.,
1055, bd Réné-Lévesque-Est,
Bureau 1100,
Montreal, Québec, H2L 4S5.

1

Anna ouvrit les yeux et vit deux mains ruisselantes de sang. Pas de visage. Dans ses oreilles un cri perçant. D'abord elle se crut à Utra, où Ronald aidait Joseph à tuer un nouveau cochon. Ça expliquait le sang, les mains rouges et ce couinement insupportable. Puis elle se rendit compte que ce bruit, c'étaient ses propres hurlements.

Quelqu'un posa sur son front une main sèche et lui murmura des mots qu'elle ne comprit pas. Elle lui cracha une obscénité à la figure.

La douleur s'intensifia.

C'est ça, mourir.

L'effet des médicaments devait s'estomper car elle eut un éclair de lucidité lorsqu'elle rouvrit les yeux dans l'aveuglante lumière artificielle.

Non, c'est ça, accoucher.

— Où est mon bébé ? s'entendit-elle dire, ses mots légèrement brouillés par le puissant analgésique.

— Il avait du mal à respirer tout seul. On l'a mis sous oxygène. Il va bien.

Une voix de femme. Shetlandaise. Un tantinet condescendante, mais convaincante, et c'était tout ce qui comptait.

Un peu plus loin, un homme couvert de sang jusqu'aux coudes lui adressa un sourire gêné.

— Désolé, fit-il. Rétention placentaire. Il valait mieux l'extraire ici. J'ai pensé qu'après les forceps vous préféreriez éviter le bloc, mais ça n'a pas dû être très agréable.

Anna repensa à Joseph. Aux brebis qui agnelaient dans les collines, aux corbeaux qui emportaient le placenta dans leur bec et entre leurs pattes. L'accouchement ne s'était pas du tout passé comme elle s'y attendait. Elle n'avait jamais imaginé que ce puisse être aussi violent, aussi animal. Elle tourna la tête et vit Ronald ; il lui tenait toujours la main.

— Pardonne-moi de t'avoir insulté, s'excusa-t-elle, et elle vit qu'il avait pleuré.

— J'ai eu si peur, lança-t-il. J'ai cru que tu étais en train de mourir.

2

— Anna Clouston a accouché hier soir, dit Mima. Ça n'a pas été sans mal, apparemment. Vingt heures de travail. Elle va rester quelques jours en observation à l'hôpital. C'est un petit gars. Encore un homme pour reprendre la *Cassandra*.

La vieille dame décocha à Hattie un coup d'œil conspirateur. Ça semblait l'amuser qu'Anna ait eu un accouchement difficile. Mima aimait le chaos, le désordre, le malheur des autres. Ça lui donnait matière à commérages et la maintenait en vie. Du moins c'est ce qu'elle disait quand, tranquillement attablée dans sa cuisine, elle cancanait devant un thé ou un whisky et rapportait à Hattie les derniers potins de l'archipel.

Hattie ne savait pas quoi dire au sujet du fils d'Anna Clouston – elle n'avait jamais été attirée par les enfants, ne les comprenait pas. Pour elle, un marmot n'était qu'une complication de plus. Les deux femmes se trouvaient à Setter, dans le terrain qui s'étendait derrière la maison. Un rayon de soleil printanier baignait le brise-vent de fortune en plastique bleu, les brouettes, les tranchées signalées par des rubans. Comme si elle découvrait la scène, Hattie songea que ses recherches avaient vraiment saccagé cette partie de la fermette. Avant que l'équipe universitaire ne débarque, Mima jouissait d'une vue agréable sur les prés en pente douce jusqu'au loch tout au fond. Maintenant, même en ce début de saison, l'endroit était aussi boueux qu'un chantier de construction et l'horizon entravé par le tas de déblais. Le va-et-vient de la brouette avait creusé des ornières dans l'herbe.

La jeune femme regarda au loin par-delà le désordre. C'était le site archéologique le plus exposé qu'elle ait jamais fouillé. Les Shetland n'étaient que ciel et vent. Pas un arbre pour offrir un peu d'abri.

J'adore cet endroit. Je l'aime plus que n'importe quel lieu au monde. C'est ici que je veux passer le reste de ma vie.

Mima venait d'étendre des serviettes sur le fil à linge, avec une souplesse étonnante pour son âge. Elle était si petite qu'il lui fallait s'étirer au maximum pour atteindre la corde. Hattie lui trouvait l'air d'une enfant, ainsi hissée sur la pointe des pieds. Le panier était maintenant vide.

— Viens prendre le petit-déjeuner à la maison, lança Mima. Si tu ne grossis pas un peu, tu vas finir par t'envoler.

— C'est l'hôpital qui se moque de la charité, fit Hattie en lui emboîtant le pas.

Elle songea que Mima, qui trottait devant elle, paraissait en effet si frêle, si légère qu'une tempête pourrait bien la soulever et l'emporter jusqu'à la mer. Tout en s'envolant elle continuerait de jacasser et de rire tandis que son corps se tortillerait au vent comme la queue d'un cerf-volant jusqu'à disparaître au loin.

Dans la cuisine, un pot de jacinthes fleurissait sur le rebord de la fenêtre et leur arôme emplissait la pièce. Leurs pétales bleu pâle étaient striés de blanc.

— Elles sont ravissantes, commenta Hattie en poussant le chat de la chaise pour s'installer à table. C'est très printanier.

— Je ne vois pas bien ce qu'on leur trouve, répliqua Mima en attrapant une poêle. Les fleurs sont moches et en plus, elles puent. C'est Evelyn qui me les a offertes, et elle comptait que je la remercie ! Mais je ne vais pas tarder à les faire crever. Je n'ai jamais réussi à garder une plante verte à la maison.

Evelyn était sa bru, et l'objet de bien des récriminations.

Toute la vaisselle de Mima était d'une propreté douteuse, pourtant Hattie, d'ordinaire si tatillonne, d'un appétit si versatile, mangeait toujours ce qu'elle lui préparait. Aujourd'hui, c'étaient des œufs brouillés.

— Les poules se sont remises à pondre, annonça la vieille dame. Tu emporteras des œufs au Bod.

Bien qu'ils soient couverts de fiente et de paille, elle en cassa directement quatre dans un bol avant de les battre à la fourchette. Quelques gouttes de blanc translucide et de jaune bien vif giclèrent sur la toile cirée. Sans changer de couvert, elle préleva une noix de beurre dans le paquet et, d'une secousse du poignet, la projeta dans la poêle mise à chauffer sur la cuisinière Rayburn. Le beurre grésilla, elle y versa les œufs puis jeta deux tranches de pain directement sur la plaque. Une odeur de brûlé se répandit.

— Où est Sophie, ce matin ? s'enquit Mima lorsqu'elles eurent commencé à manger.

Elle avait la bouche pleine et, avec son dentier mal ajusté, Hattie mit un moment à comprendre sa question.

Sophie était son assistante sur le champ de fouilles. En général, Hattie établissait le programme et se chargeait des préparatifs. C'était *son* doctorat, après tout. *Son* sujet de thèse. Et la jeune femme était perfectionniste jusqu'à l'obsession. Pourtant ce matin, elle avait eu hâte de rejoindre le site dès que possible. Ça lui faisait du bien parfois de ne pas avoir Sophie sur le dos, et elle était enchantée de pouvoir bavarder avec Mima seule à seule.

Mima aimait bien Sophie. L'année précédente, les filles avaient été invitées à un bal à la salle communale et cette dernière avait enflammé la piste, à tel point que les cavaliers faisaient la queue pour virevolter avec elle au quadrille écossais. Elle avait flirté avec tous, y compris les hommes mariés. Hattie l'avait observée, réprobatrice et inquiète… mais aussi jalouse. Mima était arrivée par-derrière et lui avait hurlé à l'oreille pour couvrir la musique : « J'ai l'impression de me revoir à son âge. Moi aussi, les hommes se bousculaient autour de moi. Ce n'est qu'un jeu pour elle. Ça ne veut rien dire. Tu devrais t'amuser un peu, toi aussi. »

Ce que Whalsay m'a manqué, cet hiver ! songea Hattie. Ce que Mima m'a manqué !

— Sophie est restée travailler au Bod, répondit-elle. De la paperasse. Vous savez ce que c'est. Elle ne va pas tarder.

— Alors ? reprit Mima, ses yeux d'oiseau pétillant par-dessus sa tasse. Tu t'es déniché un copain pendant ton absence ? Un bel universitaire, peut-être ? Quelqu'un pour te réchauffer au lit pendant ces longues nuits d'hiver ?

11

— Ne m'asticotez pas, Mima.

Hattie coupa un coin de toast mais n'y mit pas la dent. Elle n'avait plus faim.

— Tu devrais peut-être te trouver un Shetlandais ? Sandy ne s'est toujours pas dégoté de femme. Il y a pire, comme parti. Il est plus vivant que sa mère, en tout cas.

— Evelyn est très bien. Elle nous a beaucoup aidés. Tout le monde n'était pas partisan des fouilles dans l'île, et elle nous a toujours défendus.

Mais Mima n'était pas encore prête à changer de sujet.

— Occupe-toi de toi, ma fille. Trouve le bon. Un gars qui ne te fasse pas de mal, surtout. Crois-moi, je sais de quoi je parle. Mon Jerry était loin d'être le saint que tout le monde décrit.

Puis, passant au dialecte shetlandais :

— On peut vivre sans mari, parfaitement. Je le fais bien depuis près de soixante ans, moi.

Et elle lui décocha un clin d'œil, ce qui laissa penser à Hattie que si Mima vivait seule depuis soixante ans, elle avait dû connaître son content d'hommes malgré tout. Essayait-elle de lui dire autre chose ?

Sitôt la vaisselle faite, la doctorante regagna le champ de fouilles. Mima resta chez elle. On était jeudi, jour où elle recevait Cedric, son visiteur galant. Tout l'hiver, ce lopin de terre avait habité Hattie, l'avait réchauffée comme un amant. Sa passion pour l'archéologie, l'île, ses habitants, tout cela s'était confondu pour ne plus faire qu'un dans son esprit : Whalsay, un seul objet et une seule ambition. Pour la première fois depuis des années, elle éprouva une sorte d'effervescence.

Franchement, je n'ai aucune raison de me sentir comme ça. Qu'est-ce qui m'arrive ? Elle se surprit à sourire. *Il faut que je fasse attention. On va me prendre pour une folle et m'enfermer à nouveau.* Mais cette pensée ne fit qu'accroître son sourire.

Quand Sophie arriva, Hattie lui demanda de préparer une tranchée-école.

— Si Evelyn veut être bénévole, on doit lui apprendre à travailler dans les règles. On va dégager une zone à distance du chantier principal.

12

— Merde, Hat ! Faut vraiment qu'on l'ait sur les fouilles ? Je veux dire, elle est pas méchante, mais qu'est-ce qu'elle est chiante !

Sophie était une grande fille bien faite à la longue chevelure fauve. Elle avait travaillé tout l'hiver comme femme de chambre dans un chalet des Alpes pour prêter main-forte à une amie, et affichait une peau hâlée rayonnante de santé. Simple et décontractée, elle ne se laissait jamais démonter. À côté d'elle, Hattie se sentait comme un vilain petit canard névrosé.

— C'est une des conditions de ce chantier, encourager la participation de la population locale, répliqua-t-elle. Tu le sais bien.

Bon sang, voilà que je parle comme une vieille instit, maintenant. Quel ton prétentieux !

Sophie ne répondit pas. Elle haussa les épaules et se mit au travail.

Dans l'après-midi, Hattie annonça qu'elle allait à Utra voir Evelyn pour discuter de sa formation aux techniques de fouille. C'était un prétexte. Elle n'avait pas encore eu l'occasion de revoir les endroits qu'elle affectionnait à Lindby. Le soleil était haut et elle voulait profiter au maximum du beau temps. En passant devant la maison, elle vit Cedric qui repartait en voiture. Mima lui faisait au revoir de la main depuis la fenêtre de sa cuisine. Lorsqu'elle aperçut la doctorante, elle sortit sur le pas de la porte ouverte.

— Je t'offre un thé ?

Mais la vieille dame voulait certainement lui soutirer d'autres informations et lui asséner de nouveaux conseils.

— Non. Je n'ai pas le temps aujourd'hui. En revanche, Sophie peut prendre sa pause, si vous voulez l'appeler.

Et elle poursuivit son chemin la tête au soleil, gaie comme une petite fille faisant l'école buissonnière.

3

Le fils d'Anna passa la première nuit de sa vie en soins intensifs. Rien d'inquiétant, d'après les infirmières. Il allait bien, un beau petit gars. Mais il avait quand même besoin d'un peu d'aide pour respirer et mieux valait le laisser sous ventilateur quelque temps. En outre, Anna était épuisée, il lui fallait du repos. Au matin, on lui apporterait son enfant et on l'aiderait pour l'allaitement. Il n'y avait aucune raison que mère et fils ne soient pas rentrés chez eux d'ici un jour ou deux.

La jeune maman eut un sommeil agité, intermittent. Le médecin lui avait prescrit une nouvelle dose d'antalgiques et elle fit des rêves saisissants. Une fois, en se réveillant en sursaut, elle se demanda si c'était ce que l'on ressentait quand on se droguait. À la fac elle n'avait jamais été tentée de s'aventurer sur ce terrain-là. Il avait toujours été primordial à ses yeux de rester en pleine possession de ses moyens.

Elle sentait la présence de Ronald à ses côtés. Plusieurs fois elle l'entendit téléphoner. Sans doute à ses parents. Elle voulut lui dire qu'il ne devait pas utiliser son portable dans l'enceinte de l'hôpital, mais la léthargie la reprit et elle ne put émettre qu'un bredouillement.

Elle s'éveilla avec le jour et se sentit beaucoup mieux, un peu patraque et meurtrie, mais l'esprit clair. Ronald dormait à poings fermés dans le fauteuil, tête en arrière et bouche ouverte, il ronflait bruyamment. Une sage-femme fit son entrée.

— Comment va mon fils ?

La jeune femme avait peine à croire qu'il y avait un vrai bébé à présent, qu'elle n'avait pas tout simplement imaginé cette expérience éprouvante de l'accouchement. Elle se sentait à mille lieues de la veille au soir.

— Je vous l'amène tout de suite. Il va très bien maintenant, il respire normalement sans assistance.

Ronald s'agita dans son fauteuil puis s'éveilla à son tour. Il ressemblait à son père comme ça, non rasé et le regard encore ensommeillé.

Le bébé reposait dans une caisse en plexiglas qui évoqua un aquarium à la jeune mère. Il était étendu sur le dos, le teint jaunâtre – Anna s'était documentée, elle savait que c'était normal. Son crâne était recouvert d'un duvet sombre, troué d'une marque rose de chaque côté.

— Ne vous affolez pas pour ça, déclara la sage-femme, croyant deviner ses pensées. C'est à cause des forceps. D'ici deux jours il n'y paraîtra plus.

Elle souleva le nourrisson, l'enveloppa dans une couverture et le tendit à sa mère. Laquelle baissa les yeux sur une minuscule oreille parfaitement formée.

— On essaie de lui donner le sein ?

Ronald était parfaitement éveillé à présent. Il s'assit sur le lit, tendit le doigt et regarda son fils l'attraper.

L'infirmière montra à Anna la meilleure façon d'allaiter.

— Posez un oreiller sur vos genoux, là, et tenez-lui la tête pour le guider vers le mamelon, comme ça…

D'ordinaire si adroite de ses mains, la jeune femme se sentait malhabile et empruntée. Puis le bébé s'accrocha, se mit à téter, et elle perçut la succion jusqu'au fond de son ventre.

— Et voilà ! lança la sage-femme. On dirait que vous avez fait ça toute votre vie. Si tout se passe bien, vous pourrez rentrer dès demain.

Après son départ, les jeunes parents restèrent assis sur le lit à regarder leur fils. Celui-ci s'endormit subitement et Ronald le souleva avec précaution pour le reposer dans la nacelle transparente. La chambre individuelle offrait une vue jusqu'à la mer par-delà les maisons grises. Ils rédigèrent le brouillon du faire-part qu'ils publieraient dans le *Shetland Times* :

Ronald et Anna Clouston ont la joie de vous annoncer la naissance de leur fils James Andrew, né le 20 mars, premier petit-fils d'Andrew et Jacobina Clouston de Lindby, Whalsay, et de James et Catherine Brown de Hereford, Angleterre.

La naissance de James avait été planifiée, au même titre que tout ce qui se passait dans la vie d'Anna. Elle s'était dit que le printemps était le meilleur moment pour mettre un bébé au monde et que Whalsay serait un cadre idéal pour élever un enfant. Le processus avait été plus aléatoire et douloureux que prévu, mais, maintenant que c'était terminé, il n'y avait aucune raison pour que leur vie de famille ne reprenne pas son rythme de croisière.

Ronald ne pouvait pas détacher les yeux de son fils. Elle aurait dû se douter qu'il serait un vrai papa gâteau. Pourtant elle sentait bien qu'il n'était pas à son aise à l'hôpital.

— Tu devrais peut-être rentrer à la maison, suggéra-t-elle. Prendre une douche et te changer. Tout le monde doit attendre des nouvelles.

— Oui, je vais y aller. Tu veux que je revienne ce soir ?

— Non. La route est trop longue, sans compter la traversée en ferry. Et il faudra que tu sois là tôt demain matin pour nous ramener à la maison.

La jeune femme se réjouissait de passer un peu de temps seule avec son bébé. Elle sourit en se représentant Ronald en train de faire le tour de l'île pour raconter partout la naissance de son fils. Il devrait rendre visite à tous les membres de sa famille, répéter chaque fois la même histoire : la perte des eaux pendant qu'ils faisaient leurs courses au Co-op, l'accouchement long et difficile, l'enfant hurlant extirpé aux forceps.

4

Hattie se serait bien passée d'avoir Evelyn à Setter toute la journée. Elle n'était revenue à Whalsay que depuis une semaine et elle avait d'autres choses en tête, des angoisses latentes, même dans les moments de joie. Et puis elle avait envie de reprendre les fouilles. *Ses* fouilles, restées sous bâche depuis l'automne. Maintenant, les jours plus longs et le temps plus clément l'avaient ramenée aux Shetland pour achever sa mission. Il lui tardait de revenir à la tranchée principale, de se remettre à tamiser et à dater, de compléter ses notes minutieuses. Elle voulait démontrer sa théorie et se perdre dans le passé. Si elle parvenait à prouver que Setter avait été le siège d'une maison de commerce médiévale, elle aurait un sujet sensationnel pour sa thèse. Plus important encore, avec des objets permettant de dater l'édifice et de confirmer sa fonction, elle pourrait déposer une demande de subventions afin d'approfondir les recherches. Ce serait une bonne excuse pour rester aux Shetland. L'idée de devoir un jour quitter l'archipel lui était insupportable. Elle ne se sentait pas capable de retourner vivre en ville.

Mais Evelyn était une bénévole de l'île, elle avait besoin d'être formée et Hattie tenait à la garder de son côté. La jeune femme se savait piètre pédagogue. Elle s'impatientait vite et attendait trop des débutants. Elle employait des termes qu'ils n'avaient aucune chance de pouvoir comprendre. La journée n'allait pas être facile.

Au réveil, il faisait de nouveau grand soleil, mais à présent une brume venue de la mer filtrait la lumière. La maison de Mima n'était qu'une ombre au loin et tout paraissait plus doux, plus organique. Comme si les piquets de carroyage avaient poussé du sol tels des saules et que le tas de déblais n'ait été qu'un repli naturel du terrain.

La veille, Sophie avait délimité une tranchée-école à l'écart du chantier principal. Elle l'avait désherbée, les touffes arrachées laissant apparaître un carré de terre anormalement sableuse et sèche, qu'elle avait ensuite nivelé à la pioche pour le rendre exploitable. Les déblais de la couche superficielle avaient rejoint le tas existant. Tout était prêt quand Evelyn arriva à dix heures, exactement comme elle l'avait dit, en pantalon de velours côtelé et gros pull élimé. Elle avait l'air à la fois inquiet et empressé de l'élève décidée à se faire bien voir. Hattie lui exposa l'ensemble des procédures.

— Alors, on s'y met ?

Elle avait beau la savoir enthousiaste, la doctorante trouvait qu'Evelyn aurait pu se montrer plus sérieuse, en prenant des notes par exemple. Elle lui avait présenté les méthodes d'analyse avec passablement de détails, mais n'était pas certaine que son auditrice ait bien tout retenu.

— Vous voulez commencer à la truelle, Evelyn ? On ne peut pas tout tamiser sur un site pareil. À moins de travailler à la cuve de flottation et de replacer ensuite la moindre découverte dans son contexte. Vous comprenez combien c'est important, n'est-ce pas ?

— Oui, oui.

— Et on va du connu vers l'inconnu, ce qui signifie qu'on fouille toujours à reculons. Pour ne pas risquer d'écraser ce qu'on a déjà mis au jour.

Evelyn leva les yeux vers elle.

— Je ne prépare peut-être pas un doctorat, mais je ne suis pas idiote. J'ai bien écouté tes explications.

Quoique ce soit dit sans méchanceté, Hattie se sentit rougir. *Je suis vraiment nulle en relations humaines. Je ne suis douée qu'avec les objets et les idées. Je comprends les mécanismes du passé mais pas les rapports sociaux dans le présent.*

La néophyte s'accroupit dans la tranchée et se mit à gratter timidement à la truelle. Elle commença dans un coin, racla la couche superficielle de terre, leva le bras pour la verser dans

18

le seau. Elle fronçait les sourcils comme une gamine concentrée sur ses devoirs. La demi-heure suivante, chaque fois que Hattie jeta un coup d'œil dans sa direction, Evelyn arborait la même expression. La doctorante s'apprêtait justement à aller la voir lorsque celle-ci s'écria :

— Qu'est-ce que c'est que ça ?

Hattie s'approcha. Un objet solide se détachait sur la couche de sable clair mêlé de débris de coquillages. Elle ne put contenir une bouffée d'excitation. C'était peut-être un fragment de poterie. Une poterie d'importation conférerait à la demeure la fonction qu'elle espérait. Si elles avaient établi la tranchée-école à distance des fondations déjà découvertes, c'était précisément pour éviter que des amateurs ne risquent de tomber sur des objets sensibles, mais peut-être avaient-elles isolé par hasard un tas d'ordures, voire une dépendance de la bâtisse ? Elle s'accroupit auprès d'Evelyn, la bousculant presque, et épousseta l'objet à la brosse. Il n'était pas en terre cuite, malgré sa teinte brun-rouge, comme l'argile. C'était de l'os, elle le voyait maintenant. Avant sa spécialisation, elle croyait que tous les vieux ossements étaient blancs, crème ou gris, et elle avait été surprise en découvrant l'étendue de la palette. Un grand morceau d'os tout rond, estima-t-elle, bien qu'une infime partie seulement soit dégagée.

Elle était déçue, mais s'efforça de ne pas le montrer. Les débutants étaient toujours très émus à leurs premières trouvailles. Aux Shetland, il s'agissait souvent d'éclats d'os, généralement de mouton ; une fois ç'avait été un cheval, un squelette presque entier.

Elle entreprit d'expliquer tout cela à Evelyn, ce que les restes d'animaux pouvaient leur apprendre sur les habitants de l'époque.

— On ne peut pas se contenter de déterrer un objet. Il faut le situer dans son contexte, continuer de creuser, couche après couche. Ce sera un excellent exercice. Je vous laisse continuer, je reviendrai vous voir tout à l'heure.

Elle se disait qu'elle-même se serait sentie très mal à l'aise d'être observée pendant qu'elle fouillait. Et puis elle avait son propre travail à effectuer.

Plus tard, elles allèrent faire une pause chez Mima. Celle-ci leur prépara des sandwiches puis sortit à son tour inspecter les travaux. Quand Evelyn regagna sa tranchée, la vieille dame resta là, à la regarder. Elle portait un pantalon de crêpe noir et des bottes en caoutchouc qui lui battaient les genoux, et sur les épaules une vieille polaire grise tout élimée. Hattie lui trouva l'air d'une vieille corneille, debout sous sa capuche à regarder travailler sa bru. Une corneille mantelée prête à chiper un morceau de nourriture.

— Eh bien, Evelyn, tu t'es vue ? lança Mima. À quatre pattes, comme une bête. Dans cette lumière, on pourrait te prendre pour un des cochons de Joseph en train de fouir la terre. Méfie-toi ou il va te trancher la gorge pour te manger comme du lard.

Et elle éclata de rire, si fort que cela dégénéra en quinte de toux.

Evelyn ne répondit pas. Dressée sur ses genoux, elle écumait. Hattie éprouva un élan de compassion à son égard. Elle n'aurait jamais cru Mima si cruelle. D'un bond, elle rejoignit son élève dans sa tranchée. L'os dépassait nettement à présent. La jeune femme tira sa propre truelle de la poche arrière de son jean. Extrêmement concentrée, elle le dégagea un peu plus encore, puis poursuivit à la brosse. La forme se fit plus précise : une courbe gracieuse, un creux sculptural.

— *Pars orbitalis*, murmura-t-elle.

Sous le choc et l'exaltation, elle en avait oublié sa résolution de ne pas faire d'esbroufe, d'employer des mots simples et compréhensibles.

Evelyn lui jeta un regard interrogateur.

— La portion orbitaire, expliqua Hattie. Cet os provient d'un crâne humain.

— Oh non…, souffla Mima.

La doctorante la regarda ; elle était blanche comme un linge.

— Ça ne peut pas être ça, reprit la vieille dame. Non, non, ce n'est pas possible.

Elle pivota et rentra précipitamment chez elle.

5

Sandy Wilson traversait le champ d'un pas titubant. C'était quelques semaines après la découverte du crâne, par une de ces nuits d'encre fréquentes au printemps. Pas froide, mais chargée d'une couche de nuages bas qui s'accrochait à l'île et d'un crachin dense, ininterrompu, qui occultait la lune et les étoiles et même les fenêtres éclairées de la maison, là-bas, derrière lui. Il n'avait pas de lampe de poche mais n'en avait nul besoin. Il avait grandi ici. Quand on vit sur une île de dix kilomètres de long sur quatre de large, avant d'avoir dix ans on en connaît le moindre repli. Et cette géographie intime demeure au fond de soi, même une fois qu'on est parti. Sandy habitait en ville à présent, à Lerwick, néanmoins il était convaincu que si on le parachutait les yeux bandés n'importe où à Whalsay, il ne lui faudrait que quelques minutes pour savoir où il avait atterri, rien qu'à l'inclinaison du terrain sous ses pieds et au toucher du muret le plus proche sous ses doigts.

Il savait qu'il avait trop bu mais se félicitait d'avoir su quitter le Pier House Hotel à temps. Sa mère devait veiller en l'attendant. Deux verres de plus et il aurait été complètement beurré. Alors il aurait eu droit à la sempiternelle rengaine sur les bienfaits de la modération et le bon exemple de son frère, Michael, qui avait complètement cessé de boire. Sandy se dit qu'il allait s'arrêter chez sa grand-mère en chemin, elle lui préparerait une bonne tasse de café bien serré et il serait à peu près dégrisé en arrivant chez lui. Elle l'avait appelé dans la semaine et lui avait demandé de passer à Setter lors de sa prochaine visite sur l'île. Mima ne s'était jamais offusquée de le voir un peu pompette. C'était elle qui lui avait fait avaler son premier gorgeon, un matin qu'il allait à la grande école. Il faisait un froid de canard et elle avait dit que le whisky le réchaufferait. Il avait crachoté et suffoqué comme s'il venait d'ingurgiter le pire des médicaments, mais depuis il y avait pris goût. Il pensait que chez Mima, ce goût-là était de naissance, même si ça n'avait pas l'air de l'affecter – il ne l'avait jamais vue ivre.

Le champ descendait en pente douce jusqu'au sentier menant à la fermette. Le jeune homme entendit un coup de feu. La détonation le laissa un instant interdit, mais il ne s'en inquiéta pas. Ce devait être Ronald, en train de chasser le lapin à la lampe torche. Il avait évoqué l'idée lorsque Sandy était passé voir le bébé, et c'était une nuit à ça. Éblouis par la lumière, les rongeurs restaient immobiles comme des statues, n'attendant que de se faire tirer dessus. Pratique illégale, mais ces bestioles étaient une telle calamité dans l'archipel que tout le monde s'en fichait. Ronald était un cousin. Enfin, quelque chose comme ça. Sandy essaya de reconstituer leur lien de parenté, seulement, entre la complexité de l'arbre généalogique et son état d'ivresse, il s'embrouilla et laissa tomber. Il se remit en route vers Setter, ses pas ponctués par quelques coups de fusil sporadiques.

Le sentier s'incurva et le jeune homme vit, exactement comme il s'y attendait, de la lumière à la fenêtre de la cuisine. Nichée au creux de la colline, la maison de Mima se découvrait d'un seul coup. Bon nombre d'habitants de l'île se réjouissaient qu'elle soit cachée à la vue par les reliefs avoisinants, car c'était un endroit pour le moins négligé, le jardin envahi de mauvaises herbes, les fenêtres à nu et putrescentes. Evelyn, la mère de Sandy, mortifiée par l'état de la fermette, enquiquinait régulièrement son père à ce propos : « Quand est-ce que tu vas aller lui retaper tout ça ? » Mais Mima ne voulait rien savoir. « La bicoque tiendra bien assez longtemps pour moi, déclarait-elle d'un ton satisfait. Elle me plaît telle qu'elle est. Je ne veux pas que tu viennes semer le bazar chez moi. » Et comme Joseph écoutait davantage sa mère que sa femme, Mima n'était pas dérangée.

Setter était l'habitation la plus abritée de l'île. L'archéologue qui avait débarqué de quelque université du Sud l'année précédente avait dit que cette terre était occupée depuis des milliers d'années. Il avait demandé s'il pouvait creuser quelques tranchées dans le terrain voisin de la maison. Un travail de recherche pour une de ses étudiantes en doctorat. Celle-ci avait dans l'idée que l'endroit avait été le siège d'une résidence importante. Ils remettraient les lieux dans l'état où ils les avaient trouvés. Sandy pensait que Mima aurait accepté même sans cette condition : l'archéologue lui avait tapé dans l'œil. « C'est un bel homme », avait-elle déclaré, une lueur dans les yeux. Son petit-fils avait alors entrevu comment elle devait être dans sa jeunesse. Effrontée. Provocante. Pas étonnant que les autres femmes de l'île se soient méfiées d'elle !

Un bruit se fit entendre dans le champ accolé au sentier. Pas une détonation cette fois mais un murmure, une déchirure et un battement de pieds. Sandy se retourna, vit la silhouette d'une vache à quelques mètres de lui. Sa grand-mère était la seule personne à Whalsay à traire encore à la main. Les autres avaient arrêté depuis des lustres, découragés par la charge de travail et les normes d'hygiène qui empêchaient de vendre le lait. Il restait pourtant des amateurs de lait cru, qui venaient réparer la toiture ou glissaient une bouteille de whisky à Mima en échange de leur pot quotidien de liquide jaunâtre. Peut-être se seraient-ils montrés moins assidus s'ils avaient assisté à l'opération. La dernière fois que Sandy l'avait vue faire, la vieille dame s'était mouchée dans le torchon sale avec lequel elle avait ensuite essuyé les tétines. À sa connaissance, cependant, personne n'était tombé malade. Lui-même avait été élevé à ça et il ne s'en portait pas plus mal. Même sa mère écumait la crème du bidon pour la verser sur son porridge comme une gourmandise.

Il ouvrit la porte donnant sur la cuisine, persuadé de trouver Mima dans son fauteuil près de la Rayburn, le chat sur les genoux, un verre vide sur la table, en train de regarder quelque fiction sanglante à la télévision. Elle n'avait jamais été du genre à se coucher de bonne heure, semblait à peine dormir et adorait la violence. Dans la famille, elle était la seule à

s'être réjouie du choix professionnel de Sandy. « Épatant !
Un flic ! » s'était-elle écriée. Et la lueur rêveuse de son regard
l'avait convaincu qu'elle s'imaginait New York, des armes, des
courses-poursuites infernales. Mima n'avait quitté l'archipel
qu'une seule fois, pour assister à un enterrement à Aberdeen.
Ses images du monde lui venaient de la télé. La police aux
Shetland n'avait jamais trop ressemblé à ces représentations-
là, mais malgré tout elle aimait l'entendre raconter ses faits
d'armes – il les amplifiait, rien qu'un chouïa, pour lui faire
plaisir.

Le téléviseur était allumé, il braillait affreusement. Mima
devenait sourde, même si elle refusait de l'admettre. Cependant, le chat reposait seul sur le fauteuil. Il était grand et noir,
méchant avec tout le monde sauf sa maîtresse. « Un chat de
sorcière », disait Evelyn. Sandy baissa le volume, poussa la
porte intérieure et cria :

— Mima ! C'est moi !

Il savait qu'elle n'était pas couchée. Elle n'aurait jamais
laissé la lumière et la télévision allumées, et puis le matou la
suivait partout, y compris au lit. Elle était encore jeune lorsque
son mari avait péri en mer. Certaines rumeurs dépeignaient
une jeune veuve dévergondée, pourtant Sandy l'avait toujours
connue seule.

Pas de réponse. Il se sentit soudain parfaitement dégrisé et
explora le reste de la maison. Un couloir desservait les trois
autres pièces, chacune fermée par une porte. Il ne se rappelait
pas être entré dans la chambre – Mima n'était jamais malade.
De forme carrée, elle était meublée d'une lourde armoire en
bois sombre et d'un lit si haut qu'il ne voyait pas comment sa
grand-mère pouvait s'y hisser sans marchepied. Au sol, le
même gros lino marron que dans la cuisine, ainsi qu'une peau
de mouton, jadis blanche, à présent grise et emmêlée. Les
rideaux, défraîchis et râpés, ornés de petites roses sur fond
crème, n'étaient pas tirés. Sur l'appui intérieur de la fenêtre
trônait une photo de son défunt mari, épaisse barbe rousse,
yeux très bleus, ciré marin sur le dos et bottes aux pieds.
Sandy lui trouva une ressemblance avec son propre père. Le

lit était fait, recouvert d'une courtepointe en carrés au crochet. Aucune trace de Mima.

La salle de bains, adossée à l'arrière de la maison, était une extension plus récente, même si, d'aussi loin que Sandy s'en souvienne, elle avait toujours été là. Une baignoire et un lavabo d'un bleu invraisemblable sur l'inévitable lino marron, partiellement dissimulé ici par un tapis bleu vif à poils longs. Ça sentait l'humidité et les serviettes mouillées. Une énorme araignée se promenait autour de la bonde. À part elle, aucun signe de vie.

Sandy essaya de raisonner. Il avait déjà enquêté sur des disparitions et savait que les proches paniquaient toujours pour rien. À peine le téléphone raccroché, il se moquait du conjoint ou des parents inquiets. « Il y avait une fête à la Haa hier soir. À tous les coups, le disparu est là-bas. » À présent, il ressentait le choc de l'imprévu, de l'inconnu. Mima ne sortait jamais le soir, sauf en cas de réunion familiale chez Joseph et Evelyn ou de grand événement sur l'île, un mariage par exemple, auquel cas quelqu'un l'aurait raccompagnée – et puis le jeune homme aurait été au courant. Mima n'avait pas vraiment d'amis. La plupart des habitants de Whalsay la craignaient vaguement. Il sentit ses pensées s'emballer, tenta de garder son calme. Que ferait Jimmy Perez dans pareille situation ?

Sa grand-mère rentrait toujours les poules pour la nuit. Elle avait pu sortir s'en occuper et trébucher en chemin. Les archéologues avaient creusé leurs tranchées assez loin de la bicoque, mais Mima n'était plus toute jeune et l'alcool avait peut-être fini par altérer son jugement. Si elle était allée s'égarer dans ce coin-là, elle pouvait très bien s'être cassé la figure.

Sandy retourna à la cuisine et prit la lampe de poche dans le tiroir de la table. Elle s'y trouvait depuis l'époque où chaque maison possédait son propre groupe électrogène, qui ne fonctionnait que quelques heures le soir. En sortant, il fut saisi par la brume et le crachin, le froid mordant après la chaleur de la Rayburn. Il devait être près de minuit. Sa mère commencerait à s'inquiéter de son absence *à lui*. Il fit le tour du bâtiment. Là se dressait l'abri où Mima menait la vache pour la traire. Une fois les yeux accoutumés à l'obscurité, la maison était assez éclairée pour y voir. Il avait laissé allumée la salle de bains, dont la fenêtre donnait de ce côté-ci. Pas besoin de lampe de poche pour l'instant. Les poules étaient déjà au poulailler. Il vérifia le loquet de la porte en bois et entendit des bruits étouffés à l'intérieur.

Ç'avait été une belle journée, Mima avait dû faire sa lessive. Le fil à linge s'étendait de la maison jusqu'au champ de fouilles des archéologues. Des serviettes et un drap y pendaient, lourds et inanimés, telles les voiles d'un bateau encalminé. D'autres Shetlandaises les auraient rentrés dès la tombée de la nuit, mais Mima n'avait pas dû s'en préoccuper si elle était en train de dîner ou plongée dans un livre. C'était cette inconséquence qui irritait tant certains de ses voisins. Comment pouvait-elle ne pas se soucier de ce que l'on pensait d'elle ? Comment pouvait-elle tenir sa maison aussi mal ?

Le jeune homme suivit le fil jusqu'au chantier des étudiantes. Une ficelle tendue entre deux piquets pour délimiter la zone de fouilles – ou la mesurer, peut-être. Un brise-vent en plastique bleu fixé à des poteaux métalliques. Un tas de mottes proprement empilées et un autre de déblais. Deux tranchées se croisaient à angle droit. Il les inspecta à la lumière de sa lampe, mais hormis quelques flaques d'eau, elles étaient vides. Il lui vint à l'esprit que l'endroit ressemblait aux scènes de crime des séries qu'affectionnait sa grand-mère.

— Mima !

En s'entendant, Sandy trouva sa voix grêle et haut perchée. Méconnaissable. Il décida qu'il ferait mieux de rentrer, éteignit sa lampe et repartit vers la maison. De là, il pourrait téléphoner à Utra. Sa mère saurait où se trouvait Mima, elle était toujours au courant de tout ce qui se passait à Whalsay. En chemin il aperçut un linge tombé du fil, qui gisait en tas informe dans l'herbe. Il reconnut l'un des imperméables des étudiantes et supposa que Mima avait dû leur proposer de le décrasser. Autant le laisser là : de toute manière, il faudrait le remettre à la machine. Pourtant il se baissa pour le ramasser et le rapporter à l'intérieur.

Ce n'était pas un simple vêtement. C'était sa grand-mère, minuscule dans ce grand ciré jaune. Elle semblait à peine plus haute qu'une poupée, toute menue, les bras et les jambes comme de frêles brindilles. Le jeune homme lui toucha le visage, aussi froid et lisse que la cire, chercha son pouls. Il se dit bien qu'il devrait appeler le docteur, mais fut incapable de bouger. Il était pétrifié, paralysé par le choc et la nécessité d'assimiler le fait que Mima était morte. Il la contemplait, son visage d'un blanc de craie sur le sol boueux. *Ce n'est pas Mima. Ce n'est pas possible. C'est une épouvantable méprise.* Mais bien sûr que c'était elle ; il détailla les dents mal ajustées, les mèches de cheveux blancs, et se sentit tout à la fois nauséeux et dégrisé. Il ne se faisait pas confiance, cependant. Il était Sandy Wilson, celui qui avait toujours tout faux. Peut-être qu'il avait cafouillé en lui tâtant le pouls et qu'en fait elle était vivante, elle respirait normalement.

Il la prit dans ses bras pour la porter à l'intérieur. Il ne supportait pas l'idée de la laisser dehors dans le froid. Ce ne fut qu'arrivé dans la cuisine qu'il découvrit les blessures à l'abdomen, et le sang.

6

L'inspecteur Jimmy Perez débarqua à Whalsay par le premier ferry. Il attendait déjà au terminal de Laxo, au nord-ouest de Mainland, quand le bateau arriva de Symbister. Il n'y avait que lui sur le quai. À cette heure-là, les gens circulaient majoritairement dans l'autre sens : habitants de la petite île allant travailler en ville, ados trop grands pour l'école de Whalsay, encore à moitié endormis, partant prendre le bus pour Lerwick. Jimmy suivit la manœuvre du transbordeur, attendit que la demi-douzaine de voitures en descende et que le troupeau des lycéens en route pour Anderson se soit éloigné vers le car de ramassage qui les attendait, puis mit le contact. Aujourd'hui, c'était Billy Watt qui commandait le bateau. L'équipage se composait intégralement de marins locaux ; il en allait ainsi de tous les ferries inter-îles. Billy fit signe à Perez d'avancer, le regarda rouler lentement jusqu'à ce que son pare-chocs ne soit plus qu'à quelques centimètres de la rampe métallique, puis lui adressa un sourire jovial. Whalsay était réputée chaleureuse ; elle était célèbre pour la façon dont ses habitants saluaient de la main les voitures passant sur la route. Quand il vint collecter le prix du billet, Billy ne demanda pas à Perez ce qui l'amenait. C'était inutile : à cette heure, presque toute l'île devait déjà être au courant de l'accident de Mima Wilson.

L'inspecteur avait été en terminale avec Billy et se rappelait un garçon pâle et réservé qui récoltait toujours les meilleures notes en français. Il se demanda s'il utilisait ses dispositions pour les langues avec les visiteurs étrangers. À vrai dire, Whalsay n'était pas vraiment un coin touristique. Il n'y avait nulle part où loger hormis un unique hôtel et le Bod, qui attirait étudiants et randonneurs. Symbister était un port de pêche, le port d'attache de sept des huit chalutiers pélagiques que comptait l'archipel. Ce qui expliquait pourquoi les habitants de Whalsay n'avaient pas besoin de vendre des tasses de thé ou des moufles tricotées main pour gagner leur vie. Ils entretenaient les vieilles traditions de l'hospitalité et du tricot, mais sans considérations pécuniaires.

Jimmy avait été réveillé par le coup de fil de Sandy. Il s'était aussitôt inquiété, mais sans rapport avec son travail : sa compagne, Fran, avait profité des fêtes de Pâques pour aller passer quelques semaines dans le Sud avec sa fille Cassie. « Mes parents ne l'ont pas vue depuis des mois. Et puis j'ai envie de retrouver mes amis. On a vite fait de perdre le contact, en habitant ici. » Perez savait que c'était ridicule mais dans son esprit, Londres évoquait le danger. Ainsi, tandis que Fran pensait soirées au théâtre entre amis et grands-parents ravis de rattraper des mois de baby-sitting, lui pensait délinquance armée, agressions au couteau, attentats terroristes.

Cette angoisse devait l'accompagner jusque dans son sommeil car la sonnerie du téléphone l'avait immédiatement paniqué. Il s'était redressé d'un bond et avait décroché, le cœur battant à se rompre, l'esprit parfaitement éveillé. « Allô ? »

Mais ce n'avait été que pour entendre Sandy Wilson, inintelligible et incohérent comme lui seul pouvait l'être, baragouiner une histoire de famille, de coup de fusil accidentel, de grand-mère morte.

Jimmy ne l'avait écouté que d'une oreille, le reste de son être envahi par un tel soulagement qu'il s'était pris à sourire. Non parce qu'une vieille dame était décédée, mais parce que rien de grave n'était arrivé à Fran ni à Cassie. Le réveil sur sa table de nuit indiquait près de trois heures du matin.

« Comment tu sais que c'était un accident ? avait-il enfin demandé.

— Mon cousin Ronald chassait le lapin et on y voyait comme dans un four, alors c'est pas très étonnant. Qu'est-ce que ça pourrait être d'autre ?

— …

— Ronald aime bien picoler.

— Et qu'est-ce qu'il dit, lui ?

— Il comprend pas comment c'est possible. Il dit qu'il est bon chasseur et qu'il aurait pas été tirer près de chez Mima.

— Il avait bu ?

— D'après lui, non. Pas beaucoup.

— Et toi, qu'est-ce que tu en penses ?

— Je vois pas ce qui aurait pu se passer d'autre. »

Sur le ferry, Perez abandonna sa voiture et monta jusqu'au pont fermé. Il prit un gobelet de café à la machine et alla s'asseoir, regarda Whalsay émerger de l'aube et du brouillard derrière les hublots crasseux. Tout n'était que teintes sourdes de vert et de gris. Pas de couleurs vives, pas de lignes franches. Le climat shetlandais, songea-t-il. À mesure que le bateau approchait, il commença à distinguer les maisons sur la colline. Des demeures imposantes, majestueuses. Il avait grandi baigné de mythes sur la richesse des gens de Whalsay, sans jamais savoir jusqu'à quel point ces récits étaient vrais : les Shetland regorgeaient d'histoires d'or enfoui et de trésors cachés par les lutins. On racontait qu'une année, un capitaine inquiet des impôts qu'il allait devoir acquitter avait retiré de l'argent des comptes de sa société. Le matin de Noël, il avait convoqué tous les membres de son équipage sur le quai et chacun avait trouvé une Range Rover flambant neuve à son nom. Perez ne se rappelait pas avoir jamais vu aucun homme de Whalsay au volant d'une Range Rover, et de toute manière les bateaux étaient en gestion coopérative. Mais c'était une belle histoire.

Sandy l'attendait sur le quai. Avant que le transbordeur ait accosté, il descendit de voiture et resta là, mains dans les poches, capuche relevée pour se protéger de l'humidité, jusqu'à ce que son patron ait gagné la terre ferme. Alors il alla le rejoindre et prit place sur le siège passager. Perez vit aussitôt qu'il n'avait pas fermé l'œil de la nuit.

— Mes condoléances pour ta grand-mère.

D'abord le jeune homme ne réagit pas, puis il esquissa un sourire amer.

— C'est comme ça qu'elle aurait voulu partir. Elle a toujours eu un faible pour les situations théâtrales. Elle aurait pas voulu s'éteindre pendant son sommeil dans un hospice.

Il s'interrompit, puis :

— Ni que Ronald ait des ennuis à cause de cette histoire.

— Ça, malheureusement, ça ne dépend pas d'elle.

— J'ai pas su quoi faire.

Sandy savait rarement quoi faire, mais en général il refusait de l'admettre.

— Je veux dire, est-ce que j'aurais dû l'arrêter ? Il a plus ou moins commis un crime, non ? Même si c'était un accident. Usage inconsidéré d'une arme à feu...

Perez se dit que l'inconsidération était une notion bien difficile à prouver devant la loi.

— Je crois que tu ne pouvais rien faire, déclara-t-il. En plus, tu es personnellement impliqué. C'est toi qui as trouvé le corps et tu connais tout le monde. Tu n'as pas le droit d'intervenir. Quoi qu'il arrive, ce ne sera pas à toi de décider s'il faut arrêter Ronald ou non.

Ni à moi. La décision reviendra à la procureure. Officiellement, ce serait elle qui chapeauterait l'affaire, et Jimmy ne la connaissait pas assez pour prévoir sa réaction.

Le pare-brise s'était embué. Il l'essuya d'un coup de chiffon. À présent il ne restait plus que le brouillard du dehors. Le ferry avait embarqué les voitures et repartait vers Laxo. Ce devait être un boulot reposant, de faire la navette entre les îles. Peut-être était-ce pour cela que Billy Watt l'avait choisi. Même si ça devait devenir ennuyeux au bout d'un moment.

— Tu sais que tu devrais rentrer à Lerwick, lança Perez. Me laisser m'occuper de l'affaire.

Si toutefois il y en a une, ce qui n'est probablement pas le cas.

Sandy prit un air déconfit, se tortilla sur son siège mais n'esquissa pas le moindre geste pour descendre de voiture. Jimmy se demanda ce qu'il ressentirait si sa propre famille se retrouvait dans pareille situation, s'il arrivait quoi que ce soit à Fran ou à Cassie. Par le passé, elles avaient été mêlées de près à l'une de ses enquêtes et il aurait été incapable de quitter la partie pour en confier la responsabilité à un autre.

— Je ne connais pas Whalsay, reprit-il lentement. Je crois que ça me serait utile de t'avoir pour guide quelque temps. Mais tu restes en retrait. Tu me présentes aux gens et ensuite, plus un mot. Tu comprends ?

Sandy hocha la tête avec reconnaissance. Sa longue frange blonde lui battit le front.

— Bon, alors on laisse ta voiture ici, tu n'es pas en état de conduire. Tu vas commencer par me montrer l'endroit où tu as trouvé ta grand-mère.

— Je l'ai déplacée, avoua le jeune homme. Il faisait froid et dans la nuit noire, je n'ai pas vu la blessure. J'ai cru qu'elle avait fait un malaise et qu'elle était peut-être encore en vie. Je suis désolé.

Il y eut un bref silence, puis Jimmy déclara :

— J'aurais fait exactement pareil.

Son collègue lui indiqua le chemin de Setter. Perez pouvait compter sur les doigts d'une main ses visites à Whalsay. Il y avait eu un cas de vandalisme – une des yoles de compétition, ces barques traditionnelles à voile et aviron, avait été sabordée puis coulée dans le port. Personne d'autre n'étant disponible au commissariat, il s'était déplacé par curiosité. Une autre fois, Sandy les avait invités, Fran et lui, à son anniversaire, organisé par ses parents à la salle des fêtes de Lindby. Jimmy savait que la veille, Sandy était sorti à Lerwick avec des amis plus jeunes, mais à cela il n'avait pas été convié. La soirée à Whalsay était une fête de village à l'ancienne – un repas chaud avec ragoût de mouton et pommes de terre, un orchestre, des danses. Perez y avait retrouvé l'ambiance des bals de chez lui, à Fair Isle, animés et bon enfant.

Ces rares visites ne lui avaient pas permis de saisir la topographie de l'île ni les relations au sein de sa population. *Les gens de l'extérieur voient les Shetland comme un tout, mais ils sont bien loin de la réalité. Combien des habitants de Lerwick ont jamais mis les pieds à Fair Isle ou à Foula ? Certaines personnes à Biddista ont bien réussi à garder des secrets pendant des décennies. Les visiteurs sont plus aventureux qu'aucun d'entre nous.*

Sandy le fit bifurquer à droite à la sortie de Symbister et ils longèrent bientôt la côte sud de l'île, au milieu des fermettes éparses de la commune de Lindby et des murs éboulés de vieilles maisons abandonnées. Ce n'était pas un village à proprement parler, mais un hameau clairsemé d'une demi-douzaine de familles, presque toutes parentes, séparées du reste de Whalsay par des collines à moutons, des bancs de tourbe et un loch bordé de roseaux.

À son tour, Setter renvoya Perez au bon vieux temps de Fair Isle, à une fermette tenue par un vieillard qui trouvait qu'il y avait trop de travail pour lui tout seul mais refusait l'aide de quiconque.

Quelqu'un avait fait sortir les poules qui, trempées et ébouriffées, piétinaient un carré de mauvaises herbes à côté de la porte. Le jardin était négligé, la végétation exubérante. Une vieille pièce d'engin agricole, désormais impossible à identifier, rouillait contre le mur de l'étable. Aujourd'hui, les gens ne se satisfaisaient plus des maigres revenus que ces modestes exploitations pouvaient offrir. À Fair Isle, des familles venues du Sud avaient repris certaines fermettes pour monter de petites entreprises – assistance informatique, fabrication de mobilier, construction de bateaux. Parmi les nouveaux venus, il y avait même un couple d'Américains. Jimmy savait bien qu'il était bêtement sentimental, mais il restait attaché aux traditions.

— Que va devenir la ferme ? s'enquit-il. Elle appartenait à ta grand-mère ou c'était une location ?

— Elle était à elle, depuis toujours. Héritée de sa grand-mère.

— Et son mari ?

— Il est mort très jeune. Mon père était encore tout môme.

— Elle avait fait un testament ?

Sandy eut l'air secoué à cette idée.

— Setter reviendra à mon père. C'est le seul parent proche. Je sais pas ce qu'il en fera. Garder la terre et vendre la maison, peut-être.

— Et ton cousin, Ronald, il n'a droit à rien ?

— On est cousins du côté de ma mère. La mort de Mima ne lui rapportera rien.

Ils étaient toujours plantés devant la bicoque. Perez était ce que les gens du cru appellent un Shetlandais noir. L'ancêtre fondateur de la lignée avait échoué à Fair Isle suite au naufrage d'un navire espagnol de l'Invincible Armada. Son nom, ses cheveux bruns et sa peau mate s'étaient transmis de génération en génération. Dans le froid qui le pénétrait jusqu'à la moelle, Jimmy se dit qu'il en avait aussi hérité l'amour du soleil. Il avait hâte d'être en été.

— Il faut qu'on marque le périmètre où tu as trouvé le corps, fit-il d'une voix douce. Même si la procureure déclare que c'était un accident, pour le moment on doit traiter les lieux comme une scène de crime.

Son collègue le regarda, subitement horrifié. Perez s'aperçut que l'évocation de cette simple routine policière avait redonné consistance à la mort de sa grand-mère.

Sandy poussa la porte et ils entrèrent dans la cuisine. De nouveau l'inspecteur fut ramené à son enfance. Ses grands-parents et deux vieilles tantes habitaient des maisons similaires. Au-delà du mobilier, ce fut l'odeur qui le replongea dans le passé : celle de la poussière de charbon et du feu de tourbe, d'une certaine marque de savon, de la laine humide. Au moins, ici, il faisait bon. La Rayburn avait dû être rechargée la veille au soir et chauffait encore à plein. Perez s'en approcha, tendit les mains au-dessus de la plaque.

— Qu'est-ce qui va arriver à la vache ? lança Sandy tout à trac. Mon père est venu la traire ce matin, mais je sais pertinemment qu'il fera pas ça deux fois par jour, sept jours sur sept.

À regret, Jimmy s'éloigna de la cuisinière.

— Sortons. Tu vas me montrer où ta grand-mère est morte.

— J'arrête pas de penser que si j'étais pas resté boire mon dernier verre, j'aurais pu arriver à temps pour la sauver. Je l'aurais peut-être empêchée de sortir.

Le jeune homme se tut un instant, puis :

— En plus, j'ai fait un crochet par ici uniquement pour me laisser le temps de dessaouler avant de regagner Utra. Si j'étais rentré directement, je serais reparti ce matin par le premier ferry et c'est quelqu'un d'autre qui l'aurait trouvée.

Nouvelle pause.

— Elle m'avait appelé cette semaine, pour savoir quand je comptais revenir. « Viens boire un gorgeon avec moi, Sandy. Il y a longtemps qu'on n'a pas bavardé tous les deux. » J'aurais dû passer la soirée avec elle au lieu d'aller au Pier House avec les potes.

— Qu'est-ce qu'elle fabriquait dehors si tard ?

Jimmy essayait d'imaginer ce qui avait bien pu pousser une vieille dame à quitter la chaleur de son foyer pour le froid et l'humidité du dehors, bien après la nuit tombée.

— Elle avait mis une lessive à sécher. Peut-être qu'elle a voulu la rentrer.

L'inspecteur garda le silence. Son collègue lui fit contourner la maison. Le linge était toujours là, tellement détrempé maintenant qu'il gouttait sur l'herbe. L'endroit ressemblait davantage à un pré qu'à un jardin, même si une bande de terrain parallèle au fil avait été bêchée en vue de plantations. Sandy vit que Perez la regardait.

— C'est mon père qui l'a préparée. Pour y mettre une rangée de patates et une de navets. Et tous les ans, il sème des choux à l'abri d'un enclos en pierres sèches pour nourrir la vache.

— Je ne vois pas de panier. Si elle était venue rentrer sa lessive, dans quoi elle l'aurait mise ?

Le jeune homme secoua la tête, l'air de dire : « Quelle importance ? »

— Et là-bas, qu'est-ce que c'est ?

Perez désignait du menton les tranchées creusées à l'autre bout du terrain.

— Des fouilles archéologiques. Une étudiante qui fait des recherches pour son doctorat. Elle est arrivée il y a deux ou trois semaines, avec son assistante. Les filles sont déjà venues l'an dernier. Elles campent au Bod. À cette saison, ça n'attire pas grand monde. Leur prof passe les voir de temps en temps

35

pour superviser les opérations. Il est là en ce moment, descendu au Pier House.

— Il faut qu'on lui parle.

— J'y ai pensé. J'ai fait un saut à l'hôtel en attendant ton ferry. Il viendra nous retrouver ici.

Perez fut surpris que son collègue ait fait preuve de tant d'initiative, se demanda s'il devait l'en féliciter ou si ce serait d'un paternalisme déplacé. Au bureau, le jeune homme passait toujours un peu pour l'idiot de service. Jimmy avait parfois partagé cette opinion. Il hésitait encore sur la meilleure attitude à adopter lorsqu'une haute silhouette émergea de la brume, comme si Sandy l'avait fait apparaître en l'évoquant. L'individu portait une longue veste Barbour et de grosses bottes. Il était grand, blond, les cheveux très courts. Il s'approcha d'eux, la main tendue.

— Bonjour. Paul Berglund. Vous vouliez me voir ?

Malgré son nom à consonance étrangère, il avait un accent du nord de l'Angleterre. Sa voix dure lui allait bien. Perez ne savait pas trop à quoi il s'était attendu pour un universitaire. Pas à ce grand bonhomme au parler austère et au crâne presque rasé.

— Sandy a dû vous expliquer qu'un accident s'est produit hier soir. Nous préférerions que vos étudiantes ne viennent pas sur le chantier aujourd'hui.

— Pas de problème. Hattie et Sophie ne vont pas tarder à arriver. Je reste là pour leur apprendre ce qui s'est passé. Est-ce que je peux attendre à l'intérieur ? Il fait un peu humide ici.

Perez hésita un instant, puis se rappela que ce n'était qu'un accident. Aucune raison d'en faire tout un plat.

— Tu es d'accord, Sandy ?

Ce dernier acquiesça aussitôt. La légendaire hospitalité de Whalsay.

— Bien sûr, évidemment.

Berglund tourna les talons et les deux policiers se retrouvèrent seuls. Jimmy se sentit un peu ridicule que la rencontre ait été si brève, mais pour le moment il n'avait rien de précis à demander au professeur. S'il l'avait interrogé sur les fouilles, il aurait révélé son ignorance. Et puis, quel rapport pouvait-il y avoir entre ces recherches archéologiques et la mort de Mima Wilson ? Il préféra adresser ses questions à son collègue :

— Les étudiantes ont fait des découvertes ?

L'idée que l'on puisse gagner sa vie en fouillant la terre piquait sa curiosité. Il pensait que ça lui plairait. Précision, méticulosité, pénétrer à pas feutrés dans la vie des gens. Quand les enquêtes s'y prêtaient, c'était ce qu'il préférait dans son boulot.

Sandy haussa les épaules.

— Je ne m'y suis pas vraiment intéressé. Je crois pas qu'elles aient trouvé grand-chose. Des bouts de poteries. Rien de passionnant. À part peut-être un vieux crâne il y a une quinzaine de jours. Val Turner, l'archéologue de l'Amenity Trust[1], est passée le signaler au commissariat. À vue de nez il ne lui paraissait pas suspect, et la procureure ne comptait pas pousser plus loin.

Perez crut se rappeler avoir entendu parler de cette histoire à la cantine.

— Ma mère était là quand elles l'ont trouvé.

La voix de Sandy s'était un peu animée en parlant du crâne, mais Jimmy se dit qu'il faudrait un véritable trésor pour l'enflammer. Des lingots d'or. Des joyaux. Il était encore comme un petit garçon.

Ils restèrent un moment à regarder les tranchées, les épaules voûtées pour lutter contre l'humidité. Pareils à des hommes en deuil, songea Perez, devant une tombe béante.

---

1. Créé en 1983, le Shetland Amenity Trust est une fondation indépendante destinée à préserver, étudier et mettre en valeur l'ensemble du patrimoine historique, architectural et naturel des Shetland. (N.d.T.)

7

Ronald Clouston habitait une maison neuve sur la côte. Elle paraissait plus grande encore que les bâtisses que Perez avait aperçues depuis le ferry, c'était un pavillon aux combles aménagés et pourvu d'une longue extension latérale en rez-de-chaussée. Garés devant, les deux hommes restèrent dans la voiture le temps que Sandy renseigne son supérieur sur la famille.

— Sa mère et la mienne sont cousines issues de germains.

Il fronça les sourcils, concentré.

— Issues de germains. Oui, je crois que c'est ça. C'est son père qui lui a vendu ce lopin de terre. Ronald voulait un endroit où s'installer avec sa jeune épouse. Il a fait construire il y a deux ans.

Sandy marqua un temps d'arrêt.

— Ils viennent d'avoir un bébé. C'est une des raisons de ma venue. Je voulais leur apporter un cadeau de naissance, les féliciter. Enfin, tu vois.

— Ça n'a pas embêté son père, de se défaire de ce terrain ?

— C'était qu'une pâture sans intérêt, et il a jamais été fermier.

— Que fait Ronald dans la vie ?

— Il bosse sur le chalutier pélagique de son père. La *Cassandra*. Une pure merveille, ce bateau. Quatre ans d'âge maintenant, mais toujours à la pointe.

C'était ce à quoi Perez s'attendait, et cela correspondait à l'image du gros buveur qui sortait chasser au milieu de la nuit. La plupart des navires de Whalsay étaient des entreprises familiales. La vie de pêcheur était dure et les hommes décompressaient quand ils rentraient à terre.

— Ronald, c'était l'intello de l'école, continua Sandy. Pas très doué du point de vue pratique mais excellent à tous les examens. Un peu rêveur aussi, tu vois. Il a commencé des études supérieures, et puis son père est tombé malade et il a dû prendre la relève sur le bateau. Tu sais comment ça marche. Peut-être que ça l'arrangeait bien d'avoir une excuse pour arrêter la fac, et que de toute manière il aurait pas eu sa licence. C'est ce que dit ma mère.

Un soupçon de jalousie, songea Jimmy. Ou de rivalité entre les deux cousines, la mère de Sandy et celle de Ronald, lorsqu'elles comparaient leurs fils. Personne n'aurait jamais qualifié Sandy d'intello.

— Sa femme est shetlandaise ?

— Non, Anna est anglaise. Mais ils se sont mariés ici, il y a deux ans. Toute sa famille est montée. Une réception en grande pompe.

Les paupières de Sandy tombèrent un instant et il se secoua pour se réveiller, regarda le crachin dehors. La buée dégoulinait à l'intérieur du pare-brise.

Perez trouvait que c'était tout de même une immense maison pour deux personnes et un enfant. Il se demanda où Ronald avait rencontré son Anna. De tout temps, les Shetlandais étaient allés chercher femme ailleurs. Pendant son bref passage à l'université, peut-être. Jimmy aussi avait épousé une Anglaise. Sarah, aimable et douce, blonde et jolie Mais il n'avait pas su répondre à ses attentes. Il se laissait trop facilement embarquer dans les problèmes des autres. « Je passe toujours après tout le reste, lui avait-elle reproché. Après ton travail, après tes parents, après le fils des voisins qui a fait des bêtises et le chat du plombier à aller récupérer. Quand tu finis par trouver un peu de temps pour moi, tu es épuisé. Tu n'as plus rien à donner. » À l'époque, il avait cru qu'elle lui tenait ce discours parce qu'elle venait de faire une fausse couche. Maintenant, il se rendait compte qu'il y avait du vrai dans ses propos. Il ne pouvait pas s'empêcher de fourrer son nez dans les affaires des autres. Il se disait que c'était le propre d'un bon inspecteur, mais il savait bien qu'il aurait été curieux même si son métier ne l'avait pas exigé.

Sarah était plus heureuse sans lui aujourd'hui. Remariée à un médecin, elle vivait en Écosse, dans les Borders, avec leurs enfants et leurs chiens. De son côté, Jimmy s'était lié avec une autre Anglaise, Fran Hunter, divorcée elle aussi. Sarah avait toujours été très exigeante affectivement. Fran, pensait-il, n'avait pas besoin de lui.

Sandy se tortillait sur son siège. Les longs silences de son supérieur le mettaient toujours mal à l'aise.

— Alors, on y va ?

— Tu ne mouftes pas, lui rappela Perez, puis il se souvint que le jeune homme venait de perdre sa grand-mère et lui sourit pour adoucir ses paroles. Tu te contentes de me présenter et ensuite, plus un mot.

Sandy opina et descendit de voiture. L'inspecteur supposa que le terrain avait été choisi pour sa situation. Bâtie au sommet d'un petit promontoire, la maison jouissait d'une vue panoramique sur la mer. À l'ouest, on pouvait sans doute distinguer Laxo et Mainland. Les heures devaient s'égrener au fil des allées et venues du ferry sur l'eau. C'était un pavillon carré, aussi peu élevé que les fermettes traditionnelles mais en bois, ce qui lui donnait une allure scandinave, et à la toiture percée de chiens-assis. Il était peint en bleu. Sur l'extension latérale, la pente du toit était plus faible. Jimmy se demanda à quoi servait cet espace supplémentaire. Pas à accueillir des animaux : il présentait une vaste baie vitrée. Derrière la maison, un petit jardin descendait jusqu'au rivage. Un massif de jonquilles abrité du vent par un mur de pierres sèches offrait une tache de couleur dans la brume. Un canot retourné reposait sur le sable au-dessus de la laisse de haute mer. Sandy poussa la porte et appela. Une réponse étouffée leur parvint de l'intérieur et les deux hommes entrèrent.

Le couple était assis dans la cuisine. Perez eut la sensation qu'ils n'avaient guère bougé depuis leur retour de Setter, après que Sandy eut foncé chez eux pour leur annoncer la mort de Mima. Comme si le choc les avait pétrifiés.

« Pourquoi tu as fait ça ? » avait demandé Jimmy quand son collègue lui avait avoué avoir laissé Mima pour se précipiter chez les Clouston. *Bon sang, ce type est peut-être un suspect !*

« Le docteur est pas là. Parti en vacances. Je savais qu'il faudrait du temps pour que l'hélico sanitaire arrive. J'ai pensé que quelqu'un d'autre saurait mieux que moi quoi faire. Leur maison est la plus proche de Setter. » Sandy avait levé les yeux et regardé fixement Perez. *Je sais que je suis idiot, mais laisse couler. Juste pour cette fois. Aujourd'hui, je suis pas de taille à encaisser une engueulade.* « Et puis Anna est une fille organisée. Débrouillarde. »

Tu voulais qu'elle te dise quoi faire, avait pensé l'inspecteur. Et tu as toujours eu horreur d'être seul.

Les Clouston étaient donc assis là, sans mot dire, toujours vêtus des jean et pull enfilés à la hâte quand le jeune homme les avait tirés du lit. Ronald ne devait pas avoir la trentaine, s'il était du même âge que son cousin et s'ils allaient à l'école ensemble, pourtant il paraissait plus vieux. Presque gris. S'apercevoir qu'on avait tué quelqu'un pouvait produire cet effet, songea Jimmy. Ronald leva les yeux lorsqu'ils entrèrent dans la cuisine, fit mine de se lever puis l'effort sembla insurmontable et il se rassit. Sa femme avait les cheveux bruns, entortillés dans un élastique à l'arrière du crâne mais lâches à présent, défaits. Elle se tenait très droite malgré sa fatigue visible, ses yeux cernés. Perez eut l'impression qu'elle était furieuse, tellement en colère qu'elle se méfiait de ce qu'elle pourrait proférer si elle ouvrait la bouche. Il n'aurait su dire si sa fureur était dirigée contre son mari, contre Sandy ou contre la situation dans laquelle ils se retrouvaient. Ou encore contre lui-même et son intrusion dans leur chagrin. Sur une des paillasses s'entassaient une demi-douzaine de lapins prêts à être écorchés et vidés. Des pièces de layette pendaient à un séchoir descendu du plafond.

—Je vous présente mon patron, déclara Sandy. L'inspecteur James Perez.

Le jeune homme respecta les consignes à la lettre, ne prononça pas un mot de plus, alla s'adosser au mur dans un coin de la cuisine et essaya de se faire oublier. Jimmy s'installa à la table, sur la chaise vide entre mari et femme, perçut de nouveau la tension qui régnait dans la pièce.

— Sandy vous a pris votre fusil.

Ce n'était pas une question. Il avait vérifié. Au moins, son collègue avait suivi la procédure sur ce point. C'était une façon d'entamer la conversation : factuelle, sans risque.

Ronald releva les yeux vers lui.

— Je comprends pas comment ça a pu arriver, lança-t-il, au bord des larmes. Je chassais entre ici et Setter, mais pas dans le coin de la maison ni du jardin.

Il se tourna vers son épouse. Elle regardait droit devant elle, pareille à une statue. L'inspecteur comprit que c'était la même conversation qu'ils avaient eue tout au long de la nuit. Le mari avait passé des heures à essayer de convaincre sa femme qu'il n'était pas responsable de la tragédie et elle avait refusé de l'excuser, d'alléger un tant soit peu sa culpabilité. Ronald avait l'air d'un enfant attendant désespérément qu'on le prenne dans les bras.

— Il faisait très noir, reprit Perez. Visibilité quasi nulle. Vous avez dû perdre vos repères. Ça arrive.

Malgré lui, il éprouvait de la compassion pour Clouston C'était sa malédiction, ce que son ex-femme appelait « incontinence émotionnelle » : sa capacité à toujours voir le monde par les yeux d'autrui.

Anna Clouston resta de marbre.

— Racontez-moi en détail la soirée d'hier.

Là, l'Anglaise se décida à intervenir :

— Il avait bu.

Des mots amers, accusateurs.

— Comme tous les soirs quand il ne travaille pas.

— Quelques cannettes ! protesta le jeune homme avec un regard implorant à Perez, qui résista à la tentation de le rassurer. Le vendredi soir, j'ai bien droit à quelques cannettes !

— Vous avez travaillé, hier ? s'enquit Jimmy, se retranchant derrière les faits.

— Non, ces temps-ci on se contente de deux ou trois grandes campagnes en haute mer par an. Je suis rentré il y a à peu près un mois.

— Alors vous avez passé la journée chez vous ?

— Non, je suis allé à Lerwick. Je voulais faire un saut à la bibliothèque.

Perez aurait bien aimé lui demander quels livres il avait empruntés – la vie des autres le fascinait jusque dans les moindres détails, même si ces derniers n'avaient aucun rapport direct avec son travail – mais Ronald continuait :

— Après, j'ai fait les courses au supermarché. La supérette de Symbister n'est pas mal, mais des fois on a envie de changer un peu. Depuis notre retour de la maternité avec le bébé, on n'avait pas mis les pieds en ville. Je suis rentré vers sept heures et demie.

— Plutôt huit, intervint Anna – non pour contredire son mari, mais par souci d'exactitude.

Perez estima qu'elle commençait à se détendre. Du moins était-elle disposée à participer, à présent. Il lui sourit :

— Et vous, vous êtes restée ici ?

— Oui. Sandy vous a peut-être expliqué que notre fils n'a qu'une quinzaine de jours. Il ne fait pas encore ses nuits, loin de là. J'en ai profité pour me reposer.

En effet, Jimmy avait remarqué d'emblée son épuisement. Sans la poussée d'adrénaline provoquée par la mort de Mima, elle aurait dormi debout.

— Vous travailliez, avant d'avoir le bébé ?

C'était sans intérêt pour l'enquête, mais il voulait savoir, pour mieux la comprendre.

— Oui, à la maison. J'espère pouvoir reprendre dès que possible.

— Qu'est-ce que vous faites ?

— Artisanat traditionnel. Filage, tissage, tricot. Je travaille surtout la laine de Whalsay, soit en couleur naturelle, soit en la teignant moi-même. Les ressources halieutiques s'amenuisent. Le prix du mouton a chuté. Le pétrole, il n'y en a presque plus. Un jour ou l'autre, il faudra qu'on crée de nouvelles activités aux Shetland. Ou qu'on fasse revivre les anciennes.

Perez se dit que c'était un raisonnement qu'elle avait déjà tenu, une discussion qu'elle avait eue à maintes reprises. Il se demanda ce qu'en pensaient les riches familles de pêcheurs de Whalsay.

— Vous vendez les vêtements que vous confectionnez ?

Il voyait bien que ses questions la déstabilisaient. Qu'est-ce qu'elles pouvaient avoir à faire avec la mort d'une vieille dame ? Mais elle était également flattée de son intérêt.

— Principalement par Internet. J'espère pouvoir développer mon entreprise. Enseigner ces techniques ancestrales à d'autres. C'est pour ça qu'on a agrandi la maison. L'idée est d'y organiser des ateliers « fibres ». Je n'ai commencé à l'annoncer qu'à la fin de l'année dernière et j'ai déjà plusieurs inscrites. Un petit groupe d'Américaines a réservé pour cet été. On ne sera pas encore tout à fait prêts pour les héberger ici, surtout avec le bébé, alors elles logeront à l'hôtel et viendront pour les ateliers.

Un instant, sa colère sembla se dissiper et son visage s'éclaira. Son travail comptait beaucoup pour elle.

— Qu'est-ce qu'elles vont penser quand elles auront vent de cette histoire ? Dans mon activité, la clientèle se constitue par le bouche-à-oreille. Personne ne voudra venir sur l'île si les gens ont peur de se faire tirer dessus !

— Des ateliers « fibres » ?

Perez trouvait que c'était un drôle d'intitulé. Et puis il espérait que ça la calmerait d'en parler.

— Toutes les techniques artisanales qui tournent autour de la laine.

Il s'aperçut alors qu'elle devait porter une de ses créations, un pull tricoté main en laines non teintes, grises et miel principalement.

— Vous avez passé la soirée ensemble ?

— J'avais préparé le dîner pour le retour de Ronald. On n'avait pas beaucoup dormi la nuit précédente. James était agité, il avait des coliques. Je savais que Ronald serait fatigué. Et le petit avait dormi presque tout l'après-midi.

De nouveau Perez eut envie de leur demander où ils s'étaient connus. Il venait à peine de les rencontrer mais il les trouvait mal assortis. Peut-être était-il influencé par le portrait que Sandy avait dressé de son cousin, en tout cas il voyait

Ronald comme un homme distrait, passif, même en tenant compte du traumatisme de la mort de Mima. Bien qu'elle paraisse plus jeune que son mari, Anna était forte et ambitieuse. Malgré tout, elle l'aimait assez pour lui avoir préparé le dîner, pour comprendre que comme elle, il avait eu une semaine longue et éreintante.

— Des visites ?

— Pardon ? fit Ronald en fronçant les sourcils.

— Vous avez eu des visites, hier ?

— Sandy est passé à midi pour voir le bébé.

— Et le soir ?

— Tante Evelyn a fait un saut, on venait juste de finir de dîner.

Perez se demanda quelle cuisinière était Anna. Si elle s'intéressait à l'artisanat traditionnel shetlandais, en allait-il de même pour la cuisine ? Il aurait aimé sentir des relents de repas, voir des casseroles sales près de l'évier, un début de piste. Quelle importance ? Pourquoi était-il si fasciné par les détails infimes de la vie des autres ? Il voulait visualiser la scène de la veille dans la cuisine avant le départ de Ronald à la chasse au lapin.

— Qui est-ce ? s'enquit-il en essayant de se concentrer sur la conversation.

— Evelyn Wilson. La mère de Sandy.

Clouston jeta un coup d'œil rapide à son cousin, qui somnolait, à moitié affalé sur le plan de travail.

— Où était votre fusil pendant ce temps-là ?

— Enfermé à clé dans l'armoire du bureau d'Anna. Comme toujours quand je ne m'en sers pas.

— Et la clé ?

— Dans le tiroir de son secrétaire. Pourquoi toutes ces questions ? Personne d'autre n'a pris le fusil. Il était à sa place quand j'ai décidé de sortir.

Ronald s'essuya le visage de la main. Il ne faisait pas particulièrement chaud dans la pièce, pourtant des gouttes de sueur perlaient à son front.

— Mme Wilson est restée combien de temps ?

— Je lui ai préparé une tasse de thé, répondit Anna. Elle avait envie de parler des fouilles. On a découvert un fragment de crâne humain, il a été envoyé au labo pour datation. Evelyn est très active dans le développement culturel local. Elle préside le Forum de Whalsay. C'est elle qui a suggéré d'ajouter une page consacrée à mes ateliers sur le site Internet de l'île.

— Elle vous considère comme une alliée naturelle ?

— Oui, fit Anna tout en réfléchissant. J'imagine, oui. Tout le monde ne s'intéresse pas à ces recherches. Ronald a toujours été passionné d'histoire, c'était sa spécialisation à la fac. Et moi aussi, je trouve le chantier de Setter captivant.

Elle regarda son mari. Sans doute était-ce un intérêt qu'ils avaient en commun mais à cet instant précis, le jeune homme montrait peu d'enthousiasme pour l'archéologie. Il affichait toujours un visage gris et inexpressif.

— Mme Wilson est restée quoi, une demi-heure ? reprit l'inspecteur.

— À peu près, oui.

Anna se leva, s'étira.

— Un café ? J'aurais dû vous le proposer plus tôt. Je ne sais pas ce qui m'arrive. Le choc, je suppose.

— Vous aimiez bien Mima ?

Il y eut un silence.

— Je ne suis pas sûre qu'elle, elle m'aimait beaucoup. Mais je suis triste qu'elle soit morte.

Perez songea que c'était là une description singulièrement honnête et prudente de leur relation. Après un décès brutal, bien des gens feignaient une intimité qui n'avait jamais existé.

— Un café, ce serait parfait, lança-t-il. Nature pour moi. Vous devez savoir comment Sandy prend le sien. Tellement de sucre qu'on dirait du sirop.

Ils attendirent en silence tandis que la jeune femme remplissait et allumait la bouilloire. Elle attrapa des mugs dans un placard en hauteur. À l'observer, Jimmy se dit qu'elle avait déjà dû retrouver un peu de sa ligne. Il la voyait bien en championne de la vie saine, usagère assidue de la piscine de Whalsay – construite grâce aux revenus pétroliers qui avaient arrosé l'archipel dans les années 80 –, l'imaginait parfaitement faire du jogging. Il se demanda si Ronald lui avait appris à chasser.

— Donc, Mme Wilson est repartie vers quelle heure ?

— Vers neuf heures, je dirais.

Anna versa du sucre dans la tasse de Sandy et la lui tendit, puis plaça la seconde devant Perez. Son collègue avait raison : c'était elle la personne organisée du couple, elle qui prenait l'initiative et répondait à ses questions.

— James s'était réveillé, il fallait que je lui donne le sein. Je ne l'ai pas raccompagnée.

— Une fois seuls, qu'est-ce que vous avez fait ?

— On s'est disputés. À propos de l'alcool.

Elle était toujours debout et sa colère remonta d'un coup. L'inspecteur la trouva superbe, plantée là, le dos droit, les yeux étincelants. Peut-être était-ce dû à la naissance du bébé, aux hormones. Il était heureux que sa fureur soit dirigée contre Ronald, et non contre lui.

— Apparemment, mon mari ne peut pas passer une seule soirée sans boire.

Depuis son coin, Sandy croisa le regard de Perez et prit soudain un air penaud. Bon nombre de Shetlandais devaient avoir du mal à passer une soirée sans alcool.

— Je lui ai suggéré d'essayer, ne serait-ce qu'une fois. On mange sainement, on fait pas mal de sport. Et maintenant, il faut aussi penser au bébé.

— Juste quelques cannettes, gémit Ronald.

Une vraie ritournelle. Des yeux, il chercha le soutien des deux autres hommes.

— Mais de là à sortir ton fusil ! répliqua-t-elle, de plus en plus excédée. Rien que pour me faire enrager parce que je t'avais prié de rester à la maison. Après la journée enfermée ici toute seule, j'avais besoin de compagnie. C'était trop te demander ? Tu te rends compte de ce que tu as fait ? Tu vas aller au tribunal, peut-être en prison. Si tu ne bossais pas dans l'entreprise familiale, tu perdrais ton boulot presque à coup sûr. Et puis tu sais bien comment c'est, ici. Où qu'on aille, il y aura des gens pour murmurer dans notre dos : « Regarde, c'est le dingue qui a tué Mima Wilson. » Je ne crois pas que je pourrai le supporter.

Elle reprit sa respiration en étouffant un sanglot. Ronald avait l'air anéanti. Il se leva et l'enlaça, timidement d'abord. Un court instant, elle s'autorisa à poser la tête sur son épaule.

D'une autre pièce s'élevèrent des cris de bébé. Un vagissement perçant, incessant, et Perez dut se retenir de se boucher les oreilles. Comment pouvait-on vivre avec un bruit pareil ? Anna se dégagea de l'étreinte de son époux et quitta la pièce.

Il y eut un silence gêné. Un pluvier chanta sur le rivage. Jimmy se dit qu'Anna avait épousé Ronald persuadée de pouvoir le changer. Elle le traitait davantage en fils qu'en mari. Et lui se comportait comme un sale gosse. Manifestement embarrassé par l'emportement de sa femme, Clouston se rassit.

Perez avala une gorgée de café. Instantané mais fort, et brûlant.

— Vous êtes sorti à quelle heure hier soir ?

— Vers dix heures. Peut-être un peu plus. Il était onze heures et demie quand je suis rentré. Anna était déjà couchée. Écoutez, je ne sais pas ce qui m'a pris. La tension d'être papa, peut-être. J'aurais dû me rendre compte du changement que ça fait, d'avoir un enfant. La responsabilité qui vous tombe dessus. On dirait que tout à coup, James a pris le pouvoir sur notre vie. J'aurais dû y réfléchir à deux fois, mais j'avais besoin de prendre l'air, de me libérer la tête, d'oublier la famille, rien qu'un moment. Il y avait des choses qui me travaillaient. Peut-être que je voulais faire suer Anna, lui montrer que je n'avais pas à supporter ses récriminations. Mais je ne vois pas comment j'aurais pu toucher Mima. Je n'ai pas été tirer près de chez elle. Et comment j'aurais pu deviner qu'elle traînait dehors ? C'est un cauchemar. Je n'arrête pas de me dire que je vais me réveiller et que tout sera fini.

— Vous étiez seul ?

— Oui, j'étais seul !

Il regarda Perez dans les yeux.

— Personne d'autre n'est allé chasser hier soir. Je l'aurais entendu. Je ne rejette la faute sur personne. Je ne comprends pas ce qui s'est passé. Un coup foireux, peut-être. Ou bien je me suis perdu dans le brouillard, comme vous l'avez dit. Qu'est-ce qui va arriver, maintenant ?

— On va devoir prendre votre déposition. Il faudra sûrement que vous veniez à Lerwick. Mais pas maintenant. Je vous préviendrai.

— Je vais être inculpé ?

— Ça ne dépend pas de moi. Ce sera à la procureure d'en décider.

À nouveau, Jimmy eut envie de le rassurer. Un seul acte irréfléchi et ses conséquences terribles hanteraient le jeune homme jusqu'à la fin de ses jours. *Ce sera probablement considéré comme un dramatique accident. Même si c'était complètement insensé et irresponsable d'aller chasser dans ces conditions, vous n'aviez pas l'intention de donner la mort. C'est évident. Tout le monde déteste les lapins.* Mais mieux valait éviter les promesses qu'il n'était pas sûr de pouvoir tenir. Il ne savait pas du tout ce qu'il adviendrait.

— Restez ici jusqu'à ce qu'on vous contacte, fit-il en se levant. Et tâchez de dormir.

— Je vais essayer, mais je n'arrive pas à me défaire de l'image de Mima. Ses os minuscules. Aussi frêle qu'une bécassine abattue en plein vol.

En sortant, Perez s'arrêta si net que Sandy, qui le suivait à pas traînants, manqua lui rentrer dedans. L'inspecteur se retourna vers Ronald.

— Où est-ce que vous avez connu votre femme ?

Finalement il n'avait pas pu résister à cette question qui l'avait turlupiné pendant toute la conversation. Le jeune homme répondit immédiatement.

— Elle passait des vacances aux Shetland. Elle s'est toujours intéressée à l'artisanat traditionnel et elle est venue voir Evelyn pour en savoir plus sur le tricot de Whalsay. Apparemment, notre île a un motif spécifique et tante Evelyn est spécialiste en la matière. On a fait connaissance un soir au Pier House, puis on est restés en contact. Elle est revenue plusieurs fois… Peut-être qu'elle est tombée amoureuse du lieu et non de l'homme.

Sandy avait décrit son cousin comme un garçon intelligent. Pour la première fois, Perez put s'en rendre compte. Ronald détourna soudain la tête, se la prit entre les mains. Les policiers refermèrent la porte derrière eux.

8

Sandy se sentait complètement vanné. Il s'était toujours vanté de garder la forme même en ayant peu dormi. Pendant les festivités de Up Helly Aa, il pouvait tenir deux ou trois jours sans se coucher, électrisé par l'alcool, la danse et la joyeuse compagnie. Il présumait que sa fatigue présente était liée à l'état de choc. Il n'avait jamais très bien compris la réaction des personnes endeuillées qu'il rencontrait dans le cadre de son travail. Il savait qu'il devait se montrer compréhensif, mais leur lenteur absente, leur regard terne et épuisé lui portaient sur les nerfs. Il avait envie de les secouer. Sans doute serait-il moins impatient à l'avenir. Ç'avait été un tel soulagement de voir arriver Jimmy Perez. Le jeune homme avait suivi la traversée du ferry depuis Laxo comme un supplice, lui enjoignant mentalement d'accélérer la cadence, se sachant pitoyable de vouloir que son supérieur prenne les choses en main à sa place mais incapable de s'en empêcher.

À présent, il lui savait gré de la gentillesse dont il avait fait preuve envers Ronald. Les cousins s'étaient toujours bien entendus, malgré leurs différences. Sandy n'avait jamais été un as à l'école. Il considérait Ronald comme son meilleur ami ; quand il finirait par sauter le pas et déciderait de se marier, c'est à lui qu'il demanderait d'être son garçon d'honneur. Jackie et Evelyn ne s'étaient jamais aimées, tiraillées par la jalousie et la rivalité ; quant à Joseph et Andrew, s'ils affichaient des relations plus cordiales, Sandy avait perçu une certaine tension là aussi. Peut-être que si les deux garçons étaient devenus si proches, c'était en partie parce que ça déplaisait à leurs parents.

Perez n'avait fait aucun commentaire en sortant de chez les Clouston, hormis qu'il aurait dû penser à prendre ses bottes en caoutchouc parce que l'herbe était trempée. Il était capable de passer une demi-heure sans piper mot, et ce silence flanquait la chair de poule à son collègue. Sandy, lui, aimait la parlote, ne serait-ce que comme bruit de fond. Il laissait toujours la radio ou la télé allumée quand il était seul chez lui.

Les deux policiers se tenaient à côté de la voiture.

— Où on va maintenant ? lança le jeune homme en se disant que s'il n'impulsait pas un mouvement, son patron pouvait rester planté là toute la journée à contempler le rivage.

— Je ne sais pas toi, mais moi je crève de faim. Il y a un endroit où on pourrait se faire servir un vrai petit-déjeuner ?

— Y a pas de cafés sur l'île, mais ma mère fait bien les œufs au bacon.

À peine eut-il prononcé ces mots que Sandy les regretta. Evelyn avait le don de lui flanquer la honte. Elle allait raconter à l'inspecteur des anecdotes sur son enfance, lui montrer des photos où il avait la varicelle, lui demander dans combien de temps son fiston pourrait envisager de solliciter une promotion, lui parler du nouveau boulot de Michael à Édimbourg. Elle était fière des Shetland, surtout à travers ses fils. Seulement il était trop tard pour se rétracter. Perez avait déjà pris place au volant. Le moteur en route, il essuyait la buée du pare-brise à l'aide d'un mouchoir sale.

— C'est pile ce qu'il nous faut. Je prends par où ?

Ils suivirent la route qui passait devant Setter, longèrent le loch où nicheraient bientôt les plongeons, puis arrivèrent au champ où se dressaient les abris en tôle des quatre porcs brunroux qui flânaient alentour. De tous les animaux de la ferme, c'étaient les préférés de Sandy. Sa mère avait dû entendre la voiture car elle était sortie sur le pas de la porte. Utra était la plus grosse exploitation de Lindby, car elle comprenait à présent la majorité des terres de Setter. Le père de Sandy avait agrandi la maison au fil des ans, poussé par son épouse qui exigeait des chambres séparées pour les garçons, une salle de bains spacieuse. L'argent ne coulait pas à flots à cette époque.

Joseph Wilson n'était pas marin, n'avait jamais gagné autant que les pêcheurs. Evelyn ne s'en était jamais plainte, mais Sandy pensait qu'elle avait dû souffrir de voir les autres femmes avec leurs vêtements chics achetés à Bergen ou Aberdeen.

— Entrez, dit-elle dès qu'ils furent descendus de voiture. Vous devez avoir besoin de vous réchauffer et de manger un morceau. Je viens d'arrêter la bouilloire. Quelle tragédie ! Je n'arrivais pas à le croire quand Sandy me l'a dit. Pauvre Jackie. Je ne sais pas comment elle va supporter cette honte.

Le jeune homme espéra que Perez n'avait pas perçu l'odieuse pointe de satisfaction dans sa voix. Il savait ce qu'elle pensait. *Les belles études de son fils et tout l'argent qu'il gagne ne lui serviront plus à rien maintenant.* Reculant pour éviter l'embrassade maternelle, il constata que la bruine avait cessé et que le ciel s'éclaircissait. Peut-être le temps allait-il virer au beau. Puis il se dit qu'évidemment son supérieur aurait parfaitement saisi la pensée d'Evelyn. Il était capable de lire dans la tête des gens à la manière d'un voyant ou d'un magicien.

Une fois à l'intérieur, Sandy vit sa mère par les yeux de Perez : petite, boulotte, les cheveux courts qu'elle se coupait elle-même si elle ne pouvait pas aller à Lerwick, vêtue aujourd'hui de son plus beau pull tricoté main parce qu'elle attendait des visites. Assez d'énergie pour faire tourner la centrale hydraulique des Shetland. Elle avait déjà ébouillanté la théière et dosé le thé, sans s'être arrêtée de parler. *Mais elle n'est pas idiote, et Perez s'en rend forcément compte aussi. L'an dernier, elle a réussi à obtenir une grosse subvention du Conseil des arts pour le projet de théâtre local, et tout le monde dit que c'est la meilleure présidente du Forum que Whalsay ait jamais eue.*

Un agneau nouveau-né dormait dans un carton à côté de la cuisinière.

— Sa mère est morte, expliqua Evelyn. On le nourrit au biberon. Personne d'autre ne s'embêterait à faire ça, mais Joseph est un grand sentimental.

Maintenant que le thé infusait, elle se tourna vers eux.

— Qu'est-ce que je peux vous offrir ? On a du lard fumé maison et Mima m'a donné une douzaine d'œufs hier, alors j'ai largement de quoi. Ça vous ira ?

Sandy se rappela le jour où son père avait tué ce cochon. Puisque c'était pour leur consommation personnelle, il n'avait pas à l'envoyer à l'abattoir, et ç'avait été atroce. L'animal poussait des cris épouvantables avant d'être égorgé. Comme s'il se rendait compte de ce qui l'attendait. Le jeune homme se trouvait présent ce jour-là, mais il n'avait pas servi à grand-chose. Il était resté planté là à regarder la scène à côté d'Anna. C'était son père qui avait assuré, qui avait fini le travail avec l'aide de Ronald. Et Evelyn qui avait recueilli le sang dans une jatte.

— C'est parfait, madame Wilson, répondit Perez.

L'inspecteur faisait déjà comme chez lui. Il avait laissé ses chaussures sous le porche et s'était assis à la place qu'occupait généralement le père de Sandy. Evelyn lui adressa un large sourire, décrocha du mur une lourde poêle à frire, ouvrit la plaque de la Rayburn.

— Oh, « madame Wilson » ! Personne ne m'a plus appelée comme ça dans cette maison depuis la visite du candidat SNP pendant la dernière campagne électorale.

Il faisait chaud dans la cuisine et Sandy se sentit piquer du nez ; il entendit la conversation comme si elle venait de très loin.

— À quelle heure est-ce que vous avez vu Mima pour la dernière fois ? demandait Perez.

— Vers deux heures. J'ai fait un saut chez elle pour parler des fouilles. Les deux étudiantes étaient là. Ces petites sont vraiment charmantes, même si je trouve que Hattie devrait manger un peu plus. Elle est toute maigre. Deux yeux et la peau sur les os.

Elle s'arrêta pour reprendre son souffle. Sandy savait ce que sa mère avait espéré : qu'il se lierait avec une des « charmantes petites ». Elle estimait venu le temps qu'il se case et lui donne des petits-enfants. Michael, après tout, avait eu l'obligeance d'épouser une avocate d'Édimbourg et d'engendrer une fille qui était déjà en maternelle, dans le privé. Mais ce n'était pas comme d'avoir un petit-enfant sur place à cajoler. Sur ce point, Jackie venait encore de lui damer le pion. Les étudiantes avaient bien plu à Sandy. Pas tant Hattie, passionnée et bien trop intelligente pour lui, que Sophie, qui était plus relax. Elle ne dédaignait pas quelques bières ni une bonne rigolade, et avait un petit côté dragueur. Rupine, mais sympa quand même. Ses copains le charriaient parce qu'il avait toujours une nouvelle nana en vue, pourtant il commençait à se dire qu'il devrait se ranger. C'était fatigant de courir après les filles et il y avait plus d'hommes que de femmes célibataires aux Shetland. Mais souhaitait-il vraiment se retrouver comme Ronald, avec une épouse qui passait son temps à l'asticoter et à le commander ? Ce serait comme de retourner vivre chez ses parents.

— C'est passionnant, ces fouilles !

Son engouement du moment détournait Evelyn de la mort de Mima.

— Hattie est convaincue qu'il y avait une maison de commerce à Setter. Construite à l'époque du déclin de la Ligue hanséatique, quand la circulation des biens par Bergen a été interdite. J'ai trouvé un crâne, vous savez. Enfin, un fragment. Hattie pense qu'il pourrait appartenir au marchand qui a fait bâtir l'établissement. Il a été transmis au labo pour datation au carbone 14. Les filles ont continué à fouiller la tranchée et Sophie a découvert d'autres ossements. Un morceau de côte et peut-être un de bassin. Imaginez l'attrait touristique d'un tel site s'il était correctement mis en valeur. J'aimerais reconstruire une maison exactement à l'identique. On pourrait organiser des ateliers, des activités familiales. Il faut regarder vers l'avenir si on veut donner du travail à nos jeunes.

Sandy étouffa un bâillement, pensa une fois encore que sa mère avait décidément bien des points communs avec Anna. Lui, l'avenir de l'île ne l'intéressait guère. Il avait quitté Whalsay pour Lerwick dès qu'il avait pu échapper à Evelyn et se sentait davantage chez lui en ville désormais.

— Le lard est pas en train de cramer, hein, maman ?

Elle secoua la poêle, décocha un regard noir à son fils pour avoir osé douter de sa capacité à faire frire quelques tranches.

— Quand vous êtes allée à Setter, Mima était dans la maison ou bien dehors avec les deux jeunes femmes ? demanda Perez.

— Elles étaient toutes à l'intérieur. Le temps venait de se gâter et Mima avait invité les filles à boire un thé bien chaud. Je les ai trouvées dans la cuisine, en train de rire bêtement d'une blague idiote. On aurait dit que Mima avait le même âge qu'elles. Les fouilles semblaient lui avoir offert une nouvelle jeunesse. C'est pour ça que ce stupide accident est doublement tragique.

Pour la première fois, Sandy songea que sa mère était sincèrement émue. Elle avait toujours traité Mima un peu comme une empoisonneuse, une adolescente rebelle susceptible de jeter la honte sur la famille, mais à présent il se rendait compte qu'elle allait lui manquer. Ce qui ne l'empêchait pas d'être bien contente que Ronald se soit mis dans le pétrin à cause de ça.

Evelyn poursuivait son récit, ses paroles formaient une sorte de fond sonore aux pensées du jeune homme.

— J'ai bu le thé avec elles, puis les petites sont reparties. Elles avaient pris la saucée et Mima avait mis leurs impers et leurs chaussettes à sécher près de la Rayburn. Ça fumait comme dans une blanchisserie là-dedans, la buée ruisselait aux fenêtres et on n'y voyait rien au-dehors. Mima m'avait déjà préparé les œufs et je n'avais plus le temps de m'attarder à bavarder. J'étais en voiture, je me suis fait tremper rien qu'en la rejoignant au pas de course. Pourtant, les filles s'étaient remises au travail. J'ai vu leurs impers jaune vif par la vitre.

Elle déposa le lard dans une assiette qu'elle glissa au four pour le garder au chaud.

— Alors vous avez passé un peu de temps en tête à tête avec Mima ?

— Quelques minutes seulement.

Elle cassa quatre œufs dans la même poêle, les nappa de la graisse fondue, revint trancher le pain sur la table.

— Comment était-elle ?

— Comme je vous l'ai dit, en pleine forme. Railleuse. Mais ça, elle l'a toujours été.

— Est-ce qu'elle a évoqué des projets pour la soirée ?

— Non, elle ne sortait guère le soir. Elle aimait trop sa télé.

— Vous avez remarqué si sa lessive était dehors quand vous êtes partie ?

— Je l'ai vue en arrivant, je lui ai demandé si elle voulait que j'aille la dépendre. Elle m'a répondu qu'elle était là depuis deux jours et qu'un de plus ne lui ferait pas de mal. Du Mima tout craché.

Evelyn mit le couvert et servit les deux hommes. Sandy émergea de sa torpeur le temps de manger, entendit vaguement Perez complimenter sa mère sur le repas, discuter des difficultés de l'élevage des cochons, du meilleur traitement contre les coups de soleil sur les mamelles des truies.

Il observa avec admiration comment son patron ramenait la conversation sur la mort de Mima. Le jeune homme ne serait jamais aussi habile, même après toute une carrière d'inspecteur dans la police.

— Plus tard, vous êtes passée voir les Clouston ? s'enquit Perez le plus naturellement du monde.

— Après dîner, oui. Sandy était revenu pour le week-end, mais il avait filé au bar retrouver ses copains.

Evelyn jeta un coup d'œil désapprobateur à son fils, lequel fit mine de ne rien remarquer. Il connaissait la rengaine.

— Il a tendance à prendre la maison pour un hôtel. Joseph regardait le sport à la télé. Rien ne me retenait ici et je n'aime pas déranger Anna pendant la journée. Avec un nourrisson, on rattrape le sommeil quand on peut, et je sais qu'elle est sans arrêt occupée. Les jeunes mamans d'aujourd'hui n'ont pas l'air de penser qu'elles ont besoin de repos.

— Vous les avez trouvés comment ?

— Plutôt bien. Fatigués, évidemment, mais c'est normal quand on vient d'avoir un bébé. Anna est toujours très agréable, même si cette fois elle m'a paru un peu tendue. Je me suis demandé si je n'avais pas débarqué au beau milieu d'une dispute.

— Et Ronald ?

56

— Ronald a toujours été assez renfrogné. Déjà quand il était petit.

Là, Sandy se sentit obligé d'intervenir :

— Tu peux pas dire ça, maman. C'est complètement faux. Peut-être qu'il avait besoin d'un peu de temps pour lui.

— Il a eu de la chance de trouver une femme comme Anna, et il ne la traite pas bien.

Elle empila les assiettes dans l'évier, ouvrit le robinet, agita l'eau de la main.

— Je vais les laisser tremper, je les laverai quand vous serez partis.

— « Pas bien » dans quel sens ? interrogea Perez.

— Anna est nouvelle ici. Ils ne sont mariés que depuis deux ans. Il devrait faire davantage d'efforts pour l'aider à s'intégrer. Le problème de Ronald Clouston, c'est qu'il est feignant. Il ne se remue pas. La *Cassandra*, ça lui convient parfaitement. Quelques mois de boulot par an et le reste du temps, il bouquine dans son fauteuil. Ah, ça, il aime l'argent. Tous les Clouston aiment l'argent. Mais ils ne sont pas disposés à reverser le moindre penny au profit de la communauté.

Elle attrapa un torchon sur la galerie de la Rayburn, s'essuya les mains, le replia impeccablement.

— La pêche, ce n'est pas un boulot facile, répondit Perez. Rien que sur le *Good Shepherd*, chaque fois que je rentre à Fair Isle, j'ai le mal de mer. Je n'aimerais pas passer des semaines au beau milieu de l'Atlantique en plein hiver.

— Mouais. Enfin, sur les bateaux modernes, il n'y a plus qu'à pousser des boutons. C'est presque un travail de bureau.

Sandy se demanda ce que sa mère pouvait bien savoir de la pêche. Si son supérieur n'avait pas été là, il se serait permis un commentaire sarcastique : *C'est vrai, tu connais tout ça par cœur, hein ! C'était quand, déjà, la dernière fois que tu t'es retrouvée dans un vent de nord-ouest force huit ? Tu as bien supporté la neige fondue et le froid, le pont verglacé et la puanteur du poisson ?*

— Est-ce que Ronald a parlé de son intention de sortir chasser, quand vous étiez chez eux ?

— Il n'a pas parlé de grand-chose. Anna avait des idées pour lever des fonds au profit des fouilles. Elle a eu à monter pas mal de dossiers de subventions dans son précédent travail. Ronald répète depuis des années qu'il s'intéresse à l'histoire de Whalsay, mais il n'est pas prêt à se remuer pour la promouvoir.

— Que faisait Anna avant de s'installer ici ?

— Elle était dans le social – aide aux mineurs délinquants. Mais elle s'est toujours passionnée pour les artisanats traditionnels. C'est ce qui l'a amenée sur notre île.

Sandy surprit un petit sourire sur le visage de son patron et se demanda ce qui lui passait par la tête. Peut-être songeait-il qu'Anna traitait son mari comme un des mauvais garçons dont elle avait eu à s'occuper.

— Est-ce que Ronald boit trop ?

— Tous les gars d'ici boivent trop, répliqua Evelyn d'un ton sec.

Elle s'apprêtait à déballer sa litanie lorsque, au grand soulagement de son fils, elle fut interrompue par un coup à la porte de la cuisine, qui s'ouvrit avant qu'ils aient eu le temps de réagir. C'était une des étudiantes en archéologie. Petite, menue et, de l'avis de Sandy, l'air d'une gamine de douze ans. Cheveux courts en bataille et immenses yeux noirs, elle semblait se noyer dans le coupe-vent qui lui tombait sous le genou et touchait le haut de ses bottes jaunes.

— Evelyn, lança Hattie. C'est vrai ? On vient de me dire que Mima était morte.

9

Ce matin-là, Hattie s'était réveillée de bonne heure. Bien que lovée en position fœtale dans son sac de couchage en duvet, elle avait froid. Les filles avaient allumé un feu au Bod, la veille, pour se réchauffer en rentrant du chantier, mais ensuite elles étaient allées au Pier House et à son retour, Hattie avait trouvé le feu éteint. Elle avait accompagné son assistante pour se montrer sociable, mais s'était très vite sentie mal à l'aise et l'avait laissée continuer de boire avec quelques gars de l'île. Sophie était capable de descendre autant de pintes que les garçons, de regagner le Bod en titubant au milieu de la nuit, de dormir sur ses deux oreilles et de se lever en pleine forme le lendemain sans la moindre gueule de bois, prête à se mettre au travail. Hattie n'avait jamais pu ni tenir l'alcool ni s'endormir comme une masse. Idées et projets lui tourbillonnaient dans la tête. Elle était éveillée lorsque sa camarade était rentrée. Allongée sur sa paillasse, elle n'avait pas bougé, mais elle avait vu le faisceau oscillant de sa lampe de poche, entendu ses jurons murmurés en trébuchant tandis qu'elle se déshabillait puis, presque aussitôt, son souffle profond et régulier. Quand elle dormait, la jeune femme faisait penser à un enfant ou à un animal.

C'était ce même son que Hattie percevait à présent. Le sac de couchage de Sophie n'était pas d'aussi bonne qualité que le sien, pourtant le froid ne la réveillait jamais. La doctorante alluma sa lampe de poche. Six heures. Il faisait encore nuit dehors, et il brouillassait. Une corne de brume poussait sa plainte monotone dans le lointain. Depuis son retour à Lindby pour reprendre les fouilles, il lui semblait que Whalsay était devenu son seul univers. Comme si le brouillard coupait l'île du reste du monde. Sa mère travaillait dans la politique, députée et sous-secrétaire d'État, et Hattie avait grandi baignée de discussions sur les questions d'actualité. Sa vie quotidienne était régie par les dernières mesures en matière de santé publique, d'éducation ou d'aide au développement. Ici, elle lisait rarement le journal, ne voyait la télévision que quand elle était allumée chez Mima ou chez Evelyn. Ici, la marche du monde ne présentait aucun intérêt à ses yeux. En déblayant couche après couche la terre de la maison ensevelie de Setter, elle se trouvait plongée au cœur d'une problématique politique – le déclin de la Ligue hanséatique, l'émergence d'une classe aisée aux Shetland – mais qui n'avait rien à voir avec le présent.

Sophie ne la croyait motivée que par l'ambition, et en effet, il y avait eu un temps où la jeune femme n'avait envisagé son avenir qu'au sein de l'université. Ce qui signifiait un doctorat solide et une réputation d'archéologue fiable et intelligente. Mais désormais, une autre obsession s'était emparée d'elle. Elle voulait rester aux Shetland.

Le site avait été une maison de commerce, et bien plus imposante qu'elle ne l'avait cru. Whalsay était un port important à l'époque de la Ligue hanséatique – cette association, au Moyen Âge, de villes marchandes autour de la Baltique et de la mer du Nord. La doctorante avait donc supposé que la demeure avait appartenu à un négociant. Mais il n'y avait pas d'archives, pas de nom. L'université participait à des fouilles aux Shetland depuis des années et la jeune femme y était venue pour la première fois pendant ses études de premier cycle, sur le chantier de Scatness. Elle était tombée sur Setter par pur hasard et avait été happée par le mystère enveloppant ce lieu. Comment un établissement de cette taille avait-il pu disparaître si totalement de l'histoire de l'archipel ? Il ne figurait sur aucune des cartes de l'époque, n'apparaissait dans aucun document ancien. Paul, son directeur de thèse, avait d'abord pensé qu'un incendie avait effacé toutes les traces, mais rien ne permettait de confirmer cette hypothèse.

Hattie, qui était sujette à des obsessions depuis son enfance, s'était retrouvée hantée par cet endroit. Dans son imagination elle vivait là, au XVe siècle, du temps où les Shetland étaient culturellement plus proches de la Norvège que de l'Écosse et où Whalsay se tournait naturellement vers d'autres ports hanséatiques, vers Lübeck et Hambourg plutôt qu'Édimbourg ou Londres. Elle voyait les navires accoster à Symbister, son mari le négociant compter les pièces d'or pour payer à ses représentants les marchandises importées du continent et régler aux Shetlandais leur poisson salé et leur mouton séché. Dans ses rêveries c'était le printemps, mais le soleil brillait et l'île était verte.

Le crâne qu'Evelyn avait découvert appartenait-il au marchand ou à sa femme ? Les filles avaient commencé à exhumer d'autres ossements dans la tranchée-école, peut-être ceux-ci permettraient-ils d'en déterminer la provenance. Parfois, tôt le matin, lorsque l'humidité lui pénétrait les os, elle se disait que ses rêves la rendaient folle. *Et pas seulement moi. Les fouilles perturbent aussi Mima.* Leur dernière conversation avait été plutôt bizarre.

À sept heures, elle entreprit de s'habiller. Toujours assise dans son sac de couchage, elle enfila les différentes épaisseurs de vêtements nécessaires pour être à l'aise toute la journée. Sur les tee-shirts elle passa le pull qu'Evelyn lui avait tricoté pour son anniversaire.

Le Bod était l'un des nombreux refuges pour randonneurs émaillant l'archipel. Celui-ci était une ancienne fermette seulement équipée de quatre lits, d'une table et d'un réchaud de camping. On y trouvait une étagère garnie de quelques casseroles, un peu de vaisselle, des couverts et une cheminée à tourbe. Comme il n'y avait qu'un robinet d'eau froide, les filles allaient faire leur toilette et leur lessive chez Mima, ou plus généralement chez Evelyn. La Shetlandaise se passionnait presque autant que Hattie pour les fouilles, et elle les invitait souvent à Utra pour dîner. Elle les maternait. La doctorante pensait qu'elle avait des vues sur Sophie comme bru potentielle : celle-ci était agréable et facile à vivre, mangeait tout ce qu'on lui servait de bon appétit et riait aux blagues de son fils. Hattie savait que son assistante n'épouserait jamais Sandy – ses parents étaient riches et elle nourrissait ses propres ambitions, dont devenir la femme d'un policier de Lerwick ne faisait pas partie – cependant elle pourrait très bien coucher avec lui rien que pour s'amuser. Elle était comme ça, Sophie.

Cette dernière n'ouvrit l'œil qu'une fois le café prêt. Elle s'étira sans retenue, cligna des yeux à la lumière de la lampe tempête. Sa camarade l'observait par la porte ouverte de la chambre. Sophie dormait toujours toute nue et se tenait à présent assise sans la moindre gêne, apparemment pas du tout dérangée par le froid, les seins à l'air et ses longs cheveux roux tombant en cascade sur ses épaules. Hattie l'envia. *Je n'ai jamais été aussi à l'aise avec mon corps, moi. Même quand j'étais petite. Quel homme voudrait coucher avec moi ?* Les jambes toujours enfouies dans son sac de couchage, Sophie ressemblait à une sirène ou à la figure de proue d'un des navires qui, dans l'imagination de la doctorante, transportaient les biens acquis par son négociant de mari.

Hattie aurait aimé lui demander qui elle avait vu au Pier House la veille. *Avec qui tu es restée boire des coups ?* Mais comme d'habitude les mots restèrent coincés à l'intérieur de sa tête.

— Il y a quelque chose à manger ? lança Sophie. Je meurs de faim.

Sophie avait toujours faim. Mangeait comme quatre sans jamais prendre un gramme. Athlétique de nature, elle cavalait sur l'île à un rythme qui laissait Hattie pantelante, et était capable de trimer toute la journée sans avoir l'air de se fatiguer. Récemment, Anna l'avait recrutée pour la remplacer dans l'équipe féminine d'aviron de Whalsay. Hattie l'avait regardée s'entraîner avec les autres, se courbant et tirant sur les rames, s'écroulant de rire à la fin de la séance. *Pourquoi je ne peux pas être comme elle ? Le monde me fait peur, et il en va ainsi depuis toujours. Je ne peux pas tenir Paul Berglund pour responsable.* L'image de son directeur de thèse s'insinua dans son esprit, l'envahit de sa force et de sa corpulence. Elle sentit remonter la panique d'autrefois et se força à respirer lentement, à se réfugier dans ses rêves de la maison de commerce et de son bien-aimé shetlandais.

— Je meurs de faim, répéta Sophie.

— Il y a du pain. Et de la confiture d'Evelyn.

— Ça nous permettra de tenir jusqu'au casse-croûte de onze heures chez Mima.

Et elle s'extirpa de son sac de couchage. Hattie se sentit à la fois gênée et fascinée à la vue de son corps nu. Elle ne put s'empêcher de le regarder : le ventre plat, la toison pubienne dorée, les épaules musclées. Puis elle se détourna rapidement et se mit à trancher le pain.

D'ordinaire, Sophie ne tarissait pas d'anecdotes sur sa soirée au bar, les derniers potins de l'île, les chalutiers étrangers qui avaient fait escale à Symbister dans la journée, les types qui lui plaisaient. Ce matin, elle semblait manquer d'entrain et s'habilla en silence. Elle ouvrit la porte du Bod et regarda dehors.

— Oh ! là, là !... Tu crois que ce brouillard va se lever un jour ? Ça me déprime. T'as pas envie d'un grand soleil et d'un beau ciel bleu ? C'est le printemps. Dans le Sud, il doit y avoir des primevères et des feuilles aux arbres.

— Au moins, il ne pleut pas des cordes. J'ai laissé mon ciré de rechange à Mima hier soir et l'autre est encore trempé.

Cependant, Hattie aussi trouvait ce brouillard perturbant. Il enveloppait l'île, modifiait la vision qu'elle en avait, remettait en cause sa conception des lieux et de leur histoire.

Elle étala un doigt de confiture sur une tranche de pain de mie, la plia en deux et se força à manger. À une période de sa vie, l'alimentation avait provoqué de sérieux conflits avec sa mère. Cette dernière avait décrété qu'elle était anorexique, s'était affolée et l'avait traînée dans une clinique spécialisée. Son poste au ministère de la Santé rendait Gwen James sensible à ces questions-là, sensible du moins à ce que les journaux risquaient de publier s'ils s'avisaient que sa fille était d'une maigreur inquiétante et qu'elle ne faisait rien pour y remédier. Hattie n'avait pas compris la raison de toutes ces histoires ; la nourriture n'était qu'une manifestation extérieure de son problème, non l'origine de celui-ci. Il lui arrivait d'être tellement absorbée par son travail qu'elle en oubliait de manger. Et alors ? Aujourd'hui, elle se faisait un devoir de s'alimenter – comme on prend des médicaments à heures fixes – afin que sa mère lui fiche la paix. Elle n'avait jamais faim et éprouvait rarement du plaisir à manger, même après toute une journée de fouilles, alors que Sophie criait famine. Hattie n'en revenait pas que l'on puisse perdre son temps à prévoir et cuisiner des repas ou qu'un dîner au restaurant soit perçu comme gratifiant.

Sophie avait déjà terminé son petit-déjeuner et se brossait les cheveux – sa seule vanité. Ils lui tombaient à mi-dos, comme une gerbe d'orge. Elle les noua en une queue lâche sur la nuque.

— On ferait bien d'y aller, déclara-t-elle. Vaut mieux pas trop être en retard quand le chef est là.

« Le chef ». Paul Berglund. Encore une obsession de la vie passée de Hattie. Obsession qui, elle s'en rendait compte à présent, s'était muée en paranoïa maladive. Sophie n'en savait rien ; elle n'avait pas remarqué leur animosité. Pour elle, Paul était simplement « le chef », un prof qui se pointait de temps en temps pour dicter sa loi sur leurs méthodes de travail, les invitait à déjeuner dans un restaurant de Lerwick s'il était de bonne humeur et validait leurs notes de frais. Elle ne pouvait pas savoir que Hattie comptait les jours en attendant son départ.

La doctorante était convaincue que s'il avait dirigé sa thèse dès le début, Paul ne l'aurait pas autorisée à se lancer dans ces recherches. Mais il n'avait rejoint le département d'archéologie que l'année précédente. Elle se rappelait la réunion au cours de laquelle il leur avait été présenté, à Sophie et elle.

« Vous avez dû entendre parler de Paul Berglund, avait dit le responsable du département. Vous ne pouviez pas espérer meilleur directeur de thèse. »

Paul avait serré la main de Hattie, déclaré qu'il était très heureux de travailler avec elle, sans trahir un seul instant qu'ils se connaissaient. Sa paume était froide et sèche ; celle de la jeune femme, trempée de sueur. Elle avait marmonné des excuses – un léger malaise – et filé du bureau pour aller vomir dans les toilettes les plus proches. Peut-être escomptait-il la voir abandonner, choisir un autre sujet pour son doctorat.

Mais elle n'avait pas reculé – les fouilles de Whalsay étaient *son* idée, depuis le début – et avait veillé à ne lui fournir aucun prétexte pour l'en écarter. Désormais, elle tenait beaucoup plus à la demeure du marchand qu'à échapper à son professeur. Elle avait recueilli une quantité d'observations impressionnante et, bien qu'elle soit moins robuste que Sophie, son travail sur le terrain était précis et méthodique. Chaque fois qu'elle se trouvait en présence de Paul, elle était tendue. Elle le surveillait, toujours consciente de l'espace qu'il occupait, de sa position dans la pièce.

— Paul Berglund est passé au bar hier soir, dit Sophie.

Elles étaient en chemin pour Setter. On n'y voyait guère plus loin que le pré en bordure du chemin. Les moutons formaient des masses sombres dans le brouillard.

— Ah.

Hattie essaya de paraître indifférente. Elle n'avait pas envie d'entendre parler de lui.

— Oui, il a tourné au whisky. Je l'avais jamais vu bourré. Pas à ce point-là.

Moi si, songea la doctorante en frissonnant dans sa polaire.

— Il s'est passé autre chose, après mon départ ? lança-t-elle pour détourner la conversation.

— Pas vraiment. J'ai bavardé avec Sandy, mais il est parti avant moi. Il fallait qu'il rentre chez sa petite maman. Je veux dire : qu'est-ce que c'est que ce type ? Il se comporte encore comme un gosse de quatorze ans.

Elle remonta les bretelles de son sac à dos.

— Cela dit, je le considère un peu comme un défi. Je parie qu'il mène une vie de patachon à Lerwick. Ce serait marrant si j'arrivais à le dévergonder ici, sous les fenêtres de sa mère.

Hattie ne savait pas quoi répondre. Elle estimait Sophie assez grande pour se prendre en charge, mais à ses yeux, tous les jeux tournant autour du sexe étaient dangereux. Malgré tout, ça ne lui aurait pas déplu que Sophie et Sandy sortent ensemble quelque temps.

Elles avaient atteint la cuvette menant à Setter, le coin le plus abrité de l'île. Le marchand avait bien choisi l'endroit où construire sa noble demeure. La jeune femme se demanda comment s'appelait la maison à l'époque ; un nom similaire peut-être, qui s'était altéré au fil des ans. Elles passaient toujours chez Mima avant de se mettre au travail, à la fois par politesse et parce que la vieille dame mettrait la bouilloire à chauffer et leur apporterait du thé si elle les savait présentes. Aujourd'hui, la maison leur paraissait anormalement silencieuse. Mima aimait écouter l'émission matinale de Terry Wogan sur Radio 2, fredonner les ballades qu'elle connaissait. Sophie ouvrit la porte et l'appela, mais n'obtint pas de réponse.

— Elle n'est pas là.

Paul Berglund émergea d'une des pièces situées à l'arrière. Trapu, la tête dans les épaules, il ressemblait davantage à un soldat qu'à un professeur d'archéologie. Hattie ne comprenait pas ce qu'il fichait ici. Il ne venait pas si tôt, d'habitude. Et s'il avait bu la veille au soir, est-ce qu'il ne devrait pas être en train de cuver à l'hôtel ?

— Entrez, fit-il comme s'il était chez lui. Venez vous installer au chaud dans la cuisine.

Il est arrivé une catastrophe, pensa la doctorante. Qu'est-ce qu'il a encore fait ?

Comme elle ne bougeait pas, Sophie passa la première. En temps normal, elles auraient ôté leurs bottes, mais Paul les invitait à entrer et elles avaient l'habitude de lui obéir. Il avait tranché une pomme à l'aide du couteau qu'il portait toujours sur le chantier. Celui-ci reposait sur la table et de nouveau, Hattie lui trouva un sacré culot de faire à ce point comme chez lui. Lorsqu'elle s'avança, le chat se frotta à ses jambes et manqua la faire tomber. Elle le prit dans ses bras et il se mit à cracher.

— Mima est morte, déclara Paul d'une voix basse mais neutre. La police est venue ce matin. Sandy est passé à l'hôtel à la première heure pour me demander de le rejoindre ici. C'est arrivé dans la nuit, un terrible accident. Un type qui chassait les lapins lui a tiré dessus par erreur.

Il s'interrompit. Elles étaient encore debout.

— Il vaudrait mieux que vous ne travailliez pas aujourd'hui. Par respect pour les habitants de l'île. Prenez votre journée. Je peux vous conduire à Lerwick si vous voulez. Je dois y aller, de toute façon. Il faut que je rentre, je reprends le ferry ce soir.

— Super, lança Sophie, avant de s'apercevoir de l'effet que cela pouvait produire. Enfin, pour le tour à Lerwick et la journée de congé. Pas pour Mima. Elle va vraiment nous manquer. Quelle merde, un accident pareil.

Hattie sentit que tout ce qui manquerait à Sophie, ce seraient le thé du matin et les pâtisseries maison, le feu devant lequel elles venaient se réchauffer quand il pleuvait. Ça lui était bien égal qu'une petite vieille soit morte.

— Et vous, Hattie ? Vous voulez venir aussi ?

— Non, je reste ici.

Son ton devait être plus sec qu'elle ne l'avait prévu car ils la dévisagèrent tous les deux. Elle s'interrogeait sur cette brusque décision de regagner le Sud. Les filles pensaient avoir le professeur sur le dos encore une semaine. Pour les étudiants de premier cycle, les vacances de Pâques n'étaient pas encore terminées.

— Je vais aller voir Evelyn, lui présenter nos condoléances et demander si on peut faire quelque chose.

Avant que l'un ou l'autre ait pu l'arrêter, elle reposa le chat et s'en alla, filant directement vers Utra. À mi-chemin, elle s'aperçut qu'elle pleurait à chaudes larmes.

10

Perez ne savait pas trop quoi penser de la jeune hystérique qui avait débarqué à Utra. Il la prit d'abord pour une gosse de Whalsay ; elle avait l'air d'une adolescente, quinze ou seize ans, sûrement pas assez vieille pour être en doctorat. Même après qu'Evelyn la lui eut présentée et qu'elle se fut suffisamment calmée pour s'exprimer de façon plus rationnelle, il ne put s'empêcher de la voir comme une gamine. Elle parlait d'une voix essoufflée, haut perchée. Une voix de fillette bien élevée.

Elle était petite et menue, avec de grands yeux noirs, que ses cheveux très bruns et très courts faisaient paraître plus grands encore, cernés d'une ombre grise qui lui donnait l'air épuisé. Il s'émut de sa tristesse, se surprit à se demander comment il pourrait la consoler, puis se reprit. « Tu n'es pas responsable. C'est une forme d'arrogance, de croire que tu peux changer le monde. » Ainsi parlait Fran, sur un ton mêlé d'exaspération et d'affection ; des propos répétés assez souvent pour s'imposer à son esprit dans ce genre de situation.

Hattie s'appuya au chambranle pour se déchausser, elle semblait avoir à peine la force de tenir debout. Pieds nus, elle paraissait plus frêle encore. Perez se prit à imaginer que, privée de ses bottes pour l'ancrer au sol, elle pourrait se mettre à flotter dans les airs.

Evelyn lui tira une chaise, glissa machinalement la bouilloire sur la plaque chauffante. La jeune femme se pencha sur la table, tendit la main vers celle de Sandy sans toutefois la toucher.

— Je suis sincèrement navrée. Je sais que tu étais très proche de ta grand-mère. Elle parlait tout le temps de toi.

Dans sa confusion, elle ne semblait pas s'apercevoir de la présence de l'inspecteur.

— Tu n'aurais pas dû l'apprendre comme ça, intervint Evelyn. L'un de nous aurait dû aller au Bod pour te prévenir. Quel choc ça a dû te faire ! Mais on était tous tellement chamboulés que ça ne m'est même pas venu à l'esprit. Qui est-ce qui te l'a dit ?

— Paul. Il nous attendait à Setter quand on est arrivées. Il a parlé d'un accident, mais je ne comprends pas.

— Ronald, le cousin de Sandy, était sorti chasser le lapin. Il refuse de l'admettre, mais il a dû tirer en direction de Setter. Il ne pouvait pas imaginer que Mima serait dehors par une nuit pareille. Il n'y a pas d'autre explication.

Evelyn resta immobile un moment, puis se retourna pour remplir la théière en terre cuite qu'elle coiffa d'un cache-théière à rayures et posa au bout de la Rayburn. Elle vint s'asseoir à côté de Hattie.

— Je suis désolée, ma belle, Mima avait mis ton imper. Il est inutilisable. On t'en achètera un autre.

— Non !

Perez eut le sentiment qu'elle n'avait entendu que la première phrase. Pétrifiée par le choc, la jeune femme n'arrivait pas à intégrer ce qu'on lui disait. Pas tout à la fois.

— Ce n'est pas la peine. Vraiment.

Puis elle se tourna vers Evelyn :

— Vous êtes sûre que ça s'est passé comme ça ? Comment Ronald a-t-il pu ne pas voir mon ciré ? Il est jaune vif.

— Il faisait très noir. Le brouillard était retombé, hier soir.

— Je ne comprends pas, répéta Hattie.

Elle se remit à pleurer. Jimmy tira un mouchoir propre de sa poche et le lui tendit. Elle le dévisagea, interloquée, comme si elle le voyait pour la première fois.

— Je m'appelle Jimmy Perez, déclara-t-il, bien qu'Evelyn l'ait déjà présenté. Je suis de la police. Nous devons enquêter pour établir les circonstances de l'accident.

La jeune femme cligna des yeux, aussi vite qu'un obturateur d'appareil photo. Pensées et images semblaient se bousculer sous son crâne.

— Si je n'avais pas donné mon imper à Mima, peut-être qu'elle ne serait pas sortie.

— C'est complètement absurde, répliqua Evelyn. Ôte-toi tout de suite ce genre d'idée de la tête. On se demande tous si on aurait pu faire quelque chose pour empêcher cette tragédie. C'est normal après un événement pareil, mais ça ne sert à rien.

Elle se leva. Attrapa dans un placard une vieille boîte à gâteaux en fer-blanc. Lorsqu'elle souleva le couvercle, Perez sentit l'odeur des scones au fromage, encore un souvenir de chez lui. Elle les trancha en deux, les beurra et les déposa sur une assiette, puis servit le thé.

— Mais au fait, pourquoi vous lui avez donné votre imper ? demanda l'inspecteur.

Hattie venait de saisir son mug, elle le lorgna par-dessus le rebord.

— C'était hier après-midi. Il pleuvait des cordes. On était trempées et on est allées se sécher un peu chez Mima avant de reprendre le travail. Elle s'est extasiée devant mon ciré quand elle l'a pris pour l'étendre. Elle s'était montrée si gentille que je lui ai dit qu'elle pouvait le garder. J'en avais un autre dans mon sac à dos.

— Oui, confirma Evelyn. C'est exactement ça. J'étais là. Ça lui a fait tellement plaisir. « Ce que je vais être chouette là-dedans ! Les copines vont plus me reconnaître. » Tu sais comment elle était, Sandy.

Le jeune homme opina. Ils se turent un moment, puis Evelyn se fit soudain tout efficacité et professionnalisme :

— Ne t'inquiète surtout pas pour le chantier, Hattie. Ça ne changera rien. Tout continuera comme avant. Une fois la succession réglée, Setter reviendra à Joseph. On n'a pas encore eu le temps de réfléchir à ce qu'on en fera, mais vous pouvez reprendre les fouilles quand vous voulez.

Perez jeta un coup d'œil à son collègue. Evelyn parlait-elle au nom de toute la famille Wilson ? Mais Sandy garda le silence.

— J'aimerais mieux que vous n'y alliez pas aujourd'hui, fit l'inspecteur à mi-voix. La procureure risque d'avoir besoin de venir sur place. C'est elle qui décidera s'il y a lieu de prendre des mesures et si oui, lesquelles.

— Ronald va être inculpé ? interrogea la doctorante.

— Ce n'est pas de mon ressort.

— Par un tel temps de chien, lança Sandy, intervenant pour la première fois dans la conversation, vous auriez pas eu envie d'aller bosser ce matin, de toute façon.

— Oh, si ! s'écria aussitôt Hattie. Je déteste ça, quand la pluie nous empêche d'avancer. Ces fouilles sont tellement passionnantes ! Comme une drogue, je crois. Vous me comprenez, Evelyn ?

— Qu'est-ce que vous cherchez, exactement ? s'enquit Perez.

La jeune femme paraissait métamorphosée lorsqu'elle parlait de son activité. Son visage s'éclairait et les ombres grises autour de ses yeux semblaient s'estomper. Encore une qui ne jurait que par son travail, comme Anna Clouston.

— Dans les années 60, les archéologues du coin avaient relevé des traces d'habitation sur ce site, mais il n'en était pas sorti grand-chose. D'après Mima, bien que la majorité des terres de Setter soient fertiles, il ne poussait quasiment rien à cet endroit. Sa mère avait surnommé le monticule « la butte aux lutins ». Vous connaissez les mythes portant sur ces esprits follets. Il était censé y avoir un trou en dessous, où ils conservaient leur trésor. C'est Mima qui m'a expliqué tout ça, elle m'a raconté quelques légendes.

Perez hocha la tête. Lui aussi avait grandi nourri d'histoires de lutins, ces petits êtres malveillants qui vivaient sur les îles, gouvernaient leur royaume par la magie et décoraient leurs maisons d'or et de joyaux étincelants.

Hattie poursuivit :

— Tout le monde croyait qu'il s'agissait d'une fermette abandonnée avant l'établissement du premier cadastre. On pensait qu'à l'origine la maison actuelle était peut-être une dépendance. Ou, à l'inverse, que c'étaient les ruines qui formaient l'annexe. Puis j'ai débarqué pour faire un stage de vacances avec Sally Walker, une de mes profs. On a examiné les lieux avec attention et la construction nous a paru plus importante que nos prédécesseurs ne l'avaient estimé. J'étais à la recherche d'un sujet de thèse et ça m'a semblé idéal. Sophie s'octroie une année sabbatique après avoir obtenu sa licence et elle a bien voulu venir m'assister. Mme Walker est partie en congé maternité, elle ne se sentait pas capable d'assumer la direction de ma thèse.

Elle parlait avec un débit de mitraillette. Tendue ? se demanda Jimmy. Ou simplement passionnée par son sujet ?

— Alors Paul Berglund a pris le relais ?

— C'est mon directeur de thèse, oui.

Elle ne l'aime pas, songea l'inspecteur. Puis il la vit de nouveau se figer. Non, se rectifia-t-il, surpris. C'est plus que ça. Elle en a peur.

— Et qu'est-ce que vous avez trouvé ?

— Eh bien, il nous reste beaucoup à faire, évidemment, mais, selon l'étude géophysique, un bâtiment assez imposant s'élevait certainement sur ce site. La campagne de fouilles de l'an dernier l'a confirmé. Je pense qu'il pourrait s'agir d'une maison de marchand. Nous savons que Whalsay était un comptoir commercial important au sein de la Ligue hanséatique – une association de ports autour de la mer du Nord, une espèce d'Union européenne de l'ère médiévale. Le grand mystère, c'est qu'aucune archive ne mentionne la demeure, pas plus que son propriétaire. Terriblement frustrant. Ce serait génial de pouvoir mettre un nom sur celui qui l'a fait bâtir. Il ne nous reste que deux mois pour déterminer si les éléments dont on dispose justifient des subventions pour des fouilles approfondies. Les ossements découverts devraient nous fournir quelques précisions. On attend les résultats de la datation au carbone, mais j'ai dans l'idée qu'ils remontent au XVe siècle. Rien ne permet de supposer autre chose.

— Sandy m'a parlé d'un crâne.

— On l'a mis au jour dans une tranchée à l'écart de la maison. Ainsi que d'autres ossements, provenant probablement du même individu. C'est bizarre, à cette époque on enterrait déjà les morts au cimetière. J'ai contacté des spécialistes à l'université. D'après eux, ce pourrait être un noyé échoué sur le rivage. Les inconnus n'avaient pas toujours droit à une véritable sépulture et, selon la superstition, les noyés appartenaient à la mer. Mais vu la distance qui sépare Setter de la côte, ça ne me paraît pas très plausible. J'aimerais croire qu'on a trouvé mon marchand.

Elle leva les yeux vers lui.

— J'espère qu'on va pouvoir reprendre le travail demain. Il ne nous reste plus beaucoup de temps.

L'inspecteur ne répondit pas directement.

— Qui analyse les ossements ?

— Val Turner, l'archéologue des Shetland, est venue dès qu'on a compris qu'ils étaient de provenance humaine. Elle les a préparés puis envoyés au labo à Glasgow.

Perez supposait que ce ne pouvait être qu'une coïncidence. Deux morts au même endroit, à des centaines d'années d'écart. Deux cadavres poussant dans le même jardin. Ça n'existait pas, un lieu portant malheur, non ?

— Comment était Mima quand vous l'avez vue, hier ?

— Elle avait l'air en forme. Hein, Evelyn ?

— Absolument. Égale à elle-même.

Elle resservit une tournée de thé.

— Ça ne la dérangeait pas que vous fassiez des fouilles sur ses terres ?

Jimmy pensait que peu de propriétaires shetlandais auraient apprécié pareille intrusion.

— Pas du tout, répondit Hattie. Au contraire, elle était très intéressée. Et intéressante. Elle m'a dit que quand elle était petite, la légende courait à Whalsay qu'il y avait eu une grande maison à Lindby, construite par le fils d'un pêcheur. Tout à fait le genre d'histoire locale qui peut trouver son origine dans la réalité.

— Oui, enfin bon, trancha Evelyn en se levant brusquement. Tu ne vas quand même pas croire tout ce que racontait Mima. Elle adorait romancer. Elle devait se rappeler quelques bribes entendues de sa grand-mère et elle a brodé à partir de là. Je n'ai jamais entendu parler d'une grande maison à Setter, moi. Elle avait l'esprit romanesque, notre Mima.

— Je crois que c'est justement ce que j'aimais chez elle, fit la jeune femme.

Elle arracha un fragment de son scone et l'émietta entre ses doigts. L'inspecteur songea qu'elle l'avait pris par pure politesse. Pas un seul morceau n'était allé jusqu'à sa bouche. Elle leva soudain les yeux et fronça les sourcils :

— Mima a eu l'air secouée quand on a déterré le crâne. Vous n'avez pas trouvé, Evelyn ?

— Peut-être qu'elle s'est mise à ajouter foi à ses propres récits d'angoisse. Peut-être qu'elle s'est dit que c'était l'œuvre des lutins.

Perez crut que Hattie allait insister, mais elle changea de sujet :

— J'espère que Ronald ne sera pas inculpé. Mima n'aurait pas voulu ça.

Pourquoi cela semblait-il si important à ses yeux ? Elle n'était là que depuis quelques semaines. À l'évidence elle éprouvait beaucoup d'affection pour Mima, mais les autres acteurs de la tragédie ne devaient être guère plus que des noms pour elle.

— Vous le connaissez bien ?

La jeune femme haussa les épaules.

— Je l'ai vu quelques fois au bar du Pier House. Il a fait des études d'histoire et il est très calé sur les mythes et légendes shetlandais. Nos recherches ont l'air de l'intéresser. L'été dernier, il est venu plusieurs fois voir le site. On a essayé d'impliquer les habitants de l'île. C'est une des conditions préalables pour réaliser des fouilles dans l'archipel. Val Turner tient à ce qu'on explique notre travail aux villageois et à ce qu'on les fasse participer autant que possible. Anna aussi défend ce point de vue.

— Pauvre Anna, soupira Evelyn.

Elle se leva pour déposer les mugs vides dans l'évier. Jimmy s'attendait à ce qu'elle développe, mais elle se retourna brusquement vers Hattie.

— Où est Sophie ? Tu aurais dû l'amener. Sandy aurait été content de la revoir.

Perez vit son collègue rougir comme une tomate. On a beau être adulte, les mères ont le chic pour mettre mal à l'aise. La sienne était pareille.

— Elle est allée passer la journée à Lerwick.

Le ton était neutre, mais l'inspecteur crut y déceler une pointe de désapprobation.

— Paul reprend le ferry ce soir, il lui a proposé de la conduire en ville.

— Il ne nous a pas dit qu'il quittait Whalsay, quand on l'a vu ce matin.

Berglund n'avait aucune raison d'en faire état, pourtant Perez trouvait cette omission bizarre.

— Nous non plus, on ne pensait pas qu'il repartirait si tôt. Apparemment, il s'est passé quelque chose chez lui.

Maintenant qu'elle ne parlait plus de son travail, Hattie affichait de nouveau son air fermé et les ombres autour de ses yeux étaient revenues.

— On devrait peut-être essayer de le rattraper avant qu'il s'en aille. Merci pour le thé et le petit-déjeuner, Evelyn.

Sandy était déjà debout, enchanté d'avoir une excuse pour échapper à sa mère.

Bien que le brouillard n'ait pas diminué, Perez était content de quitter la petite cuisine d'Utra, lui aussi. Comme ils rejoignaient la voiture, il entendit Evelyn inciter Hattie à manger encore un peu :

— Regarde-toi, ma fille, tu n'as que la peau sur les os.

Le Pier House Hotel était un bâtiment en pierre de forme carrée à proximité du terminal des ferries. Trouvant la réception déserte, Jimmy s'aventura jusqu'au bar, où une quinquagénaire maigrichonne en blouse de nylon rose passait l'aspirateur sur la moquette défraîchie. La salle, lambrissée de bois brun verni, était miteuse et déprimante. En soirée, pleine de monde, avec un feu dans l'âtre et les lampes allumées, peut-être pouvait-elle paraître accueillante. À cette heure en tout cas, difficile d'imaginer que quiconque ait envie d'y passer du temps.

L'inspecteur cria mais la femme lui tournait le dos, elle ne l'entendit pas. Il lui tapa sur l'épaule, sentit ses os pointus sous le nylon. Elle éteignit l'aspirateur.

— Je cherche un de vos clients, Paul Berglund.

— C'est pas à moi qu'il faut demander, beau brun. Je m'occupe que du ménage, moi. J'entretiens la baraque, quoi.

D'après l'accent, elle était de Glasgow. Elle sourit pour montrer que son rôle lui convenait parfaitement.

— Je vous appelle Cedric.

Elle disparut dans une pièce de service et en revint en compagnie d'un vieil homme voûté.

— Est-ce que Paul Berglund est là ?

Jimmy n'arrivait pas à s'expliquer pourquoi il lui semblait si important de revoir le professeur avant son départ. Peut-être à cause de l'expression de Hattie quand elle avait parlé de lui.

Le propriétaire allait lui demander qui il était lorsqu'il vit Sandy arriver tranquillement et en déduisit qu'il devait être de la police.

— Il a réglé sa note ce matin. Il est déjà passé récupérer ses bagages. Vous l'avez manqué de peu. Il était avec la fille des fouilles.

Dehors, ils virent que le ferry était à quai, forme sombre dans la brume. D'où ils se trouvaient cependant, impossible de distinguer s'il était en phase de débarquement ou d'embarquement. Perez roula beaucoup trop vite jusqu'à la jetée mais quand ils l'atteignirent, le bateau s'éloignait lentement vers l'autre rive.

— Qu'est-ce que tu veux faire ? demanda Sandy en scrutant le brouillard.

— Rien.

Ils n'auraient aucun mal à retrouver Berglund si besoin était. Et puis de toute façon, Jimmy était sûr que l'affaire serait classée comme un malencontreux accident. Mima était âgée et il n'y avait personne pour faire du foin autour de son décès.

— Je rentre au commissariat et je vais voir la procureure. Toi, tu vas te coucher. Prends deux jours de congé pour raisons familiales. On se retrouve au bureau après le week-end.

Soudain, Perez avait hâte de quitter l'île. Il n'était pas sûr d'arriver à la comprendre tant qu'il s'y trouverait. Il connaissait depuis longtemps les mythes qui s'y rattachaient : sa richesse, sa chaleur, ses traditions. À présent, cerné de brouillard, il savait que Whalsay était vraiment différente du reste de l'archipel, à mille lieues de l'agitation urbaine de Lerwick ou du discret isolement de Fair Isle. Mais il n'arrivait pas à la définir. Peut-être était-ce sans importance après tout. Si l'accident était avéré, qu'importait ce qu'il pensait de l'endroit où Mima Wilson avait passé sa vie ? Sauf que précisément, ça lui semblait essentiel. Et qu'il devait s'éloigner de Whalsay afin de pouvoir y réfléchir plus sereinement.

11

Perez avait proposé à Sandy de le ramener à Lerwick. « Enfin, si tu veux rentrer, évidemment. Tu es trop fatigué pour conduire. Tu pourras venir récupérer ta voiture à Whalsay plus tard. » Un court instant, le jeune homme avait été tenté d'accepter. En général il faisait ce que son patron lui disait, non parce qu'il lui donnait toujours raison, mais parce que c'était le plus simple. Et quel bien ça lui ferait de s'en aller, de planter là tout ce bourbier familial ! Une bonne sieste dans son propre lit, quelques pintes avec les potes au Lounge, et il serait d'aplomb. De toute façon, il n'était d'aucune utilité ici. Sa mère s'emploierait à régler tous les détails pratiques des obsèques de Mima et il n'était pas en mesure d'apporter à Ronald le réconfort dont il avait besoin.

Malgré tout, il répondit qu'il allait rester une nuit de plus. Son instinct lui disait que c'était la chose à faire. Son père ne se serait pas esquivé dans une situation pareille, et depuis sa plus tendre enfance Sandy voulait par-dessus tout lui ressembler. Le bref hochement de tête de Perez le conforta dans la justesse de sa décision. Il le regarda embarquer au volant de son véhicule, attendit que le ferry soit sorti du port. Et se sentit soudain immensément seul.

Sa propre voiture se trouvait toujours sur le quai, là où il l'avait garée en venant chercher son patron. Il démarra et l'horloge du tableau de bord s'alluma. Pas encore midi. Ça l'épatait toujours de voir tout ce que Perez était capable d'accomplir en un temps limité. À première vue, l'inspecteur paraissait un peu mou. C'était à cause de son habitude de réfléchir avant de parler, si bien que quand il ouvrait la bouche on savait qu'il disait exactement ce qu'il avait voulu dire. En réalité, il était tout sauf lent. Il y avait quelque chose de surnaturel dans sa façon de poser d'emblée les bonnes questions, de saisir les indices au vol, de savoir quand il était temps d'avancer.

En dépassant le Pier House Hotel pour regagner Utra, le jeune homme vit la voiture de Ronald stationnée devant. Il écrasa la pédale de frein, dérapa sur la route glissante puis se gara à son tour. Commencer à se saouler dès midi ne risquait pas d'aider son cousin. Sandy ne s'estimait peut-être pas aussi futé que Perez, mais ça au moins, il en était sûr.

La femme en blouse rose avait fini le ménage, pourtant il flottait encore dans la salle cette odeur de bière de la veille mêlée à celle de l'encaustique, l'odeur de tous les bars avant l'arrivée des clients. Cedric Irvine essuyait des verres derrière le comptoir. Dans les souvenirs de Sandy, il avait toujours été propriétaire du Pier House. C'était Cedric qui lui avait servi sa première chopine avant l'âge légal, avec un clin d'œil en la glissant dans sa direction. Il n'y avait jamais eu de Mme Irvine, juste une succession de serveuses ou d'intendantes installées à demeure qui, disait la rumeur, satisfaisaient tous ses besoins. La maigrichonne de Glasgow était la dernière en date. Personne n'avait jamais très bien su quelle était la nature des relations entre Cedric et ces femmes. Quand un des habitués était assez ivre pour oser lui poser la question, le patron se contentait de secouer la tête en répondant qu'un gentleman ne parlait pas de ces choses-là. « Et je t'engage à en faire autant si tu veux pouvoir remettre les pieds dans cet établissement. » C'était sa manière de s'exprimer. Sandy lui trouvait un petit côté prêchi-prêcha.

Cedric leva les yeux et accueillit le jeune homme par un sourire sincère. De la tête, il désigna le coin de la salle où Ronald était assis à une table en cuivre au plateau grêlé. Il avait fini sa pinte et en était à la moitié du whisky qui suivait.

— Il a besoin d'un ami, déclara le patron. Ce n'est jamais bon de boire tout seul. Pas comme ça, rien que pour se saouler.

— Il se sent super-mal.

— Encore heureux. Mima était quelqu'un de bien.

79

— Ça aurait pu arriver à n'importe quel gars.

Sandy avait déjà vu ça. Les jeunes gens s'échauffaient à force de picoler, puis sautaient dans leur voiture ou leur camionnette et partaient sillonner l'île avec leurs fusils pour tirer les lapins, les oies ou tout ce qui leur passait par la tête, risquant parfois autant de se blesser entre eux que d'atteindre la cible visée. Ils avaient de la chance qu'il n'y ait pas davantage d'accidents. À plusieurs reprises, Sandy s'était trouvé parmi eux, à brailler et à les encourager stupidement. Ce n'était pas propre à Whalsay. Chaque fois que des hommes buvaient ensemble à outrance, ils se comportaient comme des ânes. Jamais plus, se dit-il. Dans quel état serait-il si c'était lui qui avait tué Mima ? Mais il savait pertinemment que s'il se retrouvait avec une bande de copains, il se laisserait entraîner dans d'autres équipées tout aussi imbéciles. Il n'avait jamais su résister.

Cedric lui avait tiré une pinte de Bellhaven. Ronald n'avait toujours pas remarqué son cousin. Son whisky maintenant terminé, il regardait par la fenêtre, les yeux dans le vague.

— Donne-moi une autre pinte pour lui, fit le jeune homme. Après, je t'en débarrasse, avant que quelqu'un se pointe et que ça tourne au vinaigre.

Le policier apporta les chopes jusqu'à la table. Enfin, Ronald leva les yeux vers lui. Sandy ne lui avait jamais vu si mauvaise mine.

— Je croyais qu'on avait déjà arrosé la naissance du bébé, lança-t-il.

Ronald lui jeta un regard noir.

— Laisse le petit en dehors de tout ça.

— J'imagine qu'Anna sait pas que t'es ici. Elle te tuerait.

À peine Sandy eut-il prononcé ces mots qu'il les regretta, cependant son cousin ne semblait pas les avoir entendus.

— Je vois pas comment ça peut être moi.

C'était sorti comme un cri. Ronald s'était changé, il portait maintenant chemise et cravate. Peut-être une forme d'hommage envers la défunte, mais Sandy avait l'impression de découvrir un autre homme. Le genre d'homme qu'il aurait pu devenir s'il avait terminé ses études et décroché sa licence. Travaillant dans un musée ou une bibliothèque. En primaire, lorsqu'ils avaient parlé des métiers qu'ils aimeraient exercer plus tard, son cousin avait surpris toute la classe en annonçant qu'il voulait devenir archiviste. D'où est-ce que ça lui était venu ? Certainement pas de Jackie ni d'Andrew.

Ronald continuait :

— Il m'est arrivé d'être imprudent avec un fusil, mais pas hier soir. Hier soir, je savais où j'étais et ce que je faisais. Pourtant, ça peut être que moi. Y avait personne d'autre dehors. Sandy, est-ce que je deviens fou ? Aide-moi, s'il te plaît. Qu'est-ce que je peux faire ?

— Pour commencer, pas t'attarder ici. C'est pas une bonne idée qu'on te voie au bar si peu de temps après ce qui s'est passé. Finis ta bière et je te ramène.

L'autre regarda la pinte pleine et la repoussa. Un peu de liquide se renversa sur la table.

— T'as raison. Je devrais pas boire du tout. Je vais arrêter. Ça ramènera pas Mima, mais au moins je ferai pas la même chose à quelqu'un d'autre. Faut que je pense au petiot, maintenant. Et ça fera plaisir à Anna. Peut-être. Bois-la, toi.

Sauf que tout à coup Sandy se sentit dégoûté de la bière, lui aussi. Ils s'en allèrent en laissant leurs verres intacts sur la table.

Ils restèrent plantés un moment à côté des voitures. Le brouillard était toujours si bas que l'on n'y voyait guère au-delà du mur du port. Avec leurs immenses treuils et leurs antennes, les chalutiers prenaient des allures de monstres marins, dos hérissé et mâchoires dentelées.

— Que fait Anna ?

— Elle est à la maison. La sage-femme devait passer la voir. J'aurais été de trop.

Le policier fut surpris par tant d'amertume. Comment c'était, de vivre avec quelqu'un capable de provoquer un tel sentiment ? Evelyn rêvait de le voir épouser une femme intelligente et cultivée mais c'était bien la dernière chose qu'il désirait, lui.

Ronald poursuivit :

— Si seulement je pouvais être au boulot… D'habitude j'ai horreur de ça, mais là, je serais bien content de passer quelques semaines à pêcher du poisson blanc dans l'Atlantique.

Encore un truc que Sandy ne comprenait pas : faire un boulot qu'on détestait, même super-bien payé. Il supposait que la famille de Ronald avait dû lui mettre la pression pour qu'il travaille sur le bateau. Et comment aurait-il pu s'offrir cette immense maison sans tout l'argent que ça rapportait ?

— Tu dis pas ça sérieusement, pas avec le bébé qui vient d'arriver.

Malgré tout, le jeune homme pensait que les enfants faisaient ressortir le pire chez les femmes. Toutes ces dames de la famille devaient se bousculer chez eux, roucoulant et gloussant, échangeant des histoires d'accouchement, déblatérant sur la lâcheté des hommes. Il comprenait pourquoi son cousin s'était échappé tout seul avec un fusil la veille au soir.

— Ça va aller si je te laisse ?

À la manière dont Ronald s'exprimait, Sandy le voyait bien se caler le fusil sous le menton et se faire exploser la cervelle. Ce n'était pas possible, bien sûr – l'arme était en route pour Lerwick, dans le coffre de Perez –, mais aux Shetland il n'était pas difficile de se suicider, pour peu qu'on le veuille vraiment. Il y avait des falaises d'où sauter, de l'eau dans laquelle se noyer.

— Pas de problème.

— Tu veux venir déjeuner à Utra ? Tu pourrais proposer à Anna de se joindre à nous. Maman serait ravie de revoir le petiot.

— Pour que tante Evelyn revive la soirée d'hier et en savoure chaque minute ? Non merci.

— On pourrait monter au golf. Pour rigoler. Comme au bon vieux temps.

Un instant, Sandy crut que Ronald allait se laisser tenter, cependant il secoua la tête et grimpa dans sa voiture. Son taux d'alcoolémie ne devait pas être loin de la limite mais ce n'était pas le moment de lui faire la leçon. Le policier le suivit jusqu'à ce qu'il tourne chez lui puis continua vers chez ses parents.

Dans la cour de la maison, il croisa son père qui rentrait déjeuner. Pendant toute la jeunesse de Sandy, Joseph Wilson avait été menuisier pour le compte de Duncan Hunter, un homme d'affaires shetlandais. Il s'était laissé traiter comme un moins que rien, commander comme un vulgaire apprenti et non un maître artisan, uniquement pour toucher sa paie à la fin de la semaine. Quelquefois, il restait passer la nuit à Lerwick pour terminer un chantier. L'aménagement de leur fermette occupait ses heures de loisir. Tout cela lui avait laissé peu de temps à consacrer à ses fils.

Depuis deux ans, Joseph avait laissé tomber Hunter pour se vouer à plein temps à sa petite exploitation agricole. Sandy ne savait pas trop comment il s'en sortait financièrement – Evelyn n'avait jamais travaillé – mais il ne pouvait pas aborder cette question avec ses parents. Quoi qu'il en soit, cette nouvelle organisation semblait bien fonctionner. Evelyn aimait l'idée que son mari soit son propre patron et Joseph avait toujours été plus heureux dans l'agriculture que dans le bâtiment. Peut-être avaient-ils réussi à mettre de l'argent de côté quand il bossait pour Hunter.

Dernièrement, Perez sortait avec l'ex-femme de l'homme d'affaires et Sandy en était un peu perplexe. Il charriait l'inspecteur sur le fait qu'il était de nouveau casé, et Fran avait l'air d'une fille bien, mais pour lui, quiconque avait eu à faire avec Hunter était suspect.

C'était la saison de l'agnelage et Joseph était allé inspecter ses brebis dans les collines. Nombre de Shetlandais ne prenaient pas cette peine. Globalement, les brebis en liberté se débrouillaient toutes seules, et depuis que les subventions ne se calculaient plus par tête, ils se fichaient de perdre quelques agneaux. Mais Joseph était consciencieux et à cette époque de l'année, il arpentait des kilomètres.

Le fermier avait entendu la voiture sur le chemin, il attendait son fils devant la porte de la cuisine, vêtu d'un bleu de travail tout éclaboussé de créosote.

— Hé, ho !

C'était ainsi qu'il accueillait tout le monde. Sandy pensait que si le Premier ministre débarquait chez lui, Joseph le saluerait de la même manière.

Le jeune homme ne sut que dire. Il aurait aimé avoir le don de Perez pour la parole. Des bribes de phrases lui flottaient dans la tête mais tout ce qu'il parvint à formuler fut :

— Elle va nous manquer. Je suis désolé.

Il mit la main sur l'épaule de son père, contact physique maximum entre eux. Joseph adorait sa mère. Un jour, Sandy avait entendu Evelyn, exaspérée par quelque chose que Mima avait fait, dire à son grand frère Michael : « C'est une vieille sorcière venimeuse. Je suis sûre qu'elle a jeté un sort à ton père. » Et quelquefois c'était bien l'impression que ça donnait. Joseph était capable de tout laisser en plan pour aller replacer une ardoise sur son toit ou bêcher son potager.

Un éclair de douleur traversa le visage de son père, puis il essaya de sourire.

— Oui, enfin... c'est peut-être comme ça qu'elle aurait choisi de partir. Elle avait le goût du sensationnel. Et il ne fallait pas que ça traîne. Elle n'aurait pas supporté l'hôpital, la maladie.

Il fit une pause.

— Quand même, je pensais qu'elle avait encore de belles années devant elle.

Il était comme ça, Joseph Wilson. Ce qu'il ne pouvait changer, il s'en accommodait. « Inutile de s'en prendre au monde entier, disait-il : on ne gagne jamais. » En plus, Evelyn s'en chargeait pour lui. Du foot à la télé, quelques bières le soir, cela suffisait à son bonheur. Il avait travaillé dans tous les coins de l'archipel pour Duncan Hunter. À présent il serait comblé s'il n'avait plus jamais à quitter Whalsay. Evelyn avait toujours eu de l'ambition pour deux, avec ses projets pour la maison, pour la ferme, pour leurs fils. Parfois Sandy se disait qu'elle serait peut-être plus heureuse si elle partait, s'installait à Édimbourg par exemple, près de Michael et de sa famille. Whalsay était simplement trop petite pour elle.

Lorsqu'ils entrèrent dans la cuisine elle paraissait bien aise. Peut-être, comme Mima, aimait-elle le sensationnel, en avait-elle besoin pour se sentir utile. Ils la trouvèrent assise dans le vieux fauteuil, occupée à donner le biberon à l'agneau. Elle lui parlait par gazouillis, comme à un nourrisson. Dès qu'elle s'aperçut de leur présence, elle remit l'animal dans son carton, se passa les mains sous le robinet, et se posta devant la Rayburn pour remuer la viande qui mijotait dans une casserole.

— Potage au mouton salé. J'en avais au congélateur et je sais que tu adores ça, chéri. Et puis je pensais à Mima en le faisant réchauffer. C'était son plat préféré, à elle aussi.

Joseph alla se savonner à l'évier. Evelyn s'approcha par-derrière, le fit se retourner et lui donna un baiser sur la joue. Sandy était toujours en train de se déchausser.

— Tu es prêt à déjeuner aussi, mon grand ? Ton sympathique inspecteur est parti ?

— Il est rentré à Lerwick pour voir la procureure. Je veux bien un petit bol de potage.

— Il pense beaucoup de bien de toi, ça se voit. Je suis fière de mes deux garçons.

— Tu as prévenu Michael, pour maman ? fit Joseph en prenant place à table.

Il posa les mains à plat sur la toile cirée. Les doigts épais, tout rouges. De nouveau, Sandy se souvint du jour où ils avaient bataillé pour tuer le cochon, les hurlements qui lui vrillaient le crâne avant que le merlin fasse taire l'animal, le sang.

— J'ai téléphoné chez lui ce matin, mais il était déjà parti. Il avait une réunion à la première heure. Amelia était sur le départ, je l'ai priée de dire à Michael de rappeler. Il l'a fait il y a quelques minutes. Elle venait seulement d'arriver à le joindre.

Ou bien elle avait pas essayé avant. Aux yeux de Sandy, sa belle-sœur n'était qu'une bêcheuse. Beau petit cul, mais pour se marier, ça ne suffisait pas. Michael aurait pu trouver mieux.

Sa mère continuait :

— Il m'a demandé quand auraient lieu les obsèques. Je lui ai dit qu'on ne pouvait rien organiser tant que l'inspecteur Perez n'aurait pas délivré le permis d'inhumer. Michael viendra, c'est sûr, mais il n'a pas pu se prononcer pour Amelia et Olivia.

Sandy savait pertinemment que les filles resteraient à Édimbourg. D'abord, Amelia bossait, et pour elle son travail comptait plus que la famille. Elle avait amené Olivia à Whalsay une fois, alors qu'elle était encore en congé maternité et que la petite n'avait que quelques mois. Elle n'avait fait que se plaindre et s'angoisser, avant de finir par rentrer plus tôt que prévu. « Oh, je ne peux même pas concevoir de rater mon cours de massage pour bébé. C'est ce qu'il y a de mieux pour créer le lien. » Sandy ne comprenait pas comment sa mère, d'ordinaire si fine et perspicace, pouvait se laisser abuser par ces simagrées. Mais il s'abstint de tout commentaire. Ce n'était pas le moment de se disputer.

Il regarda Evelyn servir à la louche trois bols de potage, Joseph se lever pour couper le pain. Soudain, l'idée de Setter sans sa grand-mère lui fut insupportable. Le jeune homme n'avait pas la nature optimiste de son père. Malgré ce qu'il avait dit à Perez, il n'arrivait pas à croire que c'était mieux comme ça.

Sa mère n'arrêtait pas de parler. Ça lui prenait dans les moments de stress. Elle jacassait maintenant à propos de Setter, poussait Joseph à faire des projets pour le terrain et la maison. Sandy ne l'écoutait pas vraiment et il n'était pas sûr que son père soit plus attentif. Le fermier mangeait son potage, soulevait sa cuillère avec une régularité d'automate, mâchait et avalait les aliments brûlants comme si sa vie en dépendait.

— J'ai dit aux petites étudiantes qu'elles pourraient reprendre leur travail dès que la police aurait donné son feu vert. Tu es d'accord, hein, Josie ?

Pas de réponse. Ce n'était ni nécessaire ni attendu.

— Je me demandais si l'Amenity Trust ne serait pas intéressé pour acheter la maison, ou au moins la louer. Les garçons n'iront pas s'installer là-bas.

Le flot de paroles continuait, seulement, la cuillère de Joseph s'était immobilisée.

— Michael ne quittera plus Édimbourg maintenant, et Sandy a son appartement à Lerwick. Ça ferait un beau centre touristique, une fois les fouilles terminées.

Le policier tendait l'oreille aussi à présent. Il allait protester quand il accrocha le regard de son père. Celui-ci secoua brièvement la tête à l'insu de son épouse. Son regard disait : « T'en fais pas, fiston. Ça n'arrivera pas. Ne discute pas maintenant. Laisse-moi faire. »

12

Après le départ de la sage-femme, Anna Clouston s'assit dans l'embrasure de la fenêtre du séjour et regarda la mer. James était allongé sur ses genoux. Elle n'avait pas l'habitude de se trouver seule avec lui et le ressentait comme un inconnu, n'arrivait pas à croire que c'était le même enfant qu'elle avait porté neuf mois dans son ventre. Peut-être parce qu'ils avaient eu si peu de moments d'intimité depuis leur retour de l'hôpital. D'abord le défilé des visiteurs, les bras chargés de cadeaux, de gâteaux et de ragoûts maison. Et puis ce matin, la police.

L'Anglaise avait eu du mal à s'adapter à la vie à Whalsay. Le problème ne venait pas de l'isolement, non : ça, elle ado-rait. Il y avait un côté théâtral à vivre sur cette île. La diffi-culté, c'était le sentiment de n'avoir aucune vie privée, de ne plus s'appartenir, d'être submergée de conseils sur la manière dont elle devait mener son existence. Le plus douloureux avait été de s'apercevoir qu'elle s'était attachée à une famille si radicalement différente de la sienne.

Ses parents les avaient eues sur le tard, sa sœur et elle. Son père était un petit fonctionnaire laborieux, réservé et un peu froid. Anna avait l'impression que son travail le barbait et qu'il s'y sentait sous-estimé. C'était un boulot de routine et il n'était pas du genre à se mettre en avant pour obtenir une promotion. Sa mère enseignait dans le primaire. Les filles avaient grandi dans un foyer où l'on comptait le moindre sou, où l'on encourageait les économies, où l'on prisait les bons résultats à l'école mais sans jamais les monter en épingle. Les récompenses n'arrivaient qu'après un travail acharné. C'était une vie petite-bourgeoise, respectable, rythmée par l'église le dimanche, les leçons de musique, les visites hebdomadaires à la bibliothèque. Personne ne posait les coudes sur la table aux repas. La retenue allait de soi.

Bien sûr, à l'université elle avait rencontré des gens issus d'autres milieux, mais finalement sa conception de la famille était demeurée intacte, symbolisée par les effluves du rôti dominical quand sa mère le sortait du four, l'image de son père occupé à tailler les roses fanées au jardin à la fin de l'été, le souvenir de sa sœur disposant dans le sapin les babioles défraîchies que l'on ressortait tous les ans à Noël. Anna s'était imaginé qu'elle reproduirait tout cela, avec de légères variantes : assurément elle s'affirmerait plus que sa mère – on ne la prendrait pas à préparer un repas traditionnel chaque dimanche –, et elle épouserait un homme un peu plus passionnant que son père. Mais le modèle de base resterait le même. En existait-il un autre ?

Et puis elle avait rencontré les Clouston de Whalsay et ç'avait été la découverte d'un tout nouvel univers familial. Leur maison bruissait de vie, radio allumée, bavardages incessants de Jackie, la mère de Ronald, potins des cousines, des tantes et des voisines qui passaient régulièrement chez eux. La retenue n'était pas de mise ici. Et si Jackie décrétait qu'elle avait besoin d'une nouvelle tenue, de changer de cuisine ou de voiture, sitôt dit, sitôt fait. Pas question d'économiser avant de l'obtenir. Une fois, Anna avait demandé à Ronald d'où provenait leur richesse. La *Cassandra* n'avait que quelques années, et elle avait été acquise grâce à la revente du chalutier précédent. « Mais avant, à l'origine ? Comment est-ce que ton père a acheté son premier bateau ?

— En trimant dur, avait-il répondu. Travail acharné et prise de risques, voilà tout. »

La jeune femme imaginait bien Andrew du genre intrépide quand il était jeune. Elle avait vu des photos de lui, grand et fort, la tête rejetée en arrière dans un éclat de rire. Puis il était tombé malade et Jackie avait voulu que son fils abandonne ses études pour le remplacer sur le bateau. Ça aussi, elle l'avait obtenu. Anna avait cru Ronald différent, plus posé, moins enfant gâté. À présent il paraissait exactement comme eux, décidé à n'en faire qu'à sa tête sans se soucier des conséquences. Son égoïsme la rendit de nouveau furieuse. Elle sentit la tension dans sa nuque et dans ses bras. Comment pourraient-ils continuer à vivre sur l'île, après ça ?

James commença à s'agiter, il tendit les mains vers elle et ses doigts s'ouvrirent comme des pétales de fleur. Il avait encore les yeux fermés, la peau toute fripée autour. *Comment vas-tu grandir ici ? Tu seras trop gâté, toi aussi ?* Et elle se dit qu'il allait lui sucer toute son énergie vitale, exactement comme Ronald en ce moment.

L'Anglaise se sentait épuisée. Jackie les avait invités pour le dîner. « Tu n'auras pas envie de faire la cuisine. Et puis, on n'a pas fêté la naissance comme il se doit. Il faut que vous veniez. » Sans songer un seul instant que les jeunes parents pourraient aspirer à se retrouver un peu seuls, si tôt après l'arrivée de leur fils. Jackie avait le don de projeter sur les autres ses propres désirs : puisqu'elle adorait recevoir, ils seraient forcément ravis d'être reçus. Ronald n'y avait vu aucune objection. Il lui était quasiment impossible de refuser quoi que ce soit à sa mère. « On n'est pas obligés de s'attarder », avait-il déclaré quand Anna s'était montrée tout sauf enthousiaste de cette invitation. « Et ce sera super de faire un vrai repas, non ? »

James se mit à chouiner, elle déboutonna son corsage pour lui donner le sein. Elle s'était attendue à ce que l'allaitement soit difficile ; elle n'avait jamais été très câline. Mais elle avait énormément de lait et le bébé tétait si goulûment que le liquide blanchâtre s'échappait de sa bouche, dégoulinait sur la peau de sa mère. Quelquefois il lui semblait qu'il l'aspirait jusqu'à la tarir. Elle jeta un coup d'œil à la pendule et se demanda où était son mari. Il avait passé ses habits du dimanche et était sorti avant le déjeuner. Elle supposait qu'il était allé présenter ses condoléances à la famille de Mima, se demanda de quelle humeur il serait à son retour.

Le téléphone sonna. Anna tendit la main et décrocha, en espérant que ce serait Ronald lui annonçant qu'il était en route. Ces quelques heures de calme l'avaient détendue. Peut-être était-il encore possible d'arranger les choses entre eux. Mais c'était sa belle-mère, le ton agité, impatient :

— Je voulais juste savoir à quelle heure vous pourriez être à la villa ce soir.

Jackie disait toujours « la villa », comme si c'était la seule de Lindby.

Le bébé au creux d'un bras, l'Anglaise sentit son cœur se serrer de déception. Elle n'était pas sûre de pouvoir continuer à feindre le bonheur familial. Elle avait espéré qu'avec le décès de Mima le dîner serait annulé. À Whalsay, on prenait très au sérieux les rites et convenances liés au trépas.

— Quand vous voudrez, répondit-elle. On se fait une joie de venir.

Et peut-être en effet valait-il mieux qu'ils ne soient pas seuls ce soir, finalement. Sinon, ils allaient ressasser l'incident de la veille et elle risquait de se laisser emporter, de dire des choses qu'elle regretterait vraiment.

En raccrochant, elle entendit Ronald pousser la porte d'entrée.

— On est au salon ! cria-t-elle.

Dehors, le jour semblait être tombé bien tôt, Anna ne vit son époux que comme une ombre sur le seuil.

— Joli tableau que voilà, remarqua-t-il.

Il portait toujours sa veste, mais la cravate était desserrée. Elle le reconnaissait à peine dans ses beaux habits. Il avait prononcé ces mots pour lui-même et son accent était plus marqué que lorsqu'il s'adressait à elle.

Comment peut-on s'entendre ? On ne parle pas la même langue. On ne vient pas du même monde. Je ne le connais pas du tout.

— Tu es allé voir les Wilson ? s'enquit-elle.

— Non, j'ai croisé Sandy, mais je ne saurais pas quoi dire à Joseph.

— Tu fais très chic, bien habillé comme ça.

Il marqua un temps d'arrêt, puis haussa les épaules.

— Témoignage de respect, peut-être. Ça ne me semblait pas correct de mettre une tenue ordinaire aujourd'hui.

Ronald s'avança dans la pièce et s'accroupit à côté d'elle. Il lui caressa les cheveux tout en la regardant ôter le sein de la bouche de James à l'aide de son petit doigt. Elle porta l'enfant à son épaule et lui frotta le dos, puis le tendit à son mari.

— Il a probablement besoin d'être changé.

— On peut s'en occuper, hein, fiston ? On va bien y arriver, murmura-t-il dans les cheveux du bébé.

— Jackie vient d'appeler pour le dîner de ce soir.

— Ça ne t'ennuie pas ? demanda Ronald en la regardant par-dessus la tête de James. On peut toujours annuler si ça t'est trop pénible.

— Je crois que ça me fera du bien de sortir.

Elle lui offrit un sourire hésitant.

— Excuse-moi d'avoir été si dure avec toi. J'étais sous le choc. Je n'ai pas été d'un grand soutien.

Il secoua la tête.

— Non, je le méritais bien. J'ai été idiot.

Ça, tu peux le dire. Mais elle se garda bien d'exprimer sa pensée à haute voix.

L'heure venue, ils emmitouflèrent le bébé dans une couverture et le portèrent dans son couffin jusqu'à la grande demeure au sommet de la colline. Anna n'était pas sortie de la journée, elle prit plaisir à sentir la bruine sur son visage. Dès qu'ils franchirent le seuil, elle sut qu'il y aurait de l'agneau de lait au dîner. L'odeur fit resurgir la maison de ses parents, les repas tranquilles à la sortie de l'église, son père qui lisait les journaux du dimanche en sirotant du sherry. Puis ils furent happés dans le tourbillon d'hospitalité de Jackie. Elle les serra dans ses bras l'un après l'autre et aurait volontiers pris James pour lui faire des papouilles s'ils n'avaient déclaré qu'ils espéraient bien le voir s'endormir.

Par la porte ouverte, Anna vit que le couvert avait été mis dans la salle à manger, pour bien marquer l'événement. La table s'ornait de bougies déjà allumées et de serviettes artistement pliées. Après l'accident de Mima, cet apparat paraissait indécent, comme s'ils fêtaient sa disparition. D'ordinaire ils mangeaient dans la cuisine, même lorsqu'il y avait une foule d'invités. Jackie avait habillé Andrew en chemise et pantalon sombre, et elle-même arborait une petite robe noire assez élégante, plutôt plus simple que ses vêtements habituels. La jeune maman se sentit boulotte et mal fagotée en comparaison. Elle n'avait pas pris la peine de se changer et devait avoir des traces de vomi sur l'épaule. Elle se demanda si la tenue sobre de sa belle-mère était sa manière de porter le deuil de Mima.

Apparemment non, car elle semblait d'humeur résolument festive.

— Alors, on boit le champagne ? s'écria-t-elle. J'en ai mis à rafraîchir.

Elle les entraîna à la cuisine et là, sur la table, deux bouteilles hors de prix reposaient dans un seau de glace. Jackie s'était mise avec délectation aux achats sur Internet. Avait-elle commandé le seau spécialement pour l'occasion ? Sans doute pas. Le champagne était une boisson commune chez les Clouston, qui en consommaient à chaque anniversaire. Jackie enlaça son fils à la taille.

— Allez, Ronald, débouches-en une.

Anna pensait qu'il allait protester. Extrêmement tendu sous l'étreinte de sa mère, il se tortilla pour s'en libérer. Cependant, l'habitude de répondre à ses attentes prit le dessus et il s'exécuta. Gagné par l'esprit du moment, il enveloppa la bouteille dans une serviette blanche pour éviter qu'elle ne lui glisse des mains, ôta le muselet, saisit le bouchon et décocha à Jackie un bref sourire, presque une grimace, lorsque celui-ci émit un *pop* plus fort que prévu. Il refusa toutefois la coupe qu'elle lui tendit.

— Une bière, alors ? Ton père n'a jamais été fan du champagne non plus. Ça en fera plus pour nous deux, hein, Anna ?

— Pas d'alcool. Pas après ce qui s'est passé hier soir.

Jackie s'apprêtait à insister, mais se retint juste à temps – et à grand-peine. Elle se retourna, attrapa une cannette de Coca dans le frigo et la tendit à son fils.

— Ne parlons pas de ça. Pas ce soir. Ce soir, c'est censé être fête.

Elle les conduisit dans la salle à manger et ils n'évoquèrent plus Mima jusqu'au dessert où, cette fois, ce fut Jackie qui aborda le sujet. Anna se surprit à apprécier la soirée. Le vin l'avait détendue. Elle devait même être légèrement pompette, se dit-elle en s'apercevant qu'elle riait un peu fort à une plaisanterie de sa belle-mère. Mais elle refusait de se laisser aller et mit la main sur son verre lorsque Ronald proposa de la resservir. *Peut-être qu'on va s'en sortir. Peut-être que je peux faire en sorte que ça marche.* Jackie aussi avait beaucoup bu pendant le repas. Elle était toute rouge d'avoir fait la cuisine et pris la responsabilité de les inciter à s'amuser.

— On ne la regrettera pas, vous savez.

— Qu'est-ce que tu veux dire ?

Ronald s'immobilisa, sa cuillère à la main. Sa mère le regarda.

— Mima Wilson. C'était une vraie langue de vipère quand elle s'y mettait. Et puis il s'agit d'un accident. Tu ne dois pas t'en vouloir.

— Ne dis pas ça, répliqua-t-il d'un ton ferme.

Jackie garda le silence le temps de se ressaisir.

— Non, tu as raison. Il ne faut pas dire de mal des morts.

Elle jeta un coup d'œil entendu à sa bru. *Ne le contredisons pas. Il est en état de choc.*

Depuis son attaque, Andrew s'exprimait avec difficulté. Parfois, il lui fallait une éternité pour agencer les mots dans sa tête puis les formuler à haute et intelligible voix. Pourtant, de temps à autre, une phrase complète sortait d'un seul coup, à sa propre surprise autant qu'à celle de ses auditeurs. Ce fut le cas à ce moment-là :

— C'était une belle femme, quand elle était jeune.

Puis, voyant qu'ils le dévisageaient tous les trois, il ajouta :

— Jemima Wilson. Je parle de Jemima Wilson.

Il se retira dans un silence stupéfait.

— Oh oui, elle était jolie, répliqua Jackie avec amertume. Et elle le savait ! À quarante ans, elle flirtait avec des hommes qui en avaient moitié moins.

Anna se demanda si son beau-père avait compté parmi les jeunes soupirants de Mima. Il y eut un silence gêné.

— Je l'ai toujours bien aimée, dit doucement Ronald. Quand on était petiots, elle nous racontait des super-histoires.

— Ça oui, les petiots l'aimaient bien. Ils s'agglutinaient chez elle comme des abeilles autour d'un pot de miel.

Jackie semblait partie sur sa lancée, pourtant elle s'arrêta net. Le silence revint. Peut-être chacun était-il plongé dans ses souvenirs de Mima.

Andrew toussa, puis lança une nouvelle phrase-surprise :

— Un homme est mort à cause de Jemima Wilson.

Il parcourut les convives des yeux pour s'assurer qu'ils l'écoutaient. Anna eut le sentiment qu'il tenait désespérément à être pris au sérieux.

— Un homme est mort à cause d'elle.

Désormais certain d'avoir leur attention, il ajouta :

— Eh bien, elle a rejoint son zigoto de mari. Ils étaient du même bois, ces deux-là. Une union née du ciel.

Il s'interrompit, émit un drôle de rire étranglé, puis conclut :

— Ou de l'enfer !

13

En manœuvrant avec précaution pour descendre du ferry à Laxo, Perez éprouva une bouffée de honte. Il n'aurait pas dû se sentir si heureux d'avoir échappé à Whalsay, à la famille de Sandy et à l'inéluctable commotion d'une mort inattendue. Le chagrin, il savait s'en débrouiller. Il avait beaucoup plus de mal, en revanche, avec les réactions égoïstes, inévitables mais déplaisantes, qui l'accompagnaient. La première était la cupidité, car même lorsque le défunt n'était pas riche, il laissait généralement des biens à se disputer. Venait ensuite la culpabilité, parce que se montrer cupide après le décès d'un proche paraissait indécent et parce que les relations, surtout dans le noyau familial, ne sont jamais parfaites. Au moins un des parents de Mima avait dû se dire un jour : « Vivement que tu sois morte. » Sans vraiment le souhaiter peut-être, mais il l'avait pensé quand même. Et à présent, cela le hanterait.

Radio allumée, Jimmy mit cap au sud, direction Lerwick. Fran estimait que sa sollicitude envers les gens qu'il rencontrait dans le cadre de son travail était une forme d'arrogance. « C'est génial que tu t'en préoccupes, mais tu n'es pas prêtre. Ils doivent assumer leur peine. Pourquoi te crois-tu capable de les aider alors que leurs propres amis n'y parviennent pas ? » Il essaya de suivre ses conseils, d'oublier le teint hâve et les traits tirés de Sandy, le dos tendu d'Evelyn penchée sur la cuisinière. Et se mit à chanter à tue-tête au son des Proclaimers. Le brouillard commença à se lever à l'approche de la ville et, lorsqu'il passa devant la gare maritime, de pâles rayons de soleil éclairaient le quai.

Il décida de rentrer déjeuner chez lui. Il avait besoin de parler à Fran et à Cassie, et au bureau, entre le bruit et les interruptions, impossible d'avoir une conversation suivie. Perez habitait une vieille maison toute en longueur bâtie les pieds dans l'eau, si bien que le mur extérieur portait la marque des grandes marées. À présent, la brume s'était suffisamment estompée pour laisser voir l'île de Bressay, en face. C'était la première fois qu'il faisait aussi bon depuis le début du printemps, aussi ouvrit-il la fenêtre du salon pour laisser entrer les cris des mouettes, le roulement des vagues, l'air salé.

Fran lui manquait plus qu'il ne s'y attendait. Il ne lui en avait rien dit, naturellement. Elle aurait méprisé ce sentiment, perçu comme un signe de son hyperémotivité. Chaque fois qu'il lui parlait, elle avait la bouche pleine des gens qu'elle avait vus, des spectacles auxquels elle avait assisté, des expos qu'elle avait visitées. Quelquefois il avait peur qu'elle n'ait plus envie de rentrer. Il s'avisa que les deux habitantes de Whalsay qu'il avait rencontrées avaient cela de commun avec sa compagne. Le cousin et le père de Sandy se satisfaisaient de la vie insulaire, mais Evelyn et Anna regardaient le vaste monde et en voulaient davantage. Il lui semblait que, à force d'exiger qu'il change, elles risquaient de dénaturer l'endroit qu'elles disaient aimer.

Jimmy avait acheté une cafetière électrique d'occasion à un vide-grenier l'été précédent. Il plaça le filtre et versa les cuillerées de mouture, attendit que se diffuse le délicieux arôme. Fran lui enviait sa capacité à boire du café serré à longueur de journée sans pour autant peiner à s'endormir le soir venu. Il s'aperçut qu'elle était dans sa tête à chaque instant, comme un arrière-plan à toutes ses pensées.

Il composa le numéro des parents de la jeune femme à Londres, laissa sonner, raccrocha quand le répondeur se mit en route. Il ne tenait pas à ce que ce soit eux qui prennent son message, entendent ses paroles hésitantes, prononcées avec un accent qui devait être tout sauf intelligible à leurs oreilles.

L'idée de demander sa main à Fran avait viré à l'obsession. Elle l'avait effleuré comme une fantaisie passagère l'été précédent, mais elle était désormais revenue pour ne plus le quitter. S'il lui proposait d'emménager ensemble, il était sûr qu'elle accepterait sans hésiter. Ils se connaissaient depuis plus d'un an et Jimmy passait autant de temps chez elle à Ravenswick que sous son propre toit de Lerwick. Récemment elle avait lancé, sur le ton de la plaisanterie mais à l'évidence pour tester sa réaction : « Si on vendait chacun notre maison, on pourrait s'acheter quelque chose d'un peu plus grand. » Il était resté évasif et il savait qu'elle avait été déçue, même si par fierté elle n'en avait rien montré.

Il ne voyait aucune objection morale à vivre en concubinage et se fichait pas mal de ce que les gens – y compris ses parents – en pensaient, pourtant l'idée du mariage l'obnubilait. Question de permanence et de stabilité, sans doute. Il savait que Fran voulait un autre enfant et il était terrifié à la pensée de se trouver à la tête d'une famille éclatée. Mais il y avait aussi une motivation moins noble : Fran avait épousé Duncan, n'est-ce pas ? Si elle disait non à Jimmy, cela ne signifierait-il pas qu'elle l'aimait moins que Hunter, malgré ses liaisons et ses folles soirées ? Bien que torturé par l'éventualité d'un rejet, Perez n'arrivait pas à se départir de son idée fixe.

Il se servit un autre café puis appela la jeune femme sur son portable. Pour lui parler, il était prêt à supporter le bruit de fond des rires ou de la circulation. Elle répondit presque aussitôt.

— Jimmy ? Quel plaisir de t'entendre !

— Je te dérange ?

Pourquoi se montrait-il toujours aussi formel quand il l'avait au téléphone ? Comme s'il s'adressait à un collègue.

— Non, tu tombes pile. On est venus visiter une expo au Muséum d'histoire naturelle. Mes parents ont emmené Cassie voir les dinosaures et moi, je me suis échappée pour boire un café digne de ce nom.

Il s'imagina son visage éclairé d'enthousiasme, se demanda comment elle était habillée. Il aurait voulu se la représenter jusqu'au détail de ce qu'elle portait. Trouverait-elle cela étrange s'il le lui demandait ?

— Je suis à la maison, fit-il. Moi aussi, je me suis échappé pour boire un café. Et parce que j'avais envie de te parler tranquillement.

— J'aimerais être avec toi.

Alors reviens. Prends le premier avion pour Aberdeen et je te réserve une place sur le dernier Loganair. Tu pourrais être là ce soir.

Parce que cette idée lui trottait dans la tête et qu'il considérait les aspects pratiques de sa réalisation – Fran devrait faire ses bagages, ce qui voulait dire qu'elle n'aurait pas le temps, finalement –, il s'aperçut soudain qu'il y avait un blanc dans la conversation. La jeune femme attendait une réponse.

— Tu ne peux pas savoir, dit-il, comme tu me manques.

Et dans son crâne résonnait la litanie absurde, obsédante. *Épouse-moi. Épouse-moi. Épouse-moi.* Elle le trouverait encore d'un sentimentalisme écœurant.

— Oh, mais ce ne sera plus long maintenant, moins d'une semaine.

— J'avais peur que tu sois si bien à Londres que tu ne veuilles plus rentrer.

— Oh ! Jimmy, non ! Ne va pas t'imaginer des choses pareilles. Il me tarde d'être à la maison.

À ces mots, son estomac se retourna comme sur le *Good Shepherd* dans la tempête et il se sentit de nouveau adolescent, seize ans et amoureux pour la première fois. Mais il dut s'en tenir à cela car Cassie et ses grands-parents arrivèrent et la fillette voulut lui parler, lui raconter tout ce qu'elle avait appris sur le tyrannosaure.

Au commissariat, les conversations tournaient exclusivement autour de la mort de la grand-mère de Sandy et des circonstances de l'accident.

— J'ai été en classe avec Clouston, disait quelqu'un. Il était un peu étourdi, mais de là à utiliser son fusil à tort et à travers... Ce n'est pas un de ces irréductibles casse-cou.

— D'après Sandy, il a tendance à picoler.

L'inspecteur écoutait, en se demandant combien de temps il faudrait pour oublier que Ronald Clouston avait abattu Mima Wilson par une nuit de brouillard à Whalsay. La rumeur poursuivrait le jeune homme pendant des années, où qu'il aille. Même s'il n'était pas inculpé, cette histoire lui collerait à la peau jusqu'à son dernier souffle.

Pour éviter de se trouver embarqué dans les commérages, Perez décrocha le téléphone et prit rendez-vous avec la procureure. Avant d'aller la rejoindre, il griffonna quelques notes sur un papier. Il se demandait toujours quelle serait sa position. Il ne voulait pas prendre l'accident à la légère, pas plus que l'inconséquence de Ronald à sortir chasser dans le brouillard après plusieurs bières. Toutefois, il espérait pouvoir la persuader que l'acte était inconsidéré, et non prémédité.

Difficile d'expliquer le rôle du procureur à ses collègues anglais. Même Fran avait du mal à saisir : « Mais quelle est sa fonction ? » Jimmy répondait toujours que c'était une sorte de croisement entre un juge et un avocat général, mais cela n'éclairait pas davantage la jeune femme. Elle ne comprenait qu'une chose : c'était son supérieur hiérarchique.

Rhona Laing, la nouvelle procureure, était une quinquagénaire détendue à la langue acérée et dont la garde-robe de créateurs paraissait totalement déplacée aux Shetland. Le bruit courait qu'elle prenait l'avion tous les mois pour aller chez son coiffeur à Édimbourg. Perez n'accordait jamais foi aux racontars shetlandais, toutefois il n'était pas loin de croire que si sa blondeur était naturelle, c'était sa coupe qui la rajeunissait de dix ans. Mme Laing aimait passionnément la voile. C'était à l'occasion d'une traversée depuis les Orcades qu'elle avait découvert l'archipel et en était tombée amoureuse. Dans un moment d'inadvertance lors de l'inauguration du nouveau musée, elle avait confié à Perez que vues de la mer, les Shetland ressemblaient à un paradis. Il avait voulu lui demander quel effet elles faisaient vues de la terre, mais déjà elle s'était tournée vers d'autres invités plus prestigieux. Elle vivait seule dans une ancienne école près du port de plaisance d'Aith et parvenait à garder le secret sur sa vie passée et présente. Tout ce que l'on savait, c'était qu'elle possédait un catamaran, le plus grand et le plus onéreux des îles.

Perez ne savait pas trop quoi penser d'elle. Efficace et organisée, mais aussi assez impitoyable, lui semblait-il. On racontait qu'elle nourrissait des ambitions politiques. Qu'elle aspirait à siéger au parlement écossais. Assurément, estimait Jimmy, le pouvoir conféré par cette charge lui plairait.

Elle se leva à son entrée et ils prirent place dans des fauteuils autour d'une table basse. Quelques instants plus tard, la secrétaire apporta du café.

— Vous êtes là pour Jemima Wilson.

Elle remplit les tasses, tourna vers lui son visage parfait.

— Tout porte à croire à un malencontreux accident, répondit-il. Un type parti chasser le lapin à la lampe torche après la tombée de la nuit. Il ne pouvait pas deviner que la mamie se baladait dehors. On ne sait toujours pas pourquoi elle était sortie.

— Chasser le lapin à la lampe est illégal.

— Oui, mais tout le monde le fait, et on n'a encore jamais poursuivi personne pour ça.

Il y eut un silence. Perez entendit cliqueter un clavier d'ordinateur dans un bureau voisin. Un téléphone sonna.

— Quand j'ai pris mon poste ici, on m'a priée de donner une conférence à Bressay. J'ai demandé à l'organisateur comment les gens allaient réagir en voyant débarquer un procureur originaire des Lowlands et qui en plus était une femme. Après un instant de réflexion, il a dit : « Ils ne vous verront pas comme une ennemie. » Après une nouvelle pause, il a ajouté : « Non, l'ennemi, ici, c'est les lapins. »

Elle leva la tête et sourit.

— Il ne plaisantait qu'à moitié.

— Alors vous serez mal vue si vous engagez des poursuites.

— Je ne le ferai pas pour la chasse à la lampe. Mais une mort, c'est autre chose. Ça pose le problème de l'imprudence.

Elle portait un tailleur-pantalon crème. Lorsqu'elle croisa les chevilles, Jimmy découvrit ses fines chaussures plates, exactement assorties à sa tenue. La procureure poursuivit :

— Pour le taxer d'imprudence, il faudrait que M. Clouston ait envisagé que Mme Wilson puisse se trouver hors de chez elle à cette heure tardive.

— Tout le monde savait que Mima ne mettait plus les pieds dehors une fois la nuit tombée.

— Dans ce cas, je ne pense pas que l'on puisse parler de meurtre. Votre avis, inspecteur ?

— Je ne vois pas Clouston comme un criminel, c'est sûr.

— Mais ?

Elle fronça les sourcils, non d'impatience mais plutôt de surprise. Elle avait cru que sa décision le satisferait autant qu'elle-même.

— Il affirme ne pas être allé chasser sur les terres de Mima Wilson.

Perez regrettait qu'elle ait saisi son hésitation, sa légère inflexion sur le nom de Ronald. Après tout, il avait obtenu ce qu'il était venu chercher.

— Sans doute une réaction naturelle. Il a dû être anéanti en découvrant ce qu'il avait fait. En pareilles circonstances, n'importe qui chercherait à se dédouaner, à se convaincre qu'il n'est pas coupable.

— Peut-être.

Elle le regarda. Difficile d'imaginer cette femme impeccable seule à la barre de son catamaran au beau milieu d'une tempête, bien qu'à l'évidence elle ait la force de caractère nécessaire pour apprécier ce genre de situation.

— Dites-moi ce qui vous tracasse, Jimmy. Entre nous.

— J'aimerais vraiment savoir ce que Mima Wilson fabriquait dehors par ce temps. Et je préférerais que Ronald Clouston reconnaisse qu'il est allé chasser sur ses terres.

— Qu'est-ce que vous sous-entendez ? Qu'elle a été tuée par quelqu'un d'autre ?

Dans son intonation il sentit une pointe de sarcasme, presque de dérision, pourtant rien sur son visage ne le laissait paraître.

— Clouston dit qu'il était tout seul hier soir. Il n'essaie pas de faire porter le chapeau à qui que ce soit.

— Donc, si c'est bien quelqu'un d'autre qui a tué Jemima Wilson, il ne s'agissait pas d'un accident. C'est là que vous voulez en venir, Jimmy ? Vous n'espérez tout de même pas sérieusement que je vais ouvrir une enquête pour homicide sur l'infime possibilité que Clouston n'ait pas été chasser près de chez la victime. Vous savez ce que ça coûterait au contribuable.

Maintenant qu'il l'avait exprimée, l'inspecteur s'aperçut que l'éventualité d'une conspiration n'avait cessé de lui trotter dans la tête depuis qu'il avait vu le lieu de l'accident. Et qu'il n'avait eu de cesse de la rejeter comme une hypothèse absurde, mélodramatique.

— Je ne vois pas pourquoi on aurait voulu la tuer, reprit-il. C'était la grand-mère de Sandy Wilson. Elle a toujours vécu à Whalsay. Un sacré personnage, à ce qu'on raconte, mais pas une victime désignée. Si j'émets des réserves, c'est uniquement parce que je ne comprends pas comment l'accident s'est produit.

Mme Laing réfléchit, but une gorgée de café.

— On est sûrs que la balle qui l'a tuée provenait de l'arme de Clouston ?

— Avec un fusil de chasse, impossible à dire. Ce n'est pas comme les carabines, qui laissent une marque distinctive sur la balle. On va faire des recherches à partir des munitions utilisées, mais j'imagine que tout le monde à Whalsay se sert des mêmes pour chasser le lapin.

La procureure s'adossa à son fauteuil. En dépit du maquillage de luxe, il vit les fines rides de son front, les pattes-d'oie au coin des yeux.

— Je n'ai pas assez d'éléments pour conclure à autre chose qu'un décès accidentel, déclara-t-elle enfin. Toute autre qualification causerait des souffrances inutiles à la famille de la victime et provoquerait une hystérie générale ; cela n'a jamais fait de bien à personne. Je ne pourrais pas le justifier.

Il hocha la tête. C'était la seule décision possible.

— On est d'accord pour ne pas inculper Clouston ? Ça ne passerait pas auprès des habitants.

— Oh oui, acquiesça-t-il. On est d'accord là-dessus.

— En ce qui concerne vos réserves sur les circonstances de l'accident, je les comprends. Peut-être que la meilleure solution serait de mener une enquête discrète. Rien d'officiel pour le moment. De toute manière, dans ce genre de décès, on procède toujours à une autopsie. Voyons ce que vous découvrez d'ici la semaine prochaine. Tenez-moi au courant.

Malin, songea) Perez. Elle couvrait ses arrières. Si la mort de Mima se révélait bel et bien être un meurtre, elle pourrait montrer qu'elle n'avait pas éliminé d'emblée cette possibilité.

Il hocha de nouveau la tête. La procureure n'avait pas vécu assez longtemps aux Shetland pour comprendre que dans pareil cas, la discrétion était quasi impossible. Il n'y avait aucune intimité. Rien ne passait inaperçu. Elle venait de lui confier une mission qu'il serait incapable de mener à bien comme elle l'entendait. Et il n'avait pas eu le courage de le lui dire.

À la porte il s'arrêta, se rappelant un autre détail.

— On a trouvé un crâne à Setter il y a une quinzaine de jours. Val Turner a transmis son rapport à Sandy. Il vous a bien mise au courant ?

Elle leva les sourcils.

— Vous pensez qu'il y a un lien ?

— Je ne sais pas.

— Il est vieux, fit-elle. Un simple fragment. Sur un site archéologique. Pure coïncidence.

14

Sandy émergea d'un profond sommeil. Il entendit les moutons au-dehors, sentit des effluves de pâtisserie et se rendit compte aussitôt qu'il ne se trouvait pas dans son appartement exigu et désordonné de Lerwick mais chez ses parents, dans la fermette d'Utra, à Lindby. Sa mère faisait presque tous les jours des gâteaux, même quand elle était seule avec Joseph, seulement là, la présence de son fils lui fournissait une excuse. Il resta un moment allongé à observer la pièce qu'il connaissait bien. Evelyn l'avait rénovée après son départ, elle avait ôté les posters des murs, décroché le jeu de fléchettes, changé le papier peint et les rideaux. Le jeune homme n'avait pas oublié de faire disparaître la pile de revues pornos cachées sous le lit depuis son adolescence avant de la laisser investir les lieux, et sourit malgré lui en se revoyant évacuer discrètement les magazines dissimulés dans deux sacs du supermarché Somerfield. C'était vraiment pitoyable ! Devant elle, il se sentait toujours comme un ado de quatorze ans. À présent la pièce était propre et anonyme, même son odeur était différente. Evelyn avait décrété que ce serait là que dormirait la petite quand Michael et Amelia viendraient leur rendre visite. Sandy n'y était plus chez lui. Il jeta un coup d'œil à son réveil. Huit heures.

S'il avait été en congé à Lerwick, il se serait rendormi illico, mais à Whalsay, impossible. Sa mère était là, avec ses attentes, ses jugements et ses gâteaux. Il se demanda s'il arriverait jamais à lui échapper.

Il s'étira et gagna la salle de bains d'un pas chancelant, mais Evelyn l'avait déjà entendu.

— Sandy ! La bouilloire est prête. Je te prépare un thé ?

Elle n'avait jamais réussi à s'enfoncer dans le crâne qu'il préférait le café, le matin.

— Pas tout de suite. Je prends ma douche.

Le ton était plus agressif que nécessaire. Leur relation s'émaillait de ces infimes revendications d'indépendance ; il était certain qu'elle ne les remarquait jamais, et cela n'en rendait leurs échanges que plus frustrants. Sous la nouvelle douche à jet réglable, il s'interrogea sur les rapports de son père avec Mima. Éprouvait-il le même ressentiment quand celle-ci l'appelait pour tuer les poules qui avaient cessé de pondre ? D'après lui, c'était totalement différent entre eux. Joseph adorait sa mère et se régalait de sa compagnie. Ils riaient aux mêmes plaisanteries. Le jeune homme était certain que Joseph racontait à Mima des choses qu'il n'aurait jamais confiées à sa femme. Sandy, au contraire, avait passé sa vie à éviter d'aborder le moindre sujet important avec Evelyn.

En arrivant dans la cuisine, il ressentit le mélange familier d'irritation et d'affection. Debout devant la table, sa mère étalait de la pâte au rouleau, les manches de son sweat remontées jusqu'au coude. Sans doute pour confectionner une tarte aux fruits car elle savait qu'il adorait ça. Elle avait tant d'énergie ! Peut-être se sentait-elle prisonnière à Whalsay. Peut-être avait-elle sacrifié toutes ses ambitions personnelles pour rester ici, éduquer ses deux garçons, maintenir l'unité familiale pendant que Joseph travaillait pour Duncan Hunter. Ça n'avait pas dû être facile de tirer le diable par la queue en voyant Jackie Clouston et les autres femmes de pêcheurs si riches qu'elles ne savaient comment dépenser leur argent, consciente que si elle était née ou s'était mariée au sein d'une autre famille, elle aussi aurait connu la fortune. Il savait que parfois de telles pensées la rongeaient.

— Le thé est prêt, dit-elle avant de se souvenir, fronçant les sourcils : Ou bien tu préfères du café ? Je peux t'en faire sans problème. L'eau est encore chaude.

— Un thé, ça ira.

Il se servit une tasse et un bol de céréales, trouva un coin de table dégagé.

— Tu crois que tu peux appeler ce charmant inspecteur Perez aujourd'hui ? Essayer de savoir quand on pourra fixer le jour des obsèques ?

Pour que Michael puisse organiser son voyage, pensa Sandy. Pour qu'elle puisse faire admirer à toute l'île son merveilleux fils aîné dans son costume élégant et ses chaussures sur mesure. Et il s'avisa alors que si sa relation avec sa mère était perturbée, c'était parce qu'elle l'aimait bien moins que Michael. Je suis jaloux, songea-t-il, stupéfait. C'est aussi simple que ça. Comment ai-je pu être bête au point de ne pas m'en apercevoir ?

— Perez va peut-être revenir à Whalsay. Tout dépend de ce qu'aura décidé la procureure.

— Tu veux dire qu'il pourrait arrêter Ronald ?

Sandy haussa les épaules. Evelyn n'était pas obligée de se montrer si réjouie à cette perspective. *Mais elle aussi, elle est jalouse. Jalouse de Jackie et de sa villa tape-à-l'œil sur la colline, de son Audi neuve chaque année et de ses virées à Bergen sur le bateau. Depuis l'attaque d'Andrew, maman aurait dû comprendre qu'elle n'avait rien à lui envier, mais elle ne peut tout simplement pas s'en empêcher. Elle ne souhaite pas vraiment que Ronald soit poursuivi, seulement que Jackie prenne une bonne claque.*

— Où est papa ? demanda-t-il.

— Parti à Setter. Il y a la vache à traire, les poules et le chat à nourrir.

— Je vais aller y faire un tour. Voir s'il a besoin d'aide.

Il crut qu'elle allait dire quelque chose pour l'en empêcher. Peut-être enviait-elle l'entente qu'il avait avec son père. Mais elle se retint.

— Pourquoi pas ? La pluie a cessé et le brouillard s'est levé. C'est une belle journée pour aller se promener.

Lorsque Sandy arriva à Setter, Joseph en avait fini avec les animaux. Il se tenait debout dans la cuisine. Le jeune homme se posta devant la porte et l'observa. Son père avait l'air perdu dans ses pensées et c'eût été une intrusion que de débouler sans crier gare, malgré tout il se sentait un peu bête d'attendre comme ça dehors. Enfin, Joseph le vit.

— J'ai du mal à imaginer cet endroit sans elle, dit-il. Je n'arrête pas de penser qu'elle va surgir dans mon dos, pleine de malice et de potins.

— Comment est-ce qu'elle faisait pour toujours savoir tout ce qui se passait sur l'île ?

Le policier s'était souvent posé cette question. Sa grand-mère était au courant des frasques et des amours de ses amis avant lui-même. Pas étonnant qu'Evelyn l'ait traitée de sorcière.

— Elle ne sortait plus beaucoup, vers la fin, ajouta-t-il.

— Elle allait à l'épicerie de Lindby tous les deux ou trois jours. Et elle recevait beaucoup de visites. Cedric passait la voir pour bavarder le jeudi, mais il n'y avait pas que les gens de sa génération qui appréciaient sa compagnie. En plus, elle était capable de renifler un scandale à la manière dont d'autres flairent les œufs pourris.

Joseph embrassa la cuisine du regard, comme pour en graver le moindre détail dans sa mémoire. La carte postale des dernières vacances de Michael et Amelia posée sur le buffet, la scène pieuse que Mima avait dû broder, enfant, pour s'entraîner, et qui ne semblait à sa place dans aucune des pièces qu'elle avait occupées, l'énorme téléviseur, les verres sales à côté de l'évier. La photo de son mari prise pendant la guerre, l'air si jeune dans son pull norvégien. Ils savaient l'un et l'autre qu'Evelyn n'aurait de cesse qu'elle n'ait tout épousseté, tout récuré, tout rangé.

— Est-ce que tu considères toujours cette maison comme chez toi ?

À peine l'eut-il énoncée que Sandy jugea sa question idiote. Joseph vivait à Utra depuis son mariage. La fermette appartenait à la famille d'Evelyn et c'était une vraie ruine quand ils s'y étaient installés. Il en avait fait une maison presque à partir de rien.

Pourtant, son père réfléchit, puis lui offrit une réponse indirecte.

— Ça n'a pas été facile de grandir ici. Mon père est mort quand j'étais encore bébé et Mima n'a jamais été le genre de mère à préparer le repas pour mon retour de l'école ou à veiller à ce que j'aie des vêtements propres pour m'habiller chaque matin. J'ai appris à me prendre en charge assez tôt. Mais c'était une époque heureuse. Elle ne tarissait pas d'anecdotes. Elle disait que c'était nous deux contre le monde entier.

Il partit d'un éclat de rire.

— C'est vrai qu'elle a toujours eu des formulations théâtrales. Toute mon enfance, j'ai été bercé de récits sur mon père, comme on aurait été riches s'il avait vécu. « Il m'avait promis la terre entière. De beaux habits et une belle maison. » Elle adorait raconter des histoires ; un mélange de personnages réels de l'île, d'inventions personnelles et de mythes. Je pouvais l'écouter des heures, même si certains jours j'aurais préféré le faire le ventre plein.

Pour la première fois Sandy entrevit ce qui avait attiré son père chez Evelyn : elle veillait à ce que le dîner soit prêt lorsqu'il rentrait du travail et la maison était toujours propre, les vêtements lavés et repassés.

— À ton avis, pourquoi Mima est sortie l'autre soir ?

— Pourquoi maman faisait-elle ce qu'elle faisait ? répondit Joseph en riant. Je la connaissais depuis toujours et elle restait un mystère pour moi.

Sandy trouva cette réponse un peu trop facile, il s'apprêtait à insister quand on frappa à la porte ouverte. Les filles des fouilles se tenaient à l'extérieur. Sophie portait une chemise déboutonnée au col et trop petite au niveau de la poitrine. Avec son short et ses grosses chaussettes dans ses souliers de marche, elle aurait paru parfaitement ridicule sans ses longues jambes, fines et bronzées. Le jeune homme s'efforça de ne pas la détailler. Il ne voulait pas se retrouver attiré par une intello. Ce fut Hattie qui prit la parole :

— On se demandait si vous seriez d'accord pour qu'on se remette au travail. La police n'y voit pas d'inconvénient, mais si vous souhaitez qu'on disparaisse quelque temps, je comprendrai. Peut-être que vous préféreriez même qu'on ferme carrément le chantier.

Sandy savait que c'était la dernière chose qu'elle désirait. Il avait bavardé plusieurs fois avec elle au Pier House, quand il était venu y retrouver ses copains. Elle se tenait toujours un peu à l'écart et ne parlait que de ses recherches – le seul sujet qui la passionnait, semblait-il. Il la revit penchée au-dessus de la table en train de donner un cours magistral à Ronald sur les outils de l'âge du fer. La présence des filles à Lindby lui semblait une bonne chose. Elles apportaient un peu de vie.

— Qu'est-ce que tu en dis, papa ?

Celui-ci fronça les sourcils. Le jeune homme n'était même pas sûr qu'il ait entendu la question.

— Papa ?

— Je ne sais pas. La situation est différente maintenant. On ignore encore ce que va devenir la ferme.

Le policier se demanda alors si son père ne rêvait pas de vendre Utra pour revenir habiter ici, dans la maison où il avait été si heureux enfant. Evelyn n'accepterait jamais ! Ça signifierait abandonner sa cuisine et sa salle de bains toutes neuves, tout recommencer de zéro.

— Mais elles peuvent reprendre leurs fouilles ? Au moins jusqu'à ce que tu aies pris une décision ? Tu sais combien Mima aimait les avoir ici.

Joseph hésita de nouveau et Sandy crut qu'il allait refuser. Mais il finit par sourire.

— Bien sûr, fit-il. Bien sûr. Si vous nous montriez où vous en êtes ?

Peut-être n'appréciait-il tout simplement pas que ces étrangères se tiennent ainsi dans la cuisine de sa mère. Assurément, une fois dehors, il se montra plus aimable et obligeant envers elles. Ce fut Sandy qui trouva bizarre de passer juste devant l'endroit où il avait découvert sa grand-mère étendue sous la pluie. Le souvenir de son corps si maigre l'envahit et il n'entendit presque rien de la conversation. Quand il revint à la réalité, Hattie exposait l'état des lieux.

— Ce ne sont que des tranchées exploratoires. À ce stade, il n'y aura pas d'autres perturbations. Si on découvrait quelque chose de vraiment intéressant, il faudrait déposer une demande de subventions pour élargir le champ de fouilles, mais naturellement ça ne se ferait qu'avec votre autorisation. Mima nous avait déjà donné son accord de principe. Les premiers résultats sont passionnants. Et Evelyn pense que ce serait une formidable opportunité pour l'île.

Elle regarda Joseph avec anxiété. Sandy sentit qu'elle espérait une réaction rassurante. *Bien sûr, vous devez poursuivre. La mort de Mima ne changera rien. Je comprends à quel point c'est important.*

Cependant, Joseph fronça de nouveau les sourcils, comme plus tôt dans la cuisine.

— C'est ici que vous avez trouvé le crâne ?

— Oui, dans la tranchée-école. Hors de l'enceinte de la construction principale. Il a été expédié à Glasgow pour datation. J'espère qu'il remonte au XVe siècle. Ça conforterait mes théories. Évidemment, il peut aussi être plus vieux. Nous savons que Lindby est habité depuis l'âge du fer. Mais comme il se trouvait assez proche de la surface, on ne pense pas qu'il soit si ancien.

— Est-ce qu'il pourrait être plus récent ?

— Sans doute, mais ça paraît peu probable. On n'a aucune trace d'habitation plus moderne à cet endroit.

Le fermier se tut un instant.

— Je pense qu'il est trop tôt pour prendre la moindre décision sur l'avenir de vos recherches. Rien ne presse, non ? On en reparlera plus tard.

Pourquoi Joseph, d'ordinaire si conciliant – surtout avec une jolie fille dans les parages –, se montrait-il si réticent vis-à-vis des fouilles ? Cette partie du terrain n'était ni cultivée ni pâturée. Qu'est-ce que ça pouvait bien lui faire si une douzaine de personnes venaient y creuser des trous partout ? C'était un homme sociable, il adorait voir du monde, rencontrer de nouvelles têtes. Derechef, le policier se demanda si son père avait déjà formé des projets pour Setter – et dans ce cas, lesquels.

Son téléphone sonna. C'était Perez, depuis son portable. Sandy s'éloigna du groupe afin de pouvoir parler sans être entendu.

— Je suis à Laxo, dit l'inspecteur. Je viens de rater un ferry. Je me demandais si ça valait la peine que je prenne ma voiture ou si tu pouvais venir me récupérer à Symbister.

— Je viens te chercher.

Le jeune homme se sentit soulagé. Il avait une excuse pour fuir sa famille un moment, même si ce n'était que pour aller à l'autre bout de l'île. Ce fut seulement en roulant vers le débarcadère qu'il songea que l'arrivée de son supérieur était peut-être mauvais signe, qu'il pouvait venir arrêter Ronald Clouston.

15

Hattie se sentait prise dans un tourbillon d'émotions incontrôlables. Elle adorait se trouver aux Shetland, pourtant, chaque fois qu'elle pensait à Mima étendue sous la pluie, abattue par Ronald Clouston, elle se mettait à pleurer sans pouvoir s'arrêter. Son imagination était un vrai fléau.

Peut-être faisait-elle une rechute. La dépression était d'abord apparue au lycée, mais de manière insidieuse alors, presque bénigne, si bien que pendant quelque temps son entourage n'avait rien décelé. Quand sa mère l'avait finalement forcée à consulter le médecin de famille, ce dernier lui avait prescrit des médicaments, avait parlé de stress, déclaré qu'il y avait peu de chances que ça se reproduise. Sauf qu'à la fac elle avait connu une grave récidive, et plusieurs courtes crises depuis.

Cela commençait généralement par une obsession, une incapacité à se défaire d'une pensée ou d'une idée. À dix-huit ans, ç'avait été son travail scolaire, plus précisément une recherche personnelle à réaliser pour le cours d'histoire. Dans les autres matières, elle se sentait assez détendue. Certes, elle s'était abîmée avec complaisance dans le poème moderniste de T.S. Eliot *La Terre vaine*, mais le professeur de lettres avait apaisé les inquiétudes de sa mère en lui disant que nombre d'adolescents réagissaient ainsi. Non, c'était son étude sur un hospice du XIXe siècle proche de chez elle qui avait pris possession de sa vie et de ses rêves. Grâce à un ami de sa mère, elle était tombée sur des archives d'époque, et la belle et fine écriture l'avait accrochée dès la première page.

L'objectif de ce travail consistait à replacer les documents dans leur contexte social, à examiner les conditions qui avaient présidé à la création de ce type de structure et à montrer en quoi son apparition concordait avec le débat politique du moment. Mais c'étaient les histoires personnelles qui la captivaient. Elle s'imaginait vivant sous la férule austère des administratrices de l'hospice, voyait le monde à travers les yeux des résidents. Avant de sombrer au point de devoir consulter, elle avait eu le bon sens de modifier son inscription à l'université, pour passer d'histoire à archéologie. C'étaient les cas particuliers et l'humain qui la fascinaient, non la politique ou la stratégie. Que pouvait-il y avoir de plus concret que de fouiller la terre ?

Bizarrement, Hattie était parvenue à rendre son dossier et à réussir ses examens. C'était au moment où les cours avaient cessé pour l'été, et avec eux le train-train familier des révisions et des devoirs, qu'elle avait perdu tout sens des réalités. Alors elle avait commencé à entendre les vieilles femmes de l'hospice lui parler, sans pouvoir s'en détacher.

La dépression était revenue à pleine puissance à la fin de sa première année de fac. Elle avait cessé de s'alimenter et sa mère l'avait embarquée d'autorité chez un spécialiste. Cette fois cependant, le déclencheur était Paul Berglund, non ses études. Au lycée, elle n'avait eu le temps ni pour les garçons ni pour le sexe. Elle observait les péripéties amoureuses de ses camarades comme si c'étaient elles qui avaient perdu la raison, prises entre les fringues et la drague, les soirées et le désespoir. Tomber amoureuse lui paraissait aussi absurde que de se mettre dans tous ses états pour de la nourriture. Puis, lors de ses premières grandes vacances universitaires, elle s'était portée volontaire pour un chantier de fouilles dirigé par le professeur Berglund. C'était un été très chaud, soleil et ciel bleu jour après jour. Les bénévoles logeaient dans une grange assez semblable au Bod de Whalsay. L'équipe regorgeait de gens farfelus et excentriques parmi lesquels elle s'était sentie merveilleusement à l'aise. Avec eux, elle n'était pas plus tordue qu'une autre. Le soir ils allaient au pub, descendaient pinte sur pinte et roulaient jusqu'à leurs lits en chantant.

Le chantier était entouré de blé en herbe et la première fois qu'elle avait vu Paul, c'était sur un sentier au milieu des champs, qu'il descendait à grands pas dans leur direction. Il portait un tee-shirt jaune à l'encolure légèrement élimée. Les chaumes lui cachaient les jambes. C'était un homme du Nord, cou de taureau et manières frustes, fort différent de tous les gens qu'elle avait pu rencontrer jusqu'alors. Aucun des amis de sa mère n'était si direct ni si rustique. C'était donc *ça*, ce dont les filles n'arrêtaient pas de parler au lycée, s'était-elle dit. Paul Berglund était devenu son idée fixe. Plus tard, après son retour à Londres, elle avait complètement perdu la tête. Elle n'arrivait plus à dormir. Les événements de l'été la hantaient. Des images s'imposaient par flashes à son esprit avec l'éclat irrégulier d'un trip de drogué. De nouveau elle ne pouvait plus rien avaler.

On l'avait internée dans un hôpital psychiatrique public de pointe, doté d'un service pour adolescents. Sa mère avait dû jouer de ses relations pour l'y faire admettre, mais à ce stade, Hattie ne se rendait plus compte de rien. Officiellement, elle avait été hospitalisée pour ses troubles alimentaires, passés au premier plan des inquiétudes de Gwen. L'anorexie était à la mode, presque banale parmi les filles de ses collègues et collaboratrices haut placées. Cependant, a posteriori, la jeune femme pensait tout simplement qu'elle était devenue folle. Elle souffrait de paranoïa, s'était remise à entendre des voix, fortes cette fois, impérieuses, tambourinant dans son crâne. Elle ne faisait confiance à personne.

Le service comportait vingt-quatre lits et fonctionnait selon les bons vieux principes de la parole et des activités de groupe. Les résidents prenaient aussi des cachets, bien sûr, mais les autres thérapies semblaient tout aussi importantes. Le responsable était un infirmier rondouillard du nom de Mark, au doux visage empâté et à la calvitie naissante. Peut-être son allure peu attirante faisait-elle partie de la stratégie. Il se montrait si compréhensif que s'il avait eu le moindre charme, toutes ses patientes en seraient tombées amoureuses. Dans ces conditions, en revanche, elles pouvaient le traiter en tonton préféré ou en grand frère adoré. Hattie considérait ce

114

service comme son refuge. Certains patients étaient restés des amis à ses yeux. À part eux, elle n'en avait guère.

Mark lui avait appris des trucs pour éviter le stress et prendre le dessus. Il lui avait dit qu'elle ne devait pas se reprocher ce qui était arrivé, mais ça, elle avait plus de mal à l'accepter. Il l'avait encouragée à traduire ses pensées en mots. Quand elle était partie pour l'université, elle avait pris l'habitude d'écrire une lettre hebdomadaire à sa mère. Un courrier demandait moins d'efforts qu'un coup de fil, et lui permettait quand même de ne pas avoir Gwen sur le dos. À l'hôpital, elle avait poursuivi l'exercice. Elle ne disait rien d'important dans ces plis – assurément elle ne s'y confiait pas comme elle le faisait à Mark –, mais elle prenait plaisir à raconter les petits détails de la vie dans le service. Gwen lui répondait par de longs bavardages sur la Chambre, des anecdotes sur les voisins du quartier d'Islington où elle avait grandi. La communication épistolaire semblait être ce qui fonctionnait le mieux entre elles. Dans leur correspondance, elles pouvaient se persuader qu'elles s'aimaient bien. Coincée à l'hôpital, Hattie attendait avec impatience les missives de sa mère.

La jeune femme avait pu quitter l'établissement au milieu de l'automne et était rentrée à la maison afin de préparer son retour à l'université. Son tuteur s'était montré compréhensif – elle était si brillante qu'elle n'aurait aucun mal à rattraper les cours, estimait-il. Le dernier jour d'octobre, Gwen l'avait conduite à la résidence étudiante, où elle l'avait déposée, pensait Hattie, avec un certain soulagement. À présent, elle pourrait retrouver sa véritable passion, la politique. Elle s'était convaincue que ce séjour à l'hôpital avait définitivement guéri sa fille. Que la maladie ne reviendrait jamais.

Maintenant, la doctorante se savait en proie à une nouvelle obsession. Elle était revenue à Whalsay pleine d'espoirs et de rêves. Puis Mima était morte et tout était devenu très compliqué. Peut-être faisait-elle bel et bien une rechute, même si elle n'identifiait pas son malaise comme une dépression. Elle souffrait des symptômes habituels – insomnie, réticence à se nourrir, incapacité à se faire confiance –, pourtant ce qu'elle ressentait n'avait rien à voir.

C'était complètement différent avant cette tragédie. Alors, l'été lui ouvrait les bras, chargé de possibles.

Mima avait senti combien Hattie était heureuse. L'avant-veille de son accident, la vieille dame l'avait hélée pour l'inviter à la rejoindre. Elle avait servi deux verres de whisky, les avait posés sur un plateau avec la bouteille et un pichet d'eau. La soirée était exceptionnellement douce et elles s'étaient installées dehors, sur le banc de bois flotté à côté de la porte de la cuisine.

« Alors, dis-moi ce qui s'est passé cet hiver. Tu m'as l'air bien réjouie.

— Il ne s'est rien passé du tout. Je suis simplement contente de me retrouver ici. Vous savez combien j'aime cette île. C'est le seul endroit où je me sente saine d'esprit. Whalsay est le meilleur endroit au monde.

— C'est bien possible. » Mima avait pris son chat sur ses genoux et émis un petit rire. « Je ne peux pas savoir ! Je n'ai jamais vécu ailleurs. Mais ce serait peut-être bien que je voie un peu de pays avant de mourir. Si ça se trouve, tu vas découvrir un immense trésor sur mes terres et je pourrai voyager, comme les jeunes. » Là, elle avait regardé Hattie d'un air sérieux. « Et puis tout n'est pas si parfait ici, tu sais. Il arrive des malheurs, comme partout ailleurs. Il s'est passé des choses terribles. »

La doctorante avait repris un whisky, auquel elle trouvait un goût de feu de tourbe.

« J'ai du mal à le croire. De quoi est-ce que vous parlez ? » Elle s'attendait à des ragots. Mima était une vraie commère. La jeune femme se préparait à une énumération des péchés habituels des îles – adultère, cupidité, imbécillités des jeunes mâles oisifs. Cependant, la vieille dame avait botté en touche. Elle s'était mise à évoquer sa jeunesse : « Je me suis mariée juste après la guerre. J'étais bien trop jeune. Mais mon homme bossait avec les gars du Shetland Bus et on s'était habitués à les voir prendre des risques. Tu as entendu parler du Shetland Bus ? »

Hattie avait secoué la tête, étourdie par le whisky et le soleil printanier bas dans le ciel.

« C'était après l'invasion de la Norvège par les Allemands. On utilisait des petits bateaux de pêche pour faire entrer des agents et évacuer des particuliers. On appelait ça le Bus. Les opérations étaient dirigées depuis la grande maison de Lunna. Quelques gars de Whalsay y participaient, ils se sont liés avec les marins norvégiens. Je n'ai jamais su avec certitude ce qui s'était passé. Jerry n'aimait pas en parler, et après, il n'a plus été le même… » Mima regardait dans le vide. « On était tous fous à cette époque. » Hattie attendait un développement, mais elle avait caressé son chat, s'était resservi un verre et avait éclaté de rire. « Bien plus fous que toi, c'est sûr !

— J'espère que ça ne vous a pas trop chamboulée de voir le crâne dans la tranchée-école. » La doctorante se rappelait le visage livide, la façon dont Mima s'était enfuie chez elle. « Ce n'est pas rare, vous savez. Qu'on découvre de vieux ossements sur un champ de fouilles. Nous, on doit être habitués, ça ne nous impressionne plus.

— Ça ne m'a pas impressionnée ! » Le ton était presque brutal. « Ça m'a fait un choc, c'est tout. » Sans lui fournir de plus amples explications, elle avait repoussé le chat et s'était levée. Manifestement, la conversation était terminée. « Excuse-moi, j'ai un coup de fil à passer », avait-elle déclaré, puis elle avait regagné la cuisine au pas de charge sans dire au revoir. La jeune femme l'avait entendue parler par la porte ouverte. Des inflexions fortes, vibrantes de colère.

À présent, Mima était morte et Hattie ne saurait jamais ce qui l'avait tant perturbée. Setter était tout autre sans elle. Même de l'extérieur, c'était différent. Avant, les filles auraient entendu la radio, la voix de la vieille dame qui reprenait les chansons en chœur ou râlait si elle n'était pas d'accord avec le présentateur. C'était Sophie qui, voyant Sandy par la fenêtre en arrivant, avait eu l'idée d'entrer.

« Viens, avait-elle lancé avec son assurance de jeune fille éduquée dans les meilleurs établissements privés. On ferait mieux d'aller lui dire qu'on est là. En plus, il a peut-être mis la bouilloire à chauffer. » À ce stade, elles n'avaient pas encore vu Joseph, et une fois qu'elles avaient constaté sa présence, il était trop tard pour faire demi-tour.

Puis Hattie avait abordé la question du chantier. Avec une telle envie d'être agréable, de se faire pardonner, que les mots étaient sortis en vrac. Et Joseph avait froncé les sourcils, refusé de prendre le moindre engagement concernant l'avenir des fouilles. Du moins était-ce ainsi qu'elle l'avait perçu. Elle se voyait expulsée, bannie à jamais des Shetland. *J'aurais dû la boucler. Pourquoi on ne s'est pas contentées de passer discrètement pour reprendre le boulot ?*

Après le coup de fil sur le portable de Sandy, les deux hommes avaient quitté les lieux. Hattie les avait suivis du regard et ce ne fut qu'en sentant son pouls se calmer qu'elle comprit à quel point cette rencontre l'avait angoissée. Maintenant, agenouillée dans la tranchée principale, elle passait délicatement sa truelle autour de ce qui était peut-être la base d'un montant de porte en pierre. Le sol présentait une couleur légèrement différente ici. Sophie était allée ouvrir le robinet extérieur afin de remplir la cuve de flottation. Elle avait l'intention de tamiser la terre de la seconde tranchée : les particules les plus fines partiraient en suspension dans l'eau, laissant les fragments plus denses retomber dans le filet situé au bas du tambour. Debout à côté de la cuve, la jeune femme cria :

— T'as pas eu l'impression que le fils de Mima ne voulait pas de nous ici ?

Hattie fut surprise. Elle avait bien eu ce sentiment, mais elle craignait que ce ne soit une nouvelle crise de paranoïa.

— Si, répondit-elle. Si, complètement.

Sophie étira les bras en hauteur pour décrisper ses muscles tendus.

— Je crois qu'on n'a pas de souci à se faire, il nous chassera pas. Evelyn nous soutient à fond et aucun des mecs de sa famille n'ose lui tenir tête.

Hattie leva les yeux vers elle et réfléchit.

— Tu crois ? Joseph a l'air facile à manipuler, mais s'il veut vraiment quelque chose, je suis sûre qu'il finit par obtenir gain de cause.

Sophie lui décocha un de ses grands sourires détendus et vaguement prédateurs.

— Tous les mecs d'ici sont faciles à manipuler, tu crois pas ?

Hattie ne sut que répondre. Elle n'approuvait pas les relations de sa camarade avec les hommes de l'île. Celle-ci poursuivit :

— Je veux dire, tout ce qu'ils veulent, au fond, c'est s'éclater. Les nanas de Whalsay se prennent tellement au sérieux !

La doctorante songea que certains devaient bien aspirer à un peu plus que s'amuser, mais elle garda le silence. Quand elle rebaissa les yeux sur sa tranchée, un pâle rayon de soleil se réfléchissait sur un élément vaguement métallique.

Hattie se pencha plus près. Elle sentit l'odeur de la terre, son humidité à travers son pull, là où elle avait dû s'appuyer sur le coude. Elle dégagea l'objet à la truelle. Quelquefois, il lui semblait que cet outil était une extension de son bras, plus sensible même que le bout de ses doigts. Elle pouvait le manier aussi délicatement qu'une brosse. Sophie avait dû percevoir son excitation car elle bondit par-dessus la tranchée pour mieux voir sans lui faire d'ombre. Hattie devina que la jeune femme retenait son souffle, s'avisa qu'elle-même en faisait autant. Cette fois, oui, elle attrapa une brosse et nettoya l'objet désormais saillant.

— À ton avis ? demanda-t-elle.

— C'est une pièce de monnaie.

Sophie la regardait, tout sourires. Pendant un instant, la tension entre elles se dissipa.

— Comme celles retrouvées à Dunrossness ? insista Hattie.

Elle y avait pensé dès le premier coup d'œil. Sur ce site au sud de Mainland, la découverte d'un lot de pièces médiévales avait permis de dater une habitation.

— Absolument, acquiesça son assistante avec un nouveau sourire. Je dirais que tu l'as, ta maison de marchand. Je parie que le chef va débarquer par le prochain avion.

Maintenant, songea Hattie, soulagée, je vais pouvoir rester dans les îles pour toujours.

16

Perez descendit à pied du ferry après que tous les véhicules eurent débarqué. La tâche s'annonçait agréable – apprendre à Ronald Clouston qu'aucune charge ne serait retenue contre lui –, pourtant il sentit le cafard le gagner, tandis qu'il longeait les deux énormes chalutiers amarrés dans le port. Une forme étrange de claustrophobie. Bien que Fair Isle, où il avait grandi, soit plus petite encore que Whalsay, ici il se sentait enfermé, comme s'il manquait d'air. Peut-être parce qu'à Fair Isle l'horizon était dégagé de tous côtés ; même par temps très clair, Mainland n'apparaissait guère que comme une tache lointaine en direction du nord. Depuis Whalsay, en revanche, elle semblait proche et oppressante. Et les nuages bas n'arrangeaient rien.

Devant la conserverie de poisson, deux hommes fumaient en bavardant. Jimmy ne parvint pas à déterminer en quelle langue. Des sonorités d'Europe de l'Est, polonais ou tchèque. Il se laissa distraire un moment, se demanda ce qu'ils pensaient de Whalsay et si sa légendaire hospitalité s'appliquait également à eux. Probablement. Les marins étaient selon lui les gens les plus ouverts qui soient ; ils parcouraient le monde et rencontraient sans cesse des gens nouveaux. C'étaient ceux qui restaient à terre qui se méfiaient des étrangers.

Sandy l'attendait dans sa voiture. Il paraissait inquiet, agité, et l'inspecteur comprit qu'il avait interprété son arrivée comme un mauvais présage. Le jeune homme supposait qu'il venait appréhender Ronald, s'imaginait contraint de prendre part à l'arrestation.

— La procureure estime qu'on n'a pas de quoi inculper ton cousin. Elle n'intentera rien.

Perez se cala sur le siège passager et guetta une réaction. Son collègue mit quelques instants à assimiler la nouvelle, puis son visage s'éclaira d'un large sourire. Sans un mot. Il n'en trouvait pas pour décrire ce qu'il ressentait. Jimmy attendait qu'il démarre, mais le jeune homme semblait incapable de sourire et conduire en même temps.

— Eh bien ? On va le lui annoncer ?

Enfin, Sandy tourna la clé de contact.

— Il n'est pas chez lui. Je l'ai vu entrer chez sa mère en descendant ici.

— Alors allons là-bas.

Perez s'aperçut qu'il était curieux de faire la connaissance de Jackie Clouston, la rivale d'Evelyn. C'était plus fort que lui. Fran se moquait, le comparait à la petite vieille de Ravenswick qui espionnait depuis sa fenêtre à longueur de journée et était au courant des moindres faits et gestes de ses voisins. Selon sa compagne, Jimmy légitimait sa curiosité et son goût immodéré pour les racontars par des motifs professionnels mais au fond, il n'était qu'un voyeur. Elle avait raison, bien sûr. Néanmoins, puisque Mme Laing l'avait chargé de mener discrètement sa petite enquête sur la mort de Mima Wilson, il avait toute licence pour fouiner.

La villa n'avait pas plus de dix ans et se dressait au sommet d'une colline en pente douce, à quelque distance du pavillon de Ronald et Anna. Si Jackie était de nature inquisitrice, les fenêtres de la façade lui offraient une vue imprenable sur tout ce qui se passait alentour. La bâtisse de deux étages présentait un porche aux colonnes ouvragées et un toit de tuiles vertes. Pour une demeure shetlandaise, elle était immense, et aurait moins détonné dans un faubourg de Houston ou une résidence privée du sud de l'Angleterre. Perez se demanda brièvement comment les Clouston avaient obtenu le permis de construire et quel architecte avait bien pu concevoir une verrue pareille.

— Ils ont rasé la vieille baraque pour bâtir celle-ci au même endroit, expliqua Sandy. Ronald et Anna ont logé ici en attendant que leur pavillon soit terminé.

— Il doit y avoir plein de place.

— Oui, c'est génial pour les fêtes.

Piètre excuse pour une telle monstruosité.

La maîtresse des lieux les avait vus arriver, elle ouvrit la porte avant qu'ils aient eu le temps de sonner. C'était une femme de petite taille, sèche et énergique, aux cheveux teints en blond et si bouclés qu'on aurait cru une perruque. Perez l'estima plus âgée qu'Evelyn. Elle portait un tee-shirt blanc en lycra où s'étalait une inscription en strass. L'inspecteur s'interdit de fixer sa poitrine pour la lire, si bien qu'à la fin de sa visite il ignorait toujours ce qu'elle proclamait. D'autres brillants ornaient les poches de son jean. Ses sandales étaient dorées. À l'intérieur, le chauffage central tournait à plein régime et même avec la porte ouverte, il régnait une chaleur étouffante. Toujours habillé comme sur le ferry, Perez se mit à transpirer.

Jackie semblait savoir exactement qui il était et pourquoi il était venu.

— Mon fils est à la cuisine. Le petit a fini par s'endormir. Anna a décidé de travailler un peu et Ronald ne voulait pas la déranger.

Elle s'interrompit le temps d'une respiration.

— Qui eût cru qu'on pouvait gagner sa vie en donnant des cours de tricot et de filage ? J'ai toujours trouvé ça ringard comme occupation, d'autant qu'avec Internet, c'est si facile de commander des vêtements. Mais Anna dit que c'est la grande mode aux États-Unis. De mon temps, on en avait bien assez avec l'éducation des enfants et l'entretien de la maison. Aujourd'hui, toutes les femmes veulent gagner elles-mêmes leur vie. Je ne trouve pas ça très bien, si tôt après la naissance du bébé.

Une nouvelle pause. Peut-être se rappelait-elle l'époque où Ronald était enfant et Andrew capitaine de chalutier.

— Merci, lança Jimmy.

Il ne voulait pas encourager sa logorrhée. Il comprenait, elle s'inquiétait pour son fils, seulement son anxiété déteignait sur lui, à tel point qu'il en éprouva un accès de panique irrationnelle, comme contaminé par les angoisses de Jackie.

À elle seule, la cuisine était aussi grande que la maison les pieds dans l'eau de Perez, et meublée de lourds éléments en pin, d'une cuisinière à six feux et d'un énorme réfrigérateur en inox. Jackie désigna le tout avec fierté.

— On vient de la faire refaire. L'ancienne commençait à paraître un peu fatiguée.

Son débit, rapide et haché, évoquait un cliquetis d'aiguilles à tricoter.

Assis à la table, Ronald lisait un journal. Pas le *Shetland Times*, mais un périodique national de meilleure tenue. Il se leva à leur entrée. On aurait dit un des lapins qu'il aveuglait avant de tirer : terrifié et incapable de bouger. À côté de lui se tenait un homme plus âgé.

— Je vous présente Andrew, précisa Jackie. Mon mari.

Ce dernier les salua de la main. C'était un géant, grande carcasse solide, cheveux frisés poivre et sel et épaisse barbe grise. Perez comprit qu'Andrew était malade, mais sans trop savoir ce qui le lui indiquait. Quelque chose dans la raideur de son geste, un éclair de panique dans ses yeux en voyant débarquer un inconnu. Le fait qu'en pleine journée il soit en chaussons et gilet plutôt qu'en tenue de ville. Sa femme lui caressa l'épaule.

— Ne t'inquiète pas. Il veut juste parler à Ronald.

— Est-ce qu'on peut se voir en tête à tête ?

L'inspecteur jugeait la maison assez grande pour permettre une demi-douzaine d'entretiens privés. Non qu'il ait besoin de confidentialité, mais il voulait échapper aux bavardages de Jackie.

— Installez-vous dans le bureau, répondit-elle.

Ronald semblait avoir perdu la parole.

La pièce se trouvait au rez-de-chaussée, juste à côté de l'entrée. Elle était équipée d'un poste informatique avec imprimante et scanner. Jimmy referma la porte derrière lui et s'y adossa. Il fit signe à Ronald de prendre la chaise.

— La procureure a décidé de ne pas donner suite, déclara-t-il d'emblée. Vous ne serez pas poursuivi.

Le jeune homme le dévisagea, hébété.

— Elle n'a aucun chef d'inculpation recevable pour le moment, continua l'inspecteur. L'affaire sera classée comme un malencontreux accident.

— Mais j'ai tué une femme.

— Vous ne pouviez pas deviner qu'elle allait sortir. Vous aviez tout lieu de croire qu'elle était chez elle, et non en train de se balader dehors. On ne peut donc même pas vous taxer d'imprudence criminelle.

— Il me semble que je devrais être inculpé de quelque chose. Pas de meurtre – honnêtement, je ne savais pas qu'elle était là –, mais ça ne me paraît pas normal d'avoir tué quelqu'un et qu'il ne m'arrive rien.

— C'est la loi.

— Il faut que j'aille annoncer ça à Anna. Elle va être tellement soulagée ! Je crois que ni l'un ni l'autre n'avons fermé l'œil depuis que ça s'est produit, et pas à cause du bébé. Elle avait peur que ça nuise à ses affaires. Elle veut qu'on soit plus indépendants. Mes parents sont géniaux, je suis fils unique et ils me donneraient n'importe quoi, mais Anna n'aime pas ça. Elle estime qu'on doit voler de nos propres ailes. En plus, elle pense que l'avenir de la pêche est précaire. Même si ça rapporte encore bien pour l'instant, elle a peut-être raison, ça pourrait ne pas durer.

Perez se demanda si Ronald avait des opinions personnelles. Il était peut-être brillant, mais il semblait incapable de réfléchir par lui-même.

— Ça vous plaît, ce travail ?

Il y eut une courte pause.

— Je le déteste. Je serais heureux s'il n'y avait plus un seul poisson dans la mer, plus de raison de quitter le port.

— Mais vous aviez le choix. Vous avez commencé des études. Vous auriez pu les terminer.

— Mon père a fait une attaque. C'est son entreprise. Il n'y avait personne d'autre.

— Votre famille aurait pu trouver quelqu'un.

— Ça n'aurait pas été pareil. Et puis…

L'inspecteur laissa le jeune homme chercher ses mots.

— Et puis l'argent, c'est comme une drogue. Je ne sais pas si je pourrais m'habituer à être pauvre. Je gagne plus en un mois que certains de mes anciens copains de classe en toute une année. J'ai grandi dans l'aisance et je veux offrir la même chose à mes enfants.

Son amertume sembla soudain se dissiper.

— Je n'ai plus qu'à espérer que la boîte d'Anna fasse un tabac, hein ? Comme ça, elle pourra subvenir aux besoins de la famille pendant que moi, je finirai ma licence.

— Je ne vois toujours pas très bien comment l'accident a pu se produire. Maintenant que vous avez eu le temps d'y repenser, est-ce que c'est un peu plus clair dans votre esprit ?

— Non. J'ai eu beau tourner et retourner mes faits et gestes dans ma tête pour trouver où ça avait pu déraper, je ne comprends pas.

Déjà, le soulagement qu'il avait affiché en apprenant qu'il ne serait pas poursuivi s'était envolé. Il semblait content pour Anna, mais toujours hanté par ce qu'il avait fait.

— Malgré tout, j'aimerais que vous me racontiez tout ça encore une fois.

— À quoi bon, maintenant ? Mima est morte. Je l'ai tuée. Je l'accepte.

— Je dois rédiger un rapport, présenter des conclusions.

— Je suis sorti chasser le lapin. Je m'étais accroché avec ma femme, alors je n'étais pas de très bonne humeur. Il faisait nuit noire, beaucoup de brouillard. J'en ai tiré quelques-uns depuis la voiture et ensuite, je me suis éloigné avec la lampe torche. Je ne croyais pas me trouver près de chez Mima, mais j'avais la tête ailleurs, je pensais à Anna, à ce que j'aurais dû lui dire. Je m'en voulais de m'être montré aussi dur. Elle était encore fatiguée de l'accouchement. À fleur de peau. Les hormones. Ce n'était pas facile pour elle. Je n'aurais jamais cru qu'accoucher puisse être…

Il s'arrêta pour chercher le mot juste.

— … aussi violent. Vous savez ce que c'est, après une dispute : on se repasse le film en boucle.

Perez se fit la réflexion que Fran et lui se querellaient rarement. Il n'avait jamais aimé les scènes, n'en voyait pas l'utilité. Quelquefois, ça énervait la jeune femme : « Ne te contente pas de dire que tu es d'accord avec moi ! Défends tes positions, bats-toi ! » Mais le plus souvent, il partageait réellement son avis. Il comprenait son point de vue et était heureux de convenir qu'elle avait raison.

125

— Vous êtes sûr que vous n'avez vu personne d'autre ?

— J'étais le seul à chasser.

Ronald tourna les yeux vers la fenêtre. Jimmy suivit son regard et vit le pavillon qu'il habitait avec son épouse. Celle-ci en émergea, chargée d'un panier de linge qu'elle entreprit d'étendre. Tout comme Mima la veille de sa mort.

— Mais il y avait du monde dehors ? insista Perez.

L'inspecteur comprenait que Ronald veuille tout simplement voir cesser le cauchemar, mais il ne pouvait pas en rester là. Et de toute façon, ce n'était pas un mauvais rêve qui disparaîtrait en s'éveillant.

— Une voiture a descendu la route pendant que je tirais dans le champ.

— Vous ne savez pas à qui elle était ?

— Il faisait nuit, et j'avais d'autres choses en tête.

La tension revenait, nettement perceptible.

— J'ai aperçu des phares et entendu un bruit de moteur. C'est tout.

— Dans quelle direction allait-elle ?

— J'en sais rien ! Franchement, quelle importance ?

— Est-ce qu'elle venait du Pier House ou plutôt de Lindby ?

— Pas du Pier House. De l'autre côté.

Donc, pas des buveurs qui rentraient du bar de l'hôtel.

— Qui d'autre chasse régulièrement, à Whalsay ? poursuivit Jimmy en essayant de garder un ton décontracté.

— Presque tous les hommes. On fait notre possible pour limiter la prolifération des lapins. Mais où est-ce que vous voulez en venir ?

— C'est le genre de choses que je dois préciser dans mon rapport. Il vaut mieux que ce soit moi qui vous interroge plutôt qu'un avocat dans un tribunal.

— Je vous demande pardon, s'excusa Ronald en le regardant dans les yeux. Je sais que vous ne faites que votre travail. Je devrais vous en savoir gré. Posez-moi toutes les questions que vous voulez.

— Ce sera tout pour aujourd'hui. Allez annoncer la bonne nouvelle à votre femme.

Le visage du jeune homme s'éclaira d'un grand sourire.

— Merci, j'y vais tout de suite. Ce soir, je sors pêcher en mer avec un copain. Pas avec le chalutier, juste en caboteur. Mais je n'aurais pas voulu la laisser seule avec cette épée de Damoclès au-dessus de nos têtes. Au moins, maintenant, elle va pouvoir se concentrer sur James et sur son travail. Elle est en train de monter un site Internet pour sa boîte. Et il lui reste des commandes de tricot à honorer.

Jimmy se dit que ce devait être une expression d'Anna : « Il faut que je me concentre sur mon travail. »

Ronald se leva et quitta la pièce. Sans attendre Perez, il se rua dehors puis dévala la pente jusqu'à chez lui en sautillant, comme un petit garçon courant pour le plaisir.

— Ronald, c'est toi ?

Jackie émergea de la cuisine, fronça les sourcils en voyant l'inspecteur seul dans le bureau.

— Qu'est-ce que vous avez fait à mon fils ?

— Rien du tout. La procureure a décidé de ne pas l'inculper. Il est parti fêter ça avec son épouse.

Ce n'était pas à lui de l'en informer, mais elle n'aurait pas tardé à l'apprendre, de toute façon. Il était surpris que Ronald ne soit pas allé le lui annoncer. Et plus encore que Sandy ait réussi à tenir sa langue.

Jackie était figée sur place. Soudain, Perez comprit que la tenue clinquante, la mise en plis ridicule, le flot de paroles, tout cela n'était que sa manière de repousser l'éventualité d'une disgrâce pour son fils, de sauver les apparences face à son mari. Cela lui aurait fait autant de mal qu'à Anna de voir Ronald traduit en justice, sa photo dans le *Shetland Times* en costume-cravate pendant qu'il attendait la sentence.

— Dieu merci, murmura-t-elle, d'une voix si basse qu'il eut du mal à distinguer les mots.

Puis, sur un ton de triomphe discret :

— Ça va faire taire les rumeurs. Evelyn Wilson ne pourra plus raconter n'importe quoi, maintenant. Fini le colportage de ragots et de mensonges.

Sandy était venu voir ce qui se passait. En entendant ces paroles, il devint écarlate.

17

Ils allèrent déjeuner au Pier House Hotel. *Fish and chips* servis dans la salle du bar, à l'atmosphère merveilleusement respirable depuis l'interdiction de fumer. À l'entrée en vigueur de la loi, Perez avait été surpris de voir les Shetlandais s'y plier de si bonne grâce. Surtout dans les coins les plus reculés de l'archipel, où l'on avait peu de risque de se faire pincer par des agents. Sur les petites îles, bon nombre d'habitants se dispensaient même du contrôle technique ou de l'immatriculation des véhicules. Quand Jimmy était petit, une équipe de policiers avait débarqué à Fair Isle suite à la mort d'un ornithologue amateur tombé d'une falaise. Avant que leur avion atterrisse, on avait fait disparaître toutes les voitures dans des granges ou sous des bâches. En comparaison, la loi antitabac était plutôt bien respectée.

— Pour ma grand-mère, le permis d'inhumer va être délivré, maintenant ?

Sandy en était à la moitié de sa deuxième pinte. Sa résolution d'arrêter de boire avait fait long feu. Perez avait commandé un café et n'en revenait pas qu'il soit si bon.

— Oui, je ne vois rien qui s'y oppose.

— C'est ma mère, elle veut commencer à organiser les obsèques. Mon frère va devoir venir du Sud. Il aime pas trop se traîner jusqu'ici mais il peut guère se défiler, vu les circonstances.

— Vous ne vous entendez pas bien, tous les deux ?

Sandy haussa les épaules.

— J'ai toujours été plus proche de Ronald quand on était petiots. Michael était le chouchou de ma mère. Peut-être que j'étais jaloux.

Perez ne savait trop que répondre. D'ordinaire, son collègue ne se montrait pas si lucide.

— C'est vraiment terminé ? reprit ce dernier. Je veux dire, l'affaire.

De nouveau, l'inspecteur se dit qu'il faisait preuve d'une rare perspicacité.

— La procureure ne voit aucun motif de poursuite.

— Je te demande ça parce que tu es resté longtemps avec Ronald, ce matin. Il faut pas une demi-heure pour annoncer à quelqu'un qu'il ne sera pas inquiété.

— Je tiens à être absolument sûr qu'il s'agissait bien d'un accident.

— Tu insinues que Ronald lui a tiré dessus exprès ?

Les mots s'étaient échappés en un cri outré. Sandy embrassa la salle du regard et fut soulagé de la découvrir déserte. Même Jean, la Glaswegienne, avait disparu dans la cuisine.

— Je dis simplement que sa version des faits soulève des questions.

— C'est pas un menteur. Il a jamais menti.

— Tu le vois souvent depuis que tu as quitté Whalsay ?

— Pas tellement. C'est plus comme quand on allait à l'école. On a chacun notre vie. Mais il aurait pas tiré sur Mima. Pas volontairement. Il la considérait comme sa grand-mère autant que moi.

Perez hésita, réticent à formuler l'idée qui était née et n'avait cessé de grandir dans son esprit depuis sa conversation avec la procureure. Il jeta un coup d'œil alentour pour s'assurer qu'ils étaient toujours seuls et déclara à voix basse :

— L'assassin pourrait être quelqu'un d'autre. Qui ferait porter le chapeau à Ronald.

— C'est ce que pense Rhona Laing ? fit Sandy d'un air stupéfait.

— Elle ne veut pas écarter d'emblée cette hypothèse. Ça pourrait expliquer certaines choses, par exemple que Mima soit allée traîner dehors par une nuit pareille ou que Ronald soit sûr qu'il ne chassait pas sur les terres de Setter. Mais Laing exige la plus grande discrétion.

— Pour ne pas déranger ses amis haut placés.

Tout le monde aux Shetland connaissait les ambitions politiques de la procureure.

— Quelque chose comme ça, oui.

L'inspecteur marqua un temps d'arrêt.

— Tu m'as dit que Mima t'avait demandé de passer la voir quand tu reviendrais. Elle t'a laissé entendre de quoi elle voulait te parler ?

— Non.

Le jeune homme le regarda dans les yeux.

— Tu crois qu'elle se sentait menacée ?

— J'envisage toutes les possibilités.

— Qu'est-ce que tu comptes faire ?

Jimmy réfléchit un moment. Quelle marge de manœuvre avait-il, concrètement ? Pas moyen de s'attarder trop longtemps sur place : seulement, depuis son bureau de Lerwick, il n'aurait aucune chance de saisir ce qui se passait ici. Whalsay ne se trouvait peut-être qu'à une demi-heure de ferry de Mainland, mais sa population vivait en vase clos et il fallait en faire partie pour la comprendre.

— Il te reste des jours de congé ? lança-t-il.

Sandy en avait toujours. C'était de notoriété publique : il se débrouillait pour grappiller du temps sur ses horaires de travail pour ses petites affaires et à la fin de l'année, il se plaignait toujours de ne pas avoir soldé toutes ses vacances.

— Oui, quelques-uns.

Sandy se méfiait. Ils s'étaient déjà pris le bec à ce propos. Perez sur le sentier de la guerre. « Si tu es allé te pinter et que tu te réveilles avec une gueule de bois qui t'empêche de venir bosser, prends ta journée. N'invente pas un prétendu rendez-vous chez le dentiste. »

— Ce serait peut-être le moment d'en profiter, suggéra l'inspecteur. Reste ici. Aide ta mère à organiser les obsèques. Pose quelques questions...

Jimmy le regarda pour s'assurer qu'il l'avait bien compris.

— Mais je ne suis pas neutre ! répondit le jeune homme. C'est ma famille. Tu as dit toi-même que j'aurais dû me retirer dès le début de l'enquête.

— Ce n'est pas une enquête. Tu te renseignes, l'air de rien. Mima était ta grand-mère. Rien d'étonnant à ce que tu t'intéresses aux circonstances de sa mort. Mais sois discret. Laing a été très claire sur ce point.

— C'est elle qui a demandé à ce que je continue ?

Sandy soutint le regard de Perez. La procureure n'avait jamais particulièrement loué ses qualités de détective.

L'inspecteur n'eut pas à mentir, sauvé par l'arrivée de deux jeunes femmes. Il reconnut en l'une d'elles l'archéologue qui s'était présentée, bouleversée, chez les Wilson. L'autre était plus grande, plus musclée, longs cheveux maïs, large bouche et taches de rousseur. Elle babillait, traînant presque Hattie derrière elle dans la salle.

— Allez ! Une trouvaille pareille, on peut bien s'accorder une pause pour fêter ça.

— Après ce qui est arrivé à Mima, je ne suis pas d'humeur à fêter quoi que ce soit.

La doctorante paraissait encore plus chétive que la première fois qu'il l'avait vue.

— En plus, il ne faut pas l'ébruiter. Je ne tiens pas à ce que le site soit envahi par des chasseurs de trésors.

— On est aux Shetland. Tu crois vraiment que ça peut rester secret ? Et puis Mima aurait sauté de joie. C'était son rêve, non ? Qu'on fasse une découverte spectaculaire sur ses terres. De toute façon, il faut qu'on mange. J'ai l'impression de ne me nourrir que de sandwiches depuis des mois. On ne peut pas faire des fouilles le ventre vide.

— Je croyais que Paul t'avait invitée à déjeuner, hier, à Lerwick.

— Rien qu'un bol de soupe à la cafétéria du musée avant son rendez-vous à l'Amenity Trust avec Val. J'ai envie d'un énorme steak. Si bleu qu'il respirerait presque.

Sophie aperçut Sandy, le salua de la main et lui sourit.

— Avec une montagne de frites ! conclut-elle.

Elle ôta son pull par la tête et son débardeur remonta, dévoilant un coin de dos ferme et bronzé. Sur le devant, le débardeur annonçait : LES ARCHÉOLOGUES FONT ÇA DANS LES TROUS.

131

— Salut, Sandy. On peut se joindre à vous ?

Le jeune homme, qui l'observait bouche bée depuis son entrée, se tourna vers son supérieur.

— Pourquoi pas ? fit ce dernier, de nouveau piqué par son incurable curiosité – bien que Hattie lui paraisse plus intéressante que sa camarade. Je peux vous offrir un verre, mesdemoiselles ?

— Oh oui !

Sophie frissonna de plaisir à cette perspective. Jimmy n'avait jamais rencontré quelqu'un d'aussi physique. Comme un jeune enfant, elle communiquait avec son corps.

— Un grand verre de vin rouge, précisa-t-elle – puis, percevant la désapprobation de sa coéquipière : Oh, Hat, me regarde pas comme ça. De toute façon, on peut pas vraiment avancer cet après-midi. Il faut qu'on attende les instructions de Paul, et il ne sera pas là avant demain. Tu dois bien avoir envie de fêter ça, quand même. C'est ce dont tu rêvais depuis l'ouverture du chantier.

— Qu'est-ce qui s'est passé ?

Perez estima préférable de prendre l'initiative de la conversation. Impossible de s'en remettre à son collègue, qui fixait toujours Sophie d'un air hébété, bavant presque devant son décolleté plongeant.

— Allez, Hat, à toi de l'annoncer. C'est ta découverte.

— Dites-moi d'abord ce que vous voulez boire, intervint l'inspecteur en se levant, persuadé que la doctorante refuserait.

Il percevait une réelle tension entre les deux jeunes femmes. Pourquoi Hattie était-elle venue ? Elle finit toutefois par esquisser un sourire.

— Bon, d'accord. Un demi, alors. Sophie a raison : on a quelque chose à fêter, et Mima aurait été folle de joie.

Elle prit place sur le banc, dénoua ses lacets, ôta ses chaussures et se retrouva en chaussettes. Puis elle replia ses pieds sous elle, évoquant à Perez un de ces lutins mythiques dont les récits avaient baigné son enfance.

Quand il eut rapporté les verres et que les filles eurent commandé à manger, Jimmy réitéra sa question :

— Alors, qu'est-ce qui s'est passé ?

Hattie prit une grande inspiration :

— J'ai du mal à y croire. Depuis le début, on espère que les vestiges de Setter sont davantage que ceux d'une simple exploitation agricole, et voilà qu'on a peut-être trouvé la preuve qu'on cherchait. Je vous explique…

Elle se pencha en avant.

— Au XVe siècle, les Shetland occupaient une place importante au sein de la Ligue hanséatique, qui associait plusieurs villes marchandes. Mais les choses se sont gâtées. La plupart des négociants de l'archipel venaient d'Allemagne et quand la politique commerciale a viré à l'isolationnisme, ils sont rentrés chez eux, sans personne ici pour prendre leur suite. Ma thèse est que certains Shetlandais influents se sont alors lancés dans les affaires – et avec succès. On a découvert des éléments qui en attestent à Mainland, mais jusqu'ici, aucun à Whalsay.

La jeune femme s'interrompit, regarda Perez pour s'assurer qu'il suivait. Ce dernier hocha la tête. Elle s'exprimait avec précision, comme si elle s'adressait à un auditoire universitaire. Peut-être ne savait-elle parler qu'à ses pairs.

— Les dimensions de l'édifice de Setter sont supérieures à celles d'une fermette ordinaire, mais ça peut s'expliquer par de grandes dépendances ou un atelier. Les fondations sont en pierre régulière, taillée, rien à voir avec les blocs bruts généralement utilisés pour les maisons de paysans, mais ça ne suffisait toujours pas à étayer ma théorie. Aujourd'hui, en revanche, on a fait une découverte qui laisse supposer que les habitants étaient beaucoup plus riches que de simples fermiers. C'est inestimable. Pour moi, en tout cas. Je veux dire que ça confirme mon hypothèse. Ça justifie l'ensemble du projet.

Soudain, un grand sourire illumina tout son visage.

— Ça signifie que je peux obtenir des subventions pour élargir mes recherches. On devrait pouvoir mettre en place un programme de fouilles à grande échelle sur plusieurs années.

— Alors c'est quoi, cette découverte ? intervint Sandy, enfin parvenu à détacher les yeux du corps de Sophie.

— Des monnaies d'argent. Une demi-douzaine. Superbes et quasiment intactes. Je suis tombée sur la première par hasard et les autres ont suivi peu après. J'imagine que le sol en terre battue était recouvert d'un plancher de bois, même s'il n'y en a plus trace aujourd'hui. Impossible de dire comment ces pièces se sont retrouvées là. Peut-être qu'elles ont glissé entre les planches et atterri dans les fondations. Peut-être qu'elles y ont été cachées volontairement. On pourrait bien en trouver d'autres.

Hattie prit une nouvelle inspiration.

— Deux monnaies d'argent de la même époque ont été découvertes à Mainland, dans le champ de fouilles de Wilsness. Au milieu des dunes, juste à côté de l'aéroport de Sumburgh. Cette trouvaille a permis d'attester que le bâtiment était bien une maison de marchand. J'espère qu'il en ira de même pour moi.

— Qu'est-ce que vous avez fait des pièces ?

— On les a déposées chez Evelyn. Elle les a enfermées dans le tiroir de son bureau. Val Turner, l'archéologue des Shetland, viendra les examiner, ainsi que Paul Berglund.

La petite Glaswegienne arriva avec les plats des deux jeunes femmes. Sophie attaqua son steak avec une absolue concentration. Perez se dit qu'elle était comme un homme : incapable de faire plusieurs choses à la fois. Maintenant qu'elle était lancée, Hattie, elle, ne demandait pas mieux que de continuer à parler.

— On va les faire expertiser, évidemment. Elles pourraient être plus modernes, mais à vue de nez elles m'ont l'air anciennes, et Sophie a pensé la même chose dès qu'elle les a vues. Toutes les deux, on connaît bien les monnaies de Wilsness. Malgré tout, il faut que Paul nous aiguille pour la suite.

Elle s'interrompit brusquement afin d'avaler une minuscule bouchée de lasagnes, fronça les sourcils en mâchant.

— M. Berglund arrive quand ?

— Le *professeur* Berglund. Demain, peut-être après-demain. Il venait à peine de rentrer chez lui quand on l'a appelé. Il lui faut un peu de temps pour s'organiser. Il a de jeunes enfants.

La doctorante semblait s'être assombrie. En voulait-elle à son directeur de thèse de venir régenter ses recherches ? Ou, au contraire, de ne pas être reparti illico pour Whalsay ?

— Elles valent quelque chose, ces pièces ? s'enquit Sandy.

— Elles sont inestimables.

— Mais si j'essayais de les mettre sur le marché ?

— Tu parles de valeur pécuniaire ?

Hattie paraissait interloquée.

— Oui, pécuniaire.

Sandy la regarda comme s'il avait envie d'ajouter : « Qu'est-ce que j'aurais pu vouloir dire d'autre ? »

— Je n'en sais rien. Vendues aux enchères à un collectionneur, on pourrait sans doute en tirer un bon prix.

Elle avait l'air perplexe, déconcertée par l'idée même de collection privée et de commerce d'antiquités. Perez ressentit un élan de sympathie à son égard. Elle semblait trop fragile et trop innocente pour vivre seule ici à Whalsay. Ce n'était pas Sophie, la BCBG londonienne, qui allait la protéger. Comment Hattie survivrait-elle dans le vaste monde ? Il eut envie de lui demander si elle était en contact régulier avec ses parents. Il imaginait une mère protectrice qui avait dû trouver le courage de laisser partir sa fille mais n'en dormait plus la nuit, retenait son souffle chaque fois que le téléphone sonnait de crainte qu'un malheur ne soit arrivé. Car à un moment de son histoire, la jeune femme avait dû connaître la maladie ou la tragédie, pensait-il. Personne n'affichait cet air hanté s'il avait eu une enfance heureuse.

Poussé par la curiosité, il formula mentalement une question personnelle. *Vos parents doivent être très fiers de vous. Est-ce qu'ils vont pouvoir venir visiter l'archipel ?*

Puis il entendit la voix de Fran, la vit distinctement incliner la tête, un demi-sourire aux lèvres, le nez légèrement froncé comme quand elle voulait le taquiner. *Mais de quoi je me mêle, Jimmy Perez ? Tu es policier, pas psy. Laisse-la tranquille, cette pauvre gosse.*

Alors il ne dit rien. Un silence gêné flotta à la table. Sophie piqua le dernier morceau de gras de son assiette et mordit dedans de ses fines dents blanches. Elle regarda ses convives.

— Maintenant, lança-t-elle, lequel d'entre vous, charmants messieurs, aurait l'amabilité de m'offrir un autre verre de vin ? Je croyais qu'on était censés fêter ça.

18

Hattie et Sophie bavardèrent un instant devant l'hôtel avant de se séparer. Hattie n'avait bu que deux demis, mais elle se sentait alanguie et un peu étourdie. Elle n'avait pas l'habitude de faire un vrai repas à midi.

— Les gars m'ont promis de me faire visiter un des chalutiers, dit Sophie. J'ai envie de voir comment c'est à l'intérieur et je suis pas sûre qu'ils renouvelleront leur proposition. Je suppose que ça ne te tente pas ?

— Qui est-ce qu'il y aura ?

— Oh, comme d'hab', l'équipage de l'*Artemis*.

Sa camarade secoua la tête. Dans l'état où elle était, monter sur un bateau, même à quai, lui donnerait la nausée. En plus, elle ne savait jamais quoi dire aux pêcheurs, avec leur langue incompréhensible et leurs récits d'aventures au grand large. Et puis elle avait d'autres projets.

— Ils m'ont dit que je pourrais les accompagner un de ces jours, reprit Sophie, le regard perdu en direction de Mainland. Il y a une cabine libre sur le bateau. Avec lecteur de DVD et tout ce qu'il faut. Tu crois qu'ils accepteraient de m'emmener dès aujourd'hui ? La mer est d'huile.

Elle se tourna vers sa camarade, un défi autant qu'une interrogation au fond des yeux.

— Fais attention, l'avertit Hattie. Tu vas te bâtir une sale réputation.

La jeune femme éclata de rire, tête en arrière, révélant son long cou, plus long encore ainsi étiré, et bien plus pâle que son visage.

— Si tu savais comme je m'en fous ! J'ai pas l'intention de faire ma vie ici.

— Tu ne devrais pas être là quand Paul arrivera ?

La doctorante s'angoissait à l'idée de devoir rencontrer son directeur toute seule. Elle sentit remonter une ancienne panique.

— Bah, j'ai pas vraiment envie d'aller naviguer...

Devant l'air réjoui de sa camarade, Hattie comprit qu'elle avait juste voulu la faire enrager.

— ... mais ne t'attends pas à me voir avant demain matin ! conclut Sophie avec un nouveau sourire.

Et elle s'éloigna à grands pas plutôt assurés bien qu'elle ait bu deux fois plus que sa coéquipière. Un trou dans son jean laissait entrevoir la chair de sa cuisse. Cela rappela à Hattie le gras du steak que Sophie venait de s'enfiler. Elle la regarda descendre vers le port. Il y avait des jours où elle la haïssait pour sa beauté, son aisance avec les hommes, son insouciance. Des jours où elle avait envie de la frapper et de la gifler.

Hattie vécut son retour à travers l'île comme une sorte de marche hallucinée. Des idées et des expressions lui venaient à l'esprit sans rime ni raison.

« *Avril est le mois le plus cruel.* »

Habitant le sud de l'Angleterre, elle n'avait jamais compris au sens littéral ce vers de *La Terre vaine* devenu dicton populaire. Le printemps était une saison de pluies fines et de croissance imperceptible de la nature. Aujourd'hui, elle pensait aux dernières brebis en train de mettre bas toutes seules là-haut dans les collines tandis que les corbeaux tournoyaient dans le ciel, à Mima gisant sur le sol détrempé de Setter. Et se répétait le vers à mi-voix au rythme de ses pas.

Elle n'était pas habituée à boire en milieu de journée. C'était peut-être ça. Et puis elle n'avait pas dormi de la nuit, dévorée par une paranoïa persistante selon laquelle le coup de fusil qui avait tué Mima aurait bien pu lui être destiné *à elle*. Les implications de cette pensée étaient si vertigineuses qu'à présent elle ne pourrait se résoudre à y réfléchir concrètement et la laissa s'envoler.

Elle tenta plutôt de revivre le moment où elle avait découvert les pièces d'argent dans la tranchée, depuis l'instant où elle avait aperçu le premier éclat du métal. La scène ressemblait tant à celle de ses rêves qu'elle avait peine à croire à sa réalité. Sans cesser de marcher, les pieds tenant la cadence et le vers de T.S. Eliot dans la tête, elle sortit les mains de ses poches pour les regarder. Sous ses ongles, elle vit la terre dans laquelle les monnaies étaient enfouies. Par ce seul instant, cet instant où elle avait dégagé le premier rond d'argent terni, elle avait justifié ses recherches, s'était forgé un avenir dans les îles. *Incroyable. Ce n'est pas réel.*

La jeune femme décida de pousser jusque chez Evelyn. Elle lui demanderait d'ouvrir le tiroir et de lui montrer les pièces. Le site Web du British Museum présentait des photos de monnaies anciennes et elle voulait y jeter un coup d'œil, voir s'il s'en trouvait de semblables. Utra disposait d'un ordinateur et d'une connexion Internet. Hattie sentait qu'à défaut d'une activité constructive, dans son état d'esprit actuel, elle allait devenir folle, en viendrait peut-être même à se convaincre que sa trouvaille n'avait été qu'une illusion ; par le passé, il lui était déjà arrivé de mélanger imaginaire et réalité. Si seulement Mima était encore en vie ! La chère petite vieille l'avait toujours aidée à relativiser les choses.

En descendant le chemin vers Utra, elle croisa un couple âgé. L'homme poussait une brouette chargée d'une binette et d'une fourche en équilibre. La femme portait un sac en plastique si lourd qu'elle s'en déboîtait l'épaule. Hattie ne les reconnut pas. Ils s'arrêtèrent ; le monsieur lui sourit et la salua de quelques phrases. Il n'avait plus qu'une dent et la jeune femme ne comprit pas un traître mot.

— Bon après-midi ! lança-t-elle.

Elle leur adressa un grand sourire et agita la main. La dame ne dit rien. Plus loin, Hattie fit volte-face pour les regarder, mais ils avaient disparu. Elle se raisonna : ils avaient dû bifurquer. Sans doute travaillaient-ils dans un des potagers à murets de pierres sèches, la mamie en bottes de caoutchouc et jupe grise, le papy au sourire tout en gencives. Malgré tout, elle n'était pas absolument certaine qu'ils aient réellement existé. Peut-être étaient-ce des fantômes, comme l'épouse du marchand de Setter et son puissant mari, nés de sa seule imagination.

Evelyn, en revanche, était on ne peut plus réelle. Debout devant sa table de cuisine, elle découpait de la viande à l'aide d'un petit couteau à dents bien tranchant. Un tas de gras et d'os s'amoncelait sur le bord de la planche en bois. Hattie en eut la nausée.

— Je me suis dit que j'allais faire un ragoût, expliqua la Shetlandaise. Il me restait un peu de mouton de l'an dernier au congélateur. Il fallait le faire cuire. Sandy a pris quelques jours de congé pour m'aider à organiser les obsèques. Je ne sais jamais à quelle heure il va rentrer manger.

— Je peux vous aider ? On ne travaille pas cet après-midi.

Hattie espérait que cela empêcherait ses pensées de tourbillonner.

— Tu peux éplucher les carottes si tu veux. Je ne vais pas te demander de t'occuper des oignons. Ils sont très forts, ils te feraient pleurer comme un bébé.

— Ça m'est égal.

La jeune femme pensait qu'on ne pouvait contrefaire les larmes, le picotement des yeux, le goût de sel dans la bouche quand elles coulaient le long des joues. Elle prit place à côté d'Evelyn et s'attaqua aux carottes, consciente de sa maladresse et de sa lenteur. Elle savait que son hôtesse l'observait.

— Est-ce que Sophie et toi voulez venir dîner ? proposa cette dernière en levant les yeux du tas de viande de plus en plus en plus impressionnant. Il y a largement de quoi, et un soir comme celui-ci, vous n'allez pas regagner le Bod comme si de rien n'était.

— Je sais pas…, fit Hattie en posant son couteau.

— Mais enfin, il faut fêter ça ! C'est un rêve qui se réalise. Qu'est-ce que j'aurais aimé être là quand tu as trouvé la première pièce ! Ça tombe à pic, juste avant de déposer la demande de subventions pour des fouilles de grande envergure. Je suis

139

tellement contente pour toi ! C'est bien plus passionnant que ce vieux bout de crâne.

Elle vida les morceaux de mouton dans une jatte et, avec le même couteau, coupa un oignon en deux. Une trace de sang imbiba la demi-lune blanche, qu'elle éminça prestement en tranches translucides.

— Est-ce que je pourrais utiliser votre ordinateur ? demanda la jeune femme. Certains sites de musée présentent des photos. En attendant l'arrivée de Val, je me disais que j'y jetterais volontiers un coup d'œil, pour essayer d'identifier les pièces. Et puis j'aimerais bien les revoir.

Elle désirait sentir à nouveau les monnaies sous ses doigts, se demanda quelle serait leur odeur, imagina celle, âcre et métallique, du sang.

— Bien sûr. Laisse-moi juste le temps d'enfourner ça. Ça m'intéresse aussi de voir ce que tu peux trouver.

Evelyn versa de l'huile dans une énorme cocotte et y jeta les légumes. Ses yeux brillaient. Les oignons avaient dû la faire pleurer.

— Mima aurait été tellement emballée, soupira Hattie.

La cuisinière cessa de remuer, sa cuillère en bois toujours à la main.

— Il faut réfléchir à la suite, déclara-t-elle. Dès qu'on aura les rapports d'expertise pour le crâne et les pièces, on organisera une présentation. Peut-être quelque chose d'un peu solennel au nouveau musée de Lerwick. Ou mieux, on pourrait faire ça ici, sur l'île. Montrer aux citadins le beau travail qu'on accomplit à Whalsay.

Un court instant elle ferma les yeux et la jeune Anglaise comprit qu'elle aussi nourrissait de grands rêves. Elle s'imaginait une soirée scintillante, toutes les personnes influentes de Lerwick rassemblées à Whalsay, du vin, des petits fours. Et au centre de tout cela, elle-même, Evelyn Wilson.

— On peut transformer Setter en musée, maintenant, à la gloire de l'histoire de Whalsay. Ce ne serait pas merveilleux ? Avec un nom rendant hommage à Mima.

— Je ne suis pas sûre que c'est ce qu'elle aurait voulu, objecta Hattie.

Elle s'interrompit un instant, se rappela leurs conversations autour d'un thé dans la cuisine de Setter.

— Mima avait envie que sa maison soit habitée par des jeunes après sa mort. Elle n'arrêtait pas de nous taquiner là-dessus, Sophie et moi : « Trouvez-vous un bon petit gars de Whalsay et installez-vous ici. Vous pourrez louer la bicoque quand je ne serai plus là. Les garçons n'en voudront pas. Vous élèverez vos petiots à Lindby. »

— Oui, enfin, bon. Mima avait l'art de dire à tout le monde comment mener sa vie.

Evelyn saupoudra de farine la jatte de viande, retourna les quartiers à la main jusqu'à ce que chacun en soit recouvert, puis versa le tout dans la cocotte. L'huile cracha et grésilla et une odeur de grillé se répandit. La Shetlandaise remua les morceaux de mouton à l'aide d'une cuillère en bois pour éviter qu'ils n'accrochent.

Ce qu'elle est douée ! songea Hattie. Je serais bien incapable de transformer un animal mort en bon petit plat. La cocotte dégageait un parfum douceâtre qui lui souleva de nouveau le cœur.

— Je ne sais pas trop ce que Sophie a prévu pour ce soir, reprit-elle. Les gars devaient lui faire visiter l'*Artemis*, qui vient de rentrer de Lerwick.

— C'est un beau bateau.

Evelyn vida un pichet d'eau sur son ragoût, continuant de remuer le temps que la sauce épaississe et arrive à ébullition.

— Appelle-la sur son portable et pose-lui la question. Ils ne lui donneront pas à manger à bord.

— D'accord.

Mais Hattie ne fit pas un geste pour chercher son téléphone.

— Je me demande comment Anna s'en sort avec le bébé, lança Evelyn en mettant la cocotte au four avant de se retourner, les mains toujours dans les maniques. Elle ne dormait pas beaucoup la dernière fois que je l'ai vue. Peut-être qu'on devrait aller lui rendre une petite visite. Elle comptait travailler à son site Internet, si elle trouvait un moment. Ce serait une bonne idée d'y parler des pièces. Le public de ses ateliers pourrait être intéressé par les fouilles. Et puis tu as peut-être envie de voir le bébé.

Ça, c'était bien la dernière chose que souhaitait Hattie. Elle aurait nettement préféré rentrer au Bod pour réfléchir à la suite des opérations.

— Tu pourrais lui rédiger un petit topo sur tes recherches, continuait Evelyn. Ça inciterait les amateurs à s'inscrire. Et ça ferait connaître Whalsay.

— C'est beaucoup trop tôt !

Cette simple pensée angoissait la doctorante. Elle leva des yeux horrifiés vers son interlocutrice.

— Cette découverte doit rester secrète aussi longtemps que possible. Si la nouvelle se répand, on va se retrouver avec des tas de chasseurs de trésors pénétrant sur le chantier. Ça pourrait tout fiche en l'air.

Elle imaginait des espèces d'exaltés en anoraks gris en train de piétiner ses fouilles, armés de détecteurs de métaux.

La Shetlandaise ne semblait pas l'avoir entendue.

— Peut-être qu'on devrait emporter les pièces pour les montrer à Anna. Elle a un appareil numérique. J'adorerais en avoir une photo.

— Pas encore. Paul Berglund est censé arriver demain. Je ne peux rien faire avant d'avoir son avis.

— Tu as peut-être raison. Je ne voudrais pas que tu aies des ennuis avec ton directeur. Et ce ne serait pas mal d'entretenir un peu de mystère avant d'en révéler l'existence au public.

Evelyn mit les couteaux et la planche à découper à tremper dans l'évier.

— Allez, viens. Allons contempler ton trésor.

Le bureau se trouvait dans le séjour, le tiroir fermé par une petite clé de laiton que la maîtresse de céans tira de la poche de son jean. Hattie avait déposé les pièces dans une boîte de plastique transparent. Elles étaient petites et ternes. La boîte servait à les protéger des manipulations, mais la jeune femme mourait d'envie de les toucher.

— Tu te rends compte, tout ce temps dans le jardin de Mima, fit Evelyn. Depuis des centaines d'années.

La doctorante ferma les yeux un instant, résista à la tentation de soulever le couvercle et d'y mettre le nez pour humer l'odeur des monnaies.

—Je ne peux rien faire de plus avant l'arrivée de Paul, déclara-t-elle, puis elle replaça la boîte dans le tiroir, sur la chemise contenant le dossier de l'Amenity Trust et un carnet de chèques.

—Il va me falloir un nouveau cosignataire pour les chèques concernant les fouilles, dit Evelyn. Jusque-là, c'était Mima. Si le projet prend de l'ampleur, il serait logique que ce soit toi.

Hattie se demanda comment elle pouvait parler aussi froidement de la mort de la vieille dame. Elle-même se sentait toujours anéantie chaque fois qu'elle y pensait. Quelle sensation cela faisait-il de se savoir mourir ? D'être étendue dans l'herbe sous la pluie sans pouvoir espérer ni secours ni tendresse ? Mais peut-être une fermière qui avait participé à l'abattage des animaux savait-elle accepter le trépas. Peut-être cela faisait-il partie de ses acquis.

Plus tard, après avoir passé un moment sur le site du British Museum, les deux femmes descendirent jusqu'au pavillon des Clouston. Evelyn avait insisté et Hattie n'avait pas su comment refuser sans paraître grossière ou hautaine. Anna se trouvait dans son atelier, et non à l'ordinateur. Elle avait allumé la lumière et pendant un moment, les visiteuses restèrent devant la baie vitrée à la regarder travailler. Elle n'avait pas remarqué leur présence. Aucune trace de Ronald.

L'observer ainsi depuis l'extérieur parut à Hattie la pire des intrusions. Le bébé reposait dans son couffin, sur une des grandes tables à tréteaux. Près de lui, du linge trempait dans une vieille bassine en fer-blanc. Anna préparait une toison pour le filage, elle la cardait d'un mouvement ample et puissant. La doctorante trouva le processus très compliqué ; elle comprenait la théorie, mais elle aurait été nulle pour la mettre en pratique. La laine était démêlée entre deux cardes – deux planches garnies de nombreuses pointes. Anna la fit passer à plusieurs reprises d'une planche à l'autre, puis elle la détacha des clous et la roula en un écheveau lâche, prêt pour le rouet.

Encore une femme douée, songea Hattie. Moi, je ne suis même pas capable de peler une carotte correctement.

Enfin la jeune maman les aperçut derrière la vitre et eut un mouvement de surprise. Elle leur jeta un regard sévère avant de leur faire signe d'entrer. Lorsqu'elle les accueillit à la porte de l'atelier, il y eut un instant de silence gêné. Hattie s'attendit presque à ce qu'elle les chasse.

— Vous êtes au courant, pour Ronald ? demanda Anna, à voix basse bien qu'elle soit seule avec son fils. La police a décidé de classer sans suite. Elle reconnaît la mort de Mima comme un accident.

— Il a de la veine, commenta Evelyn.

— Oh, je sais, et Ronald aussi. Il va pêcher avec Davy ce soir. Je lui ai dit que ça lui ferait du bien de s'échapper un moment.

Hattie trouvait l'atmosphère du pavillon presque insoutenable. *Je vais m'évanouir.*

— Au moins, on va pouvoir s'occuper des obsèques, dit Evelyn en précédant Anna dans l'atelier. La procureure a délivré le permis d'inhumer.

— Ronald aimerait y assister. Mais il n'est pas sûr de ce qu'en penserait Joseph.

— Joseph est quelqu'un de conciliant. Pas rancunier pour un sou.

— Merci, soupira l'Anglaise, puis elle posa la main sur l'épaule de son amie. J'espère que ça ne changera rien entre nous.

Evelyn marqua un temps d'arrêt avant de répondre :

— Bien sûr que non. Il n'y a aucune raison

Hattie la sentit soudain bouffie d'autosatisfaction, mais sans en comprendre la raison. Elle n'avait jamais très bien maîtrisé la communication non verbale. Quelquefois elle se sentait perdue comme une étrangère dans un pays inconnu dont elle ne saisissait qu'à moitié la langue. Je n'ai rien à faire ici, songea-t-elle. Elle dut se retenir de tourner les talons pour s'enfuir.

— Tu es au courant de la découverte faite à Setter ? reprit la Shetlandaise tout en s'asseyant à l'établi d'Anna.

Pas moyen de garder le secret, alors ! La doctorante en resta comme deux ronds de flan. Elle se dit qu'Evelyn s'était servie d'elle comme prétexte pour venir. Elle en chercha un à son tour afin de tirer sa révérence, mais ne trouva pas comment s'en sortir la tête haute.

— Raconte-moi tout !

La jeune maman s'appuya sur la table et cela fit ressortir la rondeur de son ventre, là où s'était trouvé le bébé. Hattie marmonna une explication sur la signification des pièces. James se mit à pleurer, une plainte geignarde, comme s'il avait mal. Sa mère le souleva, le berça contre sa poitrine. Tout à coup elle le tendit à la jeune femme d'un air de défi.

— Tu veux bien le prendre un peu, le temps que je range ça ? Il a la colique et si je le remets dans son couffin, il va brailler à n'en plus finir.

Un sourire pincé aux lèvres, elle ajouta :

— À vrai dire, il me rend folle depuis ce matin.

Avant d'avoir eu le temps de dire ouf, Hattie avait le petit dans les bras. Elle le tint avec circonspection, à quelque distance de son corps. Il paraissait si léger, si fragile. Un instant de panique la saisit à l'idée de le faire tomber. Dans son imagination, elle ouvrait délibérément les bras, il lui échappait et sa tête se fracassait au sol comme un des gros œufs blancs de Mima. Il y avait une mare de sang. La vision était si réelle qu'elle s'étonna de n'entendre aucun bruit, pas de pleurs ni de cris. Les deux insulaires discutaient de la prochaine assemblée du Forum sans s'occuper d'elle. Le bébé sentait très bon. Quand vint le moment de le rendre à sa mère, la jeune femme eut envie de protester pour le garder encore. Peut-être qu'après tout, ce n'était pas si horrible d'être maman...

Evelyn semblait avoir oublié son invitation à dîner, et Hattie s'en félicita. La perspective d'un nouveau repas à Utra, de se forcer à manger pour faire plaisir à son hôtesse, lui était insupportable. Sophie ne serait pas de retour avant plusieurs heures. Elle devait être sur l'*Artemis*, occupée à boire et à flirter avec les gars – ce que Whalsay offrirait jamais de plus ressemblant à sa vie sociale débridée de Londres. Dans quelle galère allait-elle encore se fourrer ?

Hattie se mit en route pour le Bod. La nuit commençait à tomber, mais il restait assez de lumière pour distinguer la couleur des pierres du muret et le brun de la tourbe sur les hauteurs. Elle repensa à Mima, se rappela leur conversation sur le banc, à Setter, la colère de la vieille dame et les mots qu'elle avait criés au téléphone.

19

Perez se réveilla de bonne heure. Il rêvait de Fran lorsque, se retournant, il fut pris de panique en sentant le lit vide à côté de lui. Les détails du rêve lui échappèrent sitôt qu'il ouvrit les yeux, mais il en conserva un sentiment de malaise, une prémonition de danger qu'il savait pourtant absurde. Il devait se défaire de cette idée que la vie loin des Shetland était pleine de risques. Il avait vu trop de parents réticents à accorder à leurs enfants la liberté de s'installer ailleurs. Dans une semaine, Fran et Cassie seraient de retour.

Cependant il ne parvint pas à se rendormir et se surprit à se repasser mentalement les événements entourant la mort de Mima. C'était insensé de s'obnubiler ainsi. Ronald avait tué la vieille femme par accident. Toute autre explication confinait au mélo invraisemblable. La procureure avait raison. Perez ne pensait pas vraiment que le séjour de Sandy à Whalsay apporterait de nouveaux éléments. Ils aboutiraient sans doute à la pire des issues : ne jamais comprendre ce qui s'était réellement passé. Jimmy devrait vivre avec, mais il savait qu'il aurait du mal à encaisser.

Il avait si souvent entendu son collègue parler de sa grand-mère qu'il avait l'impression de bien la connaître. En réalité, il ne l'avait rencontrée qu'une fois, lors de l'anniversaire de Sandy à Whalsay. Il se rappelait une femme minuscule, comme un petit oiseau, au rire étonnamment caverneux.

Elle avait bu autant que les hommes sans montrer le moindre signe d'ébriété, hormis le rouge aux joues. Et cela ne l'avait pas empêchée d'exécuter les pas de danse les plus complexes.

L'inspecteur se demanda ce qui aurait pu inciter qui-conque à l'agresser. Sa langue de vipère avait-elle exaspéré un de ses concitoyens au point qu'il en était venu à l'abattre dans un accès de fureur ? Ou bien s'agissait-il de quelque chose qu'elle savait ? qu'elle avait vu ? Mais après tout, peut-être sa mort n'était-elle réellement qu'un accident et Jimmy devait-il se résoudre à accepter cette banale explication. Pourquoi diable sa nature le poussait-elle toujours à douter de la ver-sion reconnue des faits ? Fran le disait trop bienveillant pour être flic, trop enclin à ne voir que le meilleur des gens, pour-tant c'était faux. Chacun était capable de violence, pensait-il, y compris de tuer une mamie inoffensive. Lui au même titre qu'un autre.

Il se leva, gagna la cuisine pour se préparer un café. À cette heure matinale, la chaudière ne s'était pas encore mise en route et il faisait froid dans toute la maison. Jimmy se repré-senta l'humidité suintant à travers les murs de pierre, en sen-tit presque l'odeur. Il ouvrit les rideaux et s'assit sur le rebord intérieur de la fenêtre, but son café en regardant le port. Sa décision prise, il se mit en route pour la gare maritime.

Paul Berglund fut l'un des derniers à quitter le ferry en provenance d'Aberdeen. S'il était sorti parmi les premiers, Perez l'aurait probablement raté. Certains passagers faisaient fi de la voix claire qui annonçait au haut-parleur l'arrivée à Lerwick, s'attardaient dans leur cabine ou déjeunaient à la cafétéria du bateau avant de débarquer. Berglund apparut non-chalamment quelques instants à peine après l'inspecteur, au grand soulagement de celui-ci – qu'aurait-il fait, s'il ne l'avait pas vu ? Patienté dans le vaste hall jusqu'à ce qu'émergent les derniers retardataires ? Comment aurait-il justifié cette attente ?

Avec ses cheveux ras et son air de savoir se défendre en cas de bagarre, Berglund aurait pu passer pour un bidasse ren-trant en permission. Du moins Perez le perçut-il ainsi. L'image était étrange et il se dit qu'il devait se garder de toute idée préconçue. Rien ne lui permettait de penser que l'archéologue soit un homme agressif. Vêtu d'un jean, d'une veste en Gore-Tex et chaussé de grosses baskets, il portait un petit sac à dos dont l'une des poches laissait entrevoir une truelle, l'autre un grand couteau dans son étui. Outils professionnels sans doute. L'inspecteur se demanda par quel prétexte il pourrait justifier sa présence. Être venu l'attendre ici paraissait excessif.

— Monsieur Berglund.

Dès qu'il eut prononcé ces mots, Jimmy s'aperçut qu'il avait fait erreur sur le titre. Berglund était professeur. Néanmoins, l'autre s'arrêta et se retourna lentement, intrigué mais pas vexé. Il ne reconnut pas immédiatement son interlocuteur et parut déconcerté. Un peu plus loin, une famille fêtait à grand bruit le retour d'un jeune homme, un étudiant. Ils étaient tous venus l'accueillir : les deux parents et deux enfants. Le fils prodigue semblait gêné par tant d'effusions, d'embrassades et de cris de joie.

— Désolé de vous importuner, poursuivit Perez. J'aurais aimé vous parler. Ce ne sera pas long. Ça m'évitera un trajet jusqu'à Whalsay.

À présent, Berglund le remettait.

— Bien sûr, vous êtes l'inspecteur !

Silence et froncement de sourcils.

— Qu'est-ce qui s'est passé, cette fois ?

Drôle de question. Jimmy brûlait de répondre : « Pourquoi, vous vous attendiez à quoi ? »

— Rien, je dois juste terminer mon rapport. Simple routine. Je suis sûr que vous comprenez. La procureure est convaincue que Mme Wilson a été tuée par accident, mais comme vous étiez sur place au moment des faits…

Il trouvait son explication fumeuse, pourtant l'archéologue haussa les épaules et opina du chef en signe d'assentiment.

Ils allèrent prendre le petit-déjeuner dans un minuscule café à l'atmosphère embuée à deux pas du port. Pains au lard et thé dans de lourdes tasses en porcelaine. Aucune oreille indiscrète. Berglund laissa glisser son épais manteau, découvrant un pull tricoté main, avec un motif que Jimmy ne reconnut pas.

— Ce n'est pas shetlandais, si ? lança-t-il.

Une banalité, car il ne savait pas très bien par où commencer. Si la question surprit le professeur, il n'en laissa rien paraître.

— Non. Ma grand-mère est une tricoteuse hors pair.

Entre le motif et le nom, Perez se dit que Berglund devait être d'origine scandinave.

Au début, l'archéologue sembla inquiet, presque fébrile. Peut-être n'était-ce qu'une réaction naturelle face à un interrogatoire de police. Il s'étendit à l'excès sur les fouilles de Setter et les pièces que les filles y avaient découvertes.

— Hattie doit être aux anges. C'est grâce à son obstination que le projet a vu le jour. Une jeune femme singulière. Obsessionnelle. Parfois elle m'inquiète. J'espère que cette trouvaille va lui enlever un peu de pression. Elle n'a plus à se justifier, maintenant.

Il faisait bon dans le café. Avec la buée sur les fenêtres, on n'y voyait rien à l'extérieur.

— Vous la connaissez depuis longtemps ? s'enquit Jimmy.

La question lui était venue comme ça. Naturellement, elle était sans intérêt pour l'enquête, mais peut-être lui permettrait-elle d'en préparer une meilleure pendant que Berglund y répondrait.

Celui-ci réfléchit un instant.

— Je dirige sa thèse depuis le début des fouilles.

Réponse élusive, mais l'inspecteur n'avait aucune raison d'insister. La vie privée du professeur ne le regardait pas.

— Comment vous entendiez-vous avec Jemima Wilson ? Je suppose que vous la connaissiez.

— Un vrai bonheur. Beaucoup de propriétaires terriens peuvent être de véritables plaies. Ils refusent qu'on vienne les importuner avec un champ de fouilles. Ou alors ils en espèrent un dédommagement. Mima était ravie que les filles soient là. Je crois qu'elle était heureuse d'avoir de la compagnie.

— Pourtant, elle avait sa famille tout près.

— Mais ce ne sont que des hommes.

L'archéologue commençait à se détendre. Il avait mangé la moitié de son pain au lard et presque fini son thé.

— Un fils et deux petits-fils, développa-t-il. C'est différent. Un jour, elle m'a dit qu'elle avait toujours voulu avoir des filles.

— C'est bizarre de confier ça à un quasi-inconnu.

— Un soir, je suis passé la voir avec une bouteille de whisky pour la remercier de sa gentillesse. On a bu quelques verres et on s'est mis à bavarder. Le courant passait de manière étonnante. Si j'avais eu trente ans de plus, je crois bien qu'elle m'aurait emballé. Ce devait être une sacrée séductrice dans sa jeunesse.

— Elle avait aussi une bru.

— Apparemment, ça ne remplace pas. J'ai eu le sentiment que Mima n'avait jamais vraiment aimé Evelyn. Peut-être que c'est le propre des relations mère-fils. Je suis fils unique et quelquefois, je me dis que ma mère garde une vague déception que j'aie pu avoir besoin d'une autre femme. Qu'elle aurait dû me suffire.

La mienne veut que je me marie, songea Perez. Elle veut un petit-fils pour perpétuer le nom de la famille. Que dira Fran en découvrant ça ? Ce genre de pression lui paraissait insupportable et il se demanda si cela expliquait sa réticence à lui demander sa main. Fran penserait-elle qu'il ne voulait l'épouser que pour maintenir un Perez aux Shetland ?

— Mima vous a expliqué ce qu'elle reprochait à Evelyn ?

— Elle empêche Joseph d'être lui-même. Je crois que c'était ça le fond.

Berglund avala les dernières gouttes de son thé.

— Tout ce qu'il demande, lui, c'est sa fermette et ses amis. Une bière ou quelques gorgeons le soir. Un bon bal une fois de temps en temps, avec un orchestre. Evelyn aurait voulu en faire quelqu'un d'important sur l'île.

— Elle-même a atteint une position influente, non ? J'ai cru comprendre qu'elle avait soutenu votre projet, et selon Sandy, elle a réussi à trouver des fonds pour organiser d'autres événements à Whalsay.

— Oh, je n'ai rien contre elle. Elle nous a beaucoup aidés.

— Mima vous a dit autre chose à son sujet ?

151

— Qu'est-ce que vous cherchez, inspecteur ? C'est commérages et compagnie, tout ça.

Mais l'archéologue lui décocha un large sourire et continua sans attendre de réponse :

— Elle pensait qu'Evelyn ruinait Joseph. « Mais enfin, pourquoi elle veut agrandir sa cuisine ? Qu'est-ce qui cloche avec celle-ci ? Elle va tous nous mettre sur la paille. » Vous voyez le genre.

— Quand est-ce que vous avez vu Mima pour la dernière fois ?

— L'après-midi précédant sa mort. En fin de journée. Les filles étaient déjà rentrées au Bod. Il faisait un tel temps de chien qu'elles avaient arrêté assez tôt. Je comptais repartir le lendemain par le premier ferry, alors je suis passé lui dire au revoir. Elle m'a offert un thé, nous a coupé une tranche du gâteau d'Evelyn à chacun, puis elle a sorti le whisky. « Pour nous réchauffer », je cite, alors qu'il faisait toujours très bon dans sa cuisine.

— Comment était-elle ?

Berglund lui jeta un regard dur.

— Qu'est-ce que ça peut bien faire, si sa mort était accidentelle ?

— Je dois écarter toutes les autres possibilités.

De nouveau, Perez trouva sa justification fumeuse.

— Elle n'était pas suicidaire, si c'est à ça que vous pensez. C'est complètement ridicule. Mima Wilson était la personne la plus débordante de vie que j'aie jamais connue. Elle aurait voulu rester parmi nous rien que par malice.

— Vous vous rappelez de quoi vous avez parlé ?

Le professeur fronça les sourcils.

— Des filles. Je vous l'ai dit, elle les considérait comme des membres de sa famille. Elle se montrait très protectrice envers Hattie. « Cette petite est trop absorbée par son travail. Ce qu'il lui faut, c'est un gentil petit gars pour penser à autre chose. Vous ne croyez pas, Paul ? Envoyez-lui donc des garçons pour participer aux fouilles. » Je lui ai expliqué que les temps avaient changé, que de nos jours, les jeunes femmes aspiraient autant à la réussite professionnelle que familiale.

Elle trouvait que Sophie avait un sacré caractère. Elle se revoyait en elle au même âge. Toujours prête à s'amuser.

— Rien d'autre ?

— Elle s'est remise à râler après Evelyn. J'avais déjà bu deux whiskies et avec la chaleur de la cuisine, j'avais du mal à ne pas piquer du nez. Elle a dit quelque chose du style : « Cette fois, elle a dépassé les bornes. Il va falloir que je m'en occupe. Que j'arrange ça pour être sûre que Joseph n'en souffre pas. »

— Vous savez de quoi elle parlait ?

— Pas vraiment. Je vous le répète, je n'étais pas franchement concentré sur la conversation. J'ai supposé qu'il s'agissait d'une histoire de politique locale. Je ne connais pas très bien Evelyn, mais elle m'a l'air de tisser des alliances puis de se brouiller avec les gens. Ça arrive aussi à la fac. Autant que possible, j'essaie d'éviter ce genre de situation.

Perez avait toujours du mal à voir Berglund comme un universitaire. Il s'exprimait de manière trop simple et il était trop musclé. Un professeur d'université, c'était maigrichon et ça employait des mots compliqués.

— La trouvaille de Hattie…

— Fantastique ! coupa l'archéologue avec enthousiasme. Pile ce qu'il lui fallait pour commencer sa carrière. Et tout à fait passionnant. Personne ne se doutait qu'il existait une maison aussi importante à Whalsay. Elle a l'air d'avoir un sixième sens pour l'archéologie civile. Je me demande encore comment elle a fait pour viser si juste.

Jimmy supposait que la mort de Mima quelques jours seulement avant la découverte des pièces était pure coïncidence. Il détestait les coïncidences, seulement il ne voyait pas comment les deux épisodes pouvaient être liés. Pas si les choses s'étaient passées dans cet ordre-là. Et puis, il y avait ce crâne. L'exhumation d'un corps datant du Moyen Âge aurait-elle pu déclencher ces événements dans le présent ? Bien sûr que non, mais il aurait bien voulu en savoir davantage.

— Hattie n'aurait pas pu trouver des pièces lors d'un précédent séjour ?

Perez avait gardé un ton hésitant. Il ne voulait surtout pas mettre en doute l'intégrité de la doctorante sans raison valable.

153

Mais si Mima ou n'importe qui d'autre sur l'île savait que le terrain de Setter recelait des objets de valeur, cela donnerait un tout autre éclairage à la disparition de la vieille dame. L'enchaînement paraissait plus logique dans cet ordre.

— Pourquoi est-ce qu'elle ne l'aurait dit à personne ? Hattie et Sophie bossent toujours ensemble sur le chantier. Il y a tout un bataillon de règles de sécurité qui interdisent le travail en solo. Et puis ce n'est pas une voleuse, inspecteur. Elle est passionnée par ses recherches. Elle n'irait jamais prélever des objets de la maison du marchand sans les enregistrer comme il se doit.

— Bien sûr. C'était une idée absurde.

En même temps, il se demandait si un tiers ne serait pas venu fouiner sur le site, n'aurait pas déniché d'autres objets de valeur. Il imagina la nuit brumeuse et pluvieuse de l'accident. Peut-être Mima avait-elle entendu un bruit depuis chez elle ou avait-elle rentré ses poules à une heure inhabituellement tardive. Bien sûr, si l'intrus était de Lindby, elle l'aurait reconnu, même à la faible lueur qui filtrait à l'arrière de la maison. Elle avait passé sa vie là-bas. Elle connaissait tout le monde. On avait incité les habitants de l'île à s'intéresser aux fouilles, mais la vieille dame ne devait pas compter voir quiconque sur ses terres une fois les étudiantes parties. Avait-elle provoqué le gêneur ? L'avait-elle effrayé au point de le pousser à l'irréparable ?

Il s'aperçut que Berglund le dévisageait. L'archéologue n'était pas du genre méditatif.

— C'est tout ? lança-t-il. Je peux aller à Whalsay, maintenant ? J'ai hâte de voir les pièces de mes propres yeux.

— Bien sûr.

Cependant, Perez restait perdu dans ses pensées. Hattie s'en serait-elle rendu compte, si on avait pénétré sur le chantier en son absence ? Et qu'est-ce que cet intrus aurait pu trouver avant elle ? Il se rappela leur conversation avec Sandy au Pier House, les questions de son collègue sur la valeur marchande des monnaies. D'autres personnes les croyaient peut-être assez précieuses pour mériter d'être volées. Il lui faudrait se renseigner sur l'éventuelle existence d'un marché noir pour ce type d'objets.

De retour à son bureau, il essaya de joindre Val Turner, l'archéologue de l'Amenity Trust. Elle devait savoir si les pièces présentaient le moindre intérêt pécuniaire. Elle pourrait lui expliquer les fouilles de Whalsay et, comme elle n'avait aucun lien avec la mort de Mima, Jimmy pourrait l'interroger plus librement que Paul Berglund. Mais elle était sortie et il dut se contenter de déposer un message sur son répondeur.

À peine avait-il raccroché que le téléphone sonna. Il s'attendait tant à tomber sur Val qu'il fut un instant désorienté par le timbre de petite fille de Hattie James.

— J'aimerais vous parler. C'est possible ?

— Bien sûr, je vous écoute.

— Non, non. Pas au téléphone.

— Vous comptez venir à Lerwick ces jours-ci ?

— Non, non, répéta-t-elle, déçue qu'il n'ait pas l'air de saisir. Je ne peux pas, mon directeur de thèse arrive aujourd'hui.

— Vous voudriez que je vienne vous voir à Whalsay ?

Enfin Jimmy comprenait ce qu'elle attendait de lui. L'idée de retourner à Whalsay le remplit d'une appréhension inattendue. Il aimait bien cette île, du moins ce qu'il en connaissait. Alors pourquoi cette réticence à y remettre les pieds ? Pourquoi cette bouffée d'angoisse claustrophobe, comme face à un emprisonnement imminent ? Peut-être était-ce dû au brouillard, à l'absence d'horizon reconnaissable. Ou encore aux relations familiales compliquées qui semblaient l'aspirer lui aussi, au point de lui faire perdre son objectivité. Il fut tenté de suggérer à son interlocutrice de s'adresser à son collègue, mais elle était à manipuler avec tact et même le nouveau Sandy, si perspicace, risquait de l'effrayer.

— Oh oui, s'il vous plaît ! lança-t-elle, avec un soulagement perceptible.

— C'est urgent ? Est-ce que ça peut attendre ce soir ? Je vous retrouve au Pier House à six heures ?

Elle marqua un temps d'arrêt.

— Non. Venez au Bod. Je me débrouillerai pour être seule.

20

Posté à la pointe nord de Whalsay, Sandy regardait s'approcher le petit bateau de pêche. Celui-ci n'avait rien à voir avec l'énorme chalutier pélagique des Clouston. Quand la *Cassandra* appareillait, c'était pour disparaître des semaines d'affilée dans l'Atlantique Nord. Les marins débarquaient leur cargaison au Danemark puis repartaient vers les lieux de pêche. Partout dans l'île, des histoires circulaient sur le prix auquel Andrew l'avait acheté, juste avant son attaque. Une fortune, disait-on. Mais dans le souvenir de Sandy, les Clouston avaient toujours eu de l'argent. Ce rafiot-ci appartenait à Davy Henderson, il venait de faire une courte sortie et rentrait déjà au port. C'était sympa de la part de Davy d'avoir emmené Ronald. Ça avait dû lui faire du bien de fuir Whalsay, ne serait-ce que quelques heures.

Le vent faisait voler les cheveux de Sandy dans ses yeux. Il avait roulé jusqu'à Skaw, à l'autre bout de l'île, parce qu'il avait besoin de s'éloigner un peu de sa mère. Tout près d'ici, en retrait à l'intérieur des terres, s'étendait le terrain de golf le plus septentrional des îles Britanniques, tout vert et impeccable malgré son exposition aux intempéries. Le jeune homme venait parfois y jouer avec son père, lequel se débrouillait plutôt pas mal, bien que ni l'un ni l'autre n'ait jamais pris le jeu très au sérieux. À présent, il regrettait que Davy ne l'ait pas invité à les accompagner en mer. Il n'avait guère le pied marin, mais il aurait volontiers supporté quelques heures d'inconfort pour échapper à sa famille et aux discussions sur les funérailles.

Bien sûr, il voulait des adieux de qualité pour sa grand-mère, mais Mima n'aurait pas souhaité tout ce tralala. Il lui aurait suffi de savoir ses amis réunis autour d'elle à l'église. Le lieu où elle s'était mariée. L'édifice se dressait à l'ouest de Whalsay, sur une langue de terre dénommée le Houb. Il était entouré de mer sur trois côtés et Mima disait toujours que ça lui rappelait son marin d'époux : là-bas, on était un peu comme sur un bateau. Elle aurait voulu que l'assistance s'en donne à cœur joie avec les chants liturgiques et fasse un peu la fête après. Elle se serait complètement fichue de tout le reste. Et voilà qu'Evelyn s'affolait pour préparer les chambres d'Olivia et de Michael et Amelia, prévoyait autant de nourriture que pour soutenir un mois de siège et se rongeait les sangs pour savoir qui inviter.

Sandy se repassa la scène du petit-déjeuner. Attablée à la cuisine, sa mère buvait sa seconde tasse de thé, entourée de listes : boissons, nourriture, personnes à informer. Joseph avait eu le bon sens de s'éclipser, il était déjà dehors à s'occuper des brebis.

« Tu crois que Paul Berglund voudrait venir ? avait-elle lancé comme ça, de but en blanc, avec une espèce d'hystérie mal maîtrisée.

— J'en sais rien. »

Sandy estimait qu'il y avait peu de chances. Pourquoi un type à la vie bien remplie aurait-il voulu assister aux obsèques d'une mamie qu'il connaissait à peine ?

« C'est un professeur d'université, avait insisté Evelyn.

— Quel rapport avec la choucroute ?

— Michael pourrait s'entendre avec lui.

— Michael s'entendra parfaitement avec Ronald et les gars. »

Mais était-ce bien vrai ? La dernière fois que son frère était revenu, on aurait dit qu'il n'était plus le même.

Sandy s'assit dans l'herbe et regarda le bateau approcher face à la brise de terre. C'était une de ces belles journées venteuses : un soleil resplendissant entrecoupé de soudaines bourrasques. Au moins, le brouillard s'était levé. Le policier aurait bien aimé que sa mère puisse souffler un peu. Détendue, elle était adorable. Il avait cru que, son mari revenu travailler à la maison et ses deux fils partis, elle pourrait enfin profiter de la vie, décompresser. Il ne savait pas quoi faire

157

pour l'y aider. Un jour qu'il confisquait du cannabis à des étudiants allemands en camping à Fetlar, il s'était demandé en passant si ce ne serait pas une solution. Pour qu'elle lâche un peu de lest. Des années plus tôt, il était allé rendre visite à Michael à la fac d'Édimbourg et quelqu'un avait confectionné des *space cakes*. Il pouffa à l'idée de glisser de l'herbe dans les pâtisseries d'Evelyn, se demanda ce qu'en penserait son frère. Autrefois, ça l'aurait faire rire aussi, mais aujourd'hui Sandy n'en était plus si sûr. Ce fameux soir où ils s'étaient assis par terre entre copains à la résidence étudiante, bougies allumées et musique en fond sonore, était sans doute la dernière fois où ils avaient vraiment parlé.

Peut-être devrait-il suggérer à sa mère de consulter. Il ne connaissait pas grand-chose aux problèmes féminins, mais cette anxiété, ces sautes d'humeur pouvaient être liées à l'âge. Est-ce qu'il n'y aurait pas un médicament à prendre ? Comme le cannabis, mais légal ? Il savait néanmoins qu'il n'aborderait jamais la question, d'une part parce que ça le mettrait trop mal à l'aise, d'autre part parce qu'il aurait peur de la réaction d'Evelyn. C'était lamentable, mais elle arrivait encore à le terroriser quand elle se mettait en colère.

La discussion du petit-déjeuner avait tout de même eu une conséquence positive : Sandy s'installerait à Setter quand Michael et Amelia arriveraient. Evelyn avait accepté dès qu'il en avait émis l'idée. Elle prétendait que c'était pour pouvoir loger la petite dans sa chambre, mais il savait pertinemment qu'en réalité elle craignait de le voir se couvrir de ridicule devant la femme distinguée de son frère. Il lui vint soudain à l'esprit qu'elle pourrait bien souhaiter voir déguerpir Joseph aussi, au cas où son goût pour la bière, ses manières de table et sa conversation limitée contrarieraient Amelia. Le jeune homme se prit à l'espérer. Son père et lui, ils seraient bien, là-bas, tous les deux.

Le bateau approchait, ballottant et roulant dans le ressac. Sandy décida de gagner Symbister pour attendre Ronald et Davy au Pier House. Malgré leur nuit en mer, ils auraient peut-être envie d'une pinte ou deux avant de filer se coucher. Certes, le policier était censé mener discrètement sa petite enquête sur la mort de Mima et ne voulait pas décevoir son patron, mais tout le monde avait droit à une pause.

Et puis si ça se trouvait, il apprendrait des choses en buvant un coup avec les garçons. C'était la méthode de Perez, après tout : écouter les gens parler en balançant une question de temps en temps, comme on jette un caillou dans une mare pour voir ce que font remonter les remous.

Sandy se trouvait au bar du Pier House avec toute la bande. Davy, mais aussi les gars des chalutiers pélagiques. C'était le milieu de l'après-midi à présent. Le jeune homme avait descendu deux pintes en attendant ses amis mais depuis, ces derniers l'avaient rattrapé, et maintenant ils étaient tous bien éméchés. Ils riaient et plaisantaient parce que Sophie était venue visiter l'*Artemis* la veille. L'un des marins plus âgés disait que ça portait malheur d'avoir une Anglaise à bord. Toutes sortes de superstitions couraient dans le monde de la pêche – mots interdits, rituels à observer –, mais celle-là, le policier ne la connaissait pas. Ronald n'était pas là. À la question de Sandy, Davy s'était contenté de répondre par un geste du pouce signifiant qu'Anna le faisait marcher au doigt et à l'œil.

— Ces jours-ci, on dirait qu'il passe tout son temps libre avec sa bêcheuse de femme. Il est aussi gaga qu'une gonzesse devant son mouflet. De toute manière, il dit qu'il boit plus.

Tous les hommes s'étaient regardés avant d'éclater de rire. Sandy s'était senti exclu. Comme s'ils s'esclaffaient d'une plaisanterie que lui ne comprenait pas. Parce qu'il vivait à Lerwick, il n'était plus vraiment d'ici.

— Ouais, enfin, si j'avais tué une femme, moi aussi j'arrêterais de boire, avait-il lancé, parfaitement conscient que son élocution n'était pas aussi claire qu'elle aurait dû l'être.

Un blanc s'était fait dans la conversation, puis quelqu'un avait braillé à Cedric de servir une nouvelle tournée et l'on avait changé de sujet.

Peu de temps après, Sandy avait décidé de s'en aller. Il se sentait mal d'être là à picoler alors que Perez le croyait en train de travailler. Il ne devrait pas se laisser déstabiliser comme ça par sa mère, toujours à râler jusqu'à lui communiquer son stress. Il ferait mieux de prendre exemple sur son père, laisser l'agitation d'Evelyn glisser sur lui sans l'atteindre.

Après la pénombre du bar, ce fut un choc d'émerger dans le grand soleil, de s'apercevoir qu'il faisait encore jour. Deux gamins remontaient la rue en courant, pleins de cris et de rires, lorsqu'une jolie jeune femme sortit d'une maison voisine de l'école pour les appeler à goûter. Le policier résolut de laisser sa voiture là où elle était et de rentrer à pied à Utra. En chemin, il s'arrêterait chez les Clouston pour prendre des nouvelles de Ronald.

Il crut d'abord que le pavillon était désert. Pas un bruit lorsqu'il poussa la porte. Puis il songea qu'Anna profitait peut-être de la sieste du bébé pour se reposer. Il ne voulut pas appeler, de peur de les réveiller, referma tout doucement derrière lui et commença à rebrousser chemin.

— Sandy !

C'était Anna, penchée à la fenêtre de l'atelier.

— Excuse-moi, je ne t'avais pas vu. J'étais en train de teindre de la laine. Entre donc !

Ronald lui avait parlé des projets de stages de tricot et de filage de sa femme. Le policier trouvait ça bizarre, qu'une Anglaise prétende enseigner les techniques traditionnelles shetlandaises. Il aurait compris que sa mère en soit contrariée, pourtant elle n'avait fait pratiquement aucun commentaire.

Il pénétra dans la grande pièce, déjà aménagée pour recevoir des stagiaires. À l'aide d'une paire de pincettes en bois toutes tachées, Anna pêcha dans une vieille cocotte un écheveau de laine dont la teinte était une espèce de vert fangeux. Sandy n'imaginait pas qu'on puisse vouloir porter une couleur pareille.

— Qu'est-ce que tu en penses ? demanda-t-elle. C'est une nouvelle recette. À base de lichen. C'est beau, hein ?

— Oui.

Il était surpris de la voir travailler si peu de temps après l'accouchement. Amelia était restée alitée pendant des semaines après la naissance d'Olivia, lui semblait-il. Evelyn était même descendue à Édimbourg pour lui donner un coup de main, faire la cuisine, le ménage et les courses.

— Ronald est là ? Je sais qu'il est sorti pêcher avec Davy, mais il rentré maintenant, non ?

— Oui, mais il a filé chez sa mère.

Sandy la sentit encore en colère. Il visualisa une casserole de soupe sur une cuisinière, proche du point d'ébullition. Voilà dans quel état devait se trouver Anna : près de déborder à tout instant. Ce ne devait pas être facile de vivre si près d'une belle-mère comme Jackie, avec à la maison un bébé dont les pleurs vous empêchaient de dormir toute la nuit.

— Elle a appelé pour dire qu'Andrew n'était pas très bien aujourd'hui. Mais il y a déjà un moment que Ronald est parti, il ne devrait plus tarder.

Après une pause, elle ajouta :

— Tu veux l'attendre ? Je te fais un thé ?

Le policier se demanda si Evelyn aurait été plus agréable et accommodante, si elle avait eu une petite entreprise comme celle d'Anna et qu'elle n'ait pas dû vivre par procuration à travers ses fils.

— Oui, répondit-il. Volontiers.

Il la suivit jusqu'à la cuisine, où elle emporta le bébé endormi dans son couffin. Elle parla des courriels que lui avaient envoyés certaines des dames intéressées par ses cours. Leur enthousiasme semblait avoir déteint sur elle. Sandy ne l'avait jamais vue si animée, si pleine d'entrain.

— Il y en a une de l'Idaho qui dit que depuis vingt ans qu'elle tricote des motifs shetlandais, elle n'avait jamais imaginé pouvoir un jour venir sur place.

La jeune femme servait le thé. Elle en détourna les yeux pour les poser sur lui.

— Ronald et toi, vous avez eu de la chance de grandir à Whalsay, tu sais.

Sandy se dit que c'était sans doute vrai. N'empêche que tout ce qu'il cherchait pour l'instant, c'était un prétexte pour rentrer à Lerwick.

Un mug dans chaque main, Anna proposa :

— On va le boire dehors ? Le soleil est encore chaud, à l'abri du vent.

Ils s'assirent sur un banc peint en blanc adossé à la maison. Le policier se sentit soudain mal à l'aise. Il ne s'était jamais retrouvé en tête à tête avec la femme de son cousin et ne savait pas quoi lui dire. Après les papotages de la cuisine, tout paraissait silencieux ; seuls résonnaient les bruits que Sandy ne remarquait plus d'ordinaire : les cris des moutons et des mouettes, le cliquetis d'un fil de fer remué par le vent sur la palissade.

— Comment va Ronald ?

La question avait dû paraître brutale car Anna eut l'air surprise, elle hésita avant de répondre.

— Il est soulagé que la police abandonne les poursuites, bien sûr, mais il est toujours choqué.

— C'est normal.

— Maintenant, avec un peu de chance, il y réfléchira à deux fois avant d'aller boire avec ses copains et de faire n'importe quoi. Il va peut-être prendre conscience de tout ce qu'il a à perdre.

À cet instant, Sandy eu l'impression que la jeune femme était presque contente que Mima soit morte, parce que ça avait remis Ronald dans le droit chemin. Elle aurait toujours ce moment d'égarement à brandir contre lui. « Rappelle-toi ce qui s'est passé la dernière fois que tu ne m'as pas écoutée. » Qu'est-ce qu'elles avaient donc, ces bonnes femmes, à toujours vouloir diriger leurs maris ?

Il posa son mug par terre.

— Peut-être que Ronald n'a pas tué Mima.

— Qu'est-ce que tu veux dire ?

Le policier comprit qu'il n'aurait pas dû ouvrir sa grande bouche. Qu'est-ce qu'il pouvait bien répondre, maintenant ? Pourtant, à l'instant où il avait prononcé ces mots, il avait songé que c'était sans doute vrai. Ronald n'était pas idiot. Il n'aurait jamais tiré sur Mima, même s'il faisait nuit noire et un brouillard à couper au couteau.

— Rien, fit-il. Rien d'officiel. Simplement, je ne crois pas que ça se soit passé comme tout le monde le pense. Il y a peut-être quelqu'un d'autre.

Anna le regarda, abasourdie. Il marmonna une excuse et déguerpit avant que sa fichue langue ne le trahisse à nouveau.

21

Perez ne dit pas à Sandy que Hattie l'avait appelé ni qu'ils s'étaient donné rendez-vous à Whalsay. Il espérait pouvoir la rassurer et repartir avant que quiconque ait eu vent de sa présence. Il supposait qu'elle voulait lui parler des fouilles. Au téléphone, il avait senti qu'elle avait quelque chose à avouer, quelque chose qui la gênait, la mettait mal dans sa peau. Probablement quelque irrégularité qu'elle préférait cacher à Paul Berglund et à l'université. Peut-être avait-elle bel et bien découvert d'autres objets à Setter auparavant, et avait-elle de bonnes raisons pour n'en rien dire à son directeur de thèse. Si ses inquiétudes étaient sans rapport avec la mort de Mima, Jimmy ne devrait pas avoir de mal à les apaiser.

Bien qu'il ait entrepris ce déplacement à contrecœur, le beau temps lui remonta le moral à son arrivée à Laxo. Le brouillard s'était levé, le vent frisait les vagues en petites crêtes blanches et même sur le ferry, il sentit la mer remuer sous ses pieds. Billy Watt était encore de service. Ils devisèrent au milieu des voitures. Billy s'était marié sur le tard et avait un petit garçon.

— C'est génial, tu sais. Y a rien de plus chouette au monde. Tu devrais essayer.

Je devrais, oui. Jimmy s'imagina tenant son propre bébé dans ses bras. *Est-ce que les hommes connaissent le désir d'enfant ? C'est ça, ce que ressentent les femmes ?* Il se raisonna : c'était la saison, rien de plus. Le printemps. Tous ces petits agneaux sur la colline. Il ferait mieux de se concentrer sur son enquête.

— Je dois retrouver une des étudiantes au Bod. Tu peux m'indiquer la route ?

Lorsqu'il descendit du ferry à Symbister, il savait exactement où aller et n'eut pas à demander son chemin. Il se gara sur le bas-côté, longea à pied deux maisons vides et atteignit le refuge. Là, il regarda sa montre. Six heures moins cinq. Parfait : il détestait être en retard. Bon nombre de Shetlandais de sa connaissance ne se souciaient guère de ponctualité, et ça l'énervait toujours.

L'inspecteur pensait trouver Hattie en train de l'attendre. Au téléphone, sa voix était teintée d'urgence. Elle avait dit que rien ne pressait, mais il l'avait sentie sur des charbons ardents. Pourtant, lorsqu'il frappa à la porte, personne ne répondit. Dix minutes plus tard, il commença à s'inquiéter. Il jeta un coup d'œil par la fenêtre. L'endroit était assez rudimentaire : un plancher brut, un réchaud de camping, une pile d'assiettes identiques, des couverts et des boîtes de conserve sur une étagère en bois. Du matériel de fouilles était également entreposé là : un théodolite, un appareil photo et son pied, des piquets de carroyage. Sur la table, une pile de feuilles de papier pelure rose, apparemment destinées à l'enregistrement des objets trouvés sur le chantier. Aucun signe de Hattie, aucune explication à son absence. Il franchit le seuil, au cas où elle lui aurait laissé un mot, et une fois à l'intérieur il ne put s'empêcher d'explorer les lieux. La cuisine donnait sur une chambre meublée de quatre lits superposés, deux de chaque côté. Ceux du bas étaient faits. L'un était net, le sac de couchage bien à plat, les vêtements pliés sur une chaise en plastique à son pied. L'autre, qu'il supposa être celui de Sophie, affichait un fouillis indescriptible.

— Où est-ce que vous vous croyez ?

Perez se retourna en sursaut, gêné. Il faisait sombre et il ne distinguait qu'une silhouette dans l'encadrement de la porte.

— Je cherchais Hattie.

— Dans notre chambre ?

Campée dans une posture accusatrice, Sophie l'empêchait de sortir.

— Excusez-moi. Je ne savais pas. On s'était donné rendez-vous ici. Je me suis dit qu'elle m'aurait peut-être laissé un mot.

La jeune femme garda le silence, cependant sa seule attitude suffisait à révéler ce qu'elle pensait. *Ouais, c'est ça !*

L'inspecteur s'approcha et la vit enfin nettement.

— Écoutez, je vous demande pardon. Hattie et moi, on a
dû mal se comprendre. Dites-moi simplement où je peux la
trouver et je vous laisse tranquille.

Sophie ne bougea pas d'un pouce. Elle était presque aussi
grande que lui. Sous sa veste en jean, son débardeur moulait
un ventre plat et ferme. Elle affichait une grâce que Perez
associait aux actrices et aux mannequins. Il se demanda comment Hattie et elle s'entendaient en dehors des fouilles, ce
qu'elles pouvaient bien avoir à se raconter.

— Qu'est-ce que vous lui voulez ?

Malgré le ton amusé, il ne faisait aucun doute qu'elle attendait une réponse.

— Je pense que c'est entre elle et moi.

— Je ne l'ai pas vue depuis ce midi.

Enfin, l'étudiante s'écarta pour le laisser passer et ils sortirent tous deux dans le soleil.

— Où ça ?

Jimmy crut qu'elle allait lui demander de quel droit il se
permettait de l'interroger, mais après une hésitation elle
répondit.

— À Utra. Evelyn nous a invitées à déjeuner. Paul était là
aussi. C'était la première fois qu'il voyait les pièces de Setter.
Après, il a voulu s'entretenir de sa thèse avec Hattie. J'imagine qu'ils devaient se mettre d'accord sur la suite des événements, établir l'objectif de la prochaine étape de fouilles.

— Sans vous ?

— Je ne suis que la main-d'œuvre.

Jimmy ne parvint pas à savoir ce qu'elle en pensait, si ce
statut lui pesait.

— Où est-ce qu'ils ont discuté de tout ça ?

— Je ne sais pas. Je les ai laissés à Utra.

— Et vous, qu'est-ce que vous avez fait cet après-midi ?

— Je suis retournée au chantier, j'ai bossé pendant une
heure. Je pensais que Hattie me rejoindrait là-bas.

— Mais elle n'est pas venue ?

165

— Non. J'ai supposé que Paul l'avait emmenée fêter ça au Pier House autour d'un verre. Je me suis dit : « Qu'ils aillent se faire foutre », j'ai remballé de bonne heure et je suis passée voir des copains pêcheurs.

La jeune femme paraissait à cran et un peu désorientée. Perez eut envie de lui demander chez qui elle était allée, mais ça ne le regardait sans doute pas.

— Je ne vois pas Hattie prendre plaisir à traîner au bar tout l'après-midi, reprit-il, en espérant dissimuler la question sous un ton volontairement badin.

La veille, au Pier House, il avait trouvé la doctorante agitée, nerveuse, même après quelques verres.

— Non, pas du tout son genre. Elle ne sait pas s'amuser. C'est plutôt moi qu'il aurait dû inviter.

Malgré son large sourire, Jimmy la sentit amère.

— Mais bon, c'est son directeur de thèse. Son chef. Elle aurait jamais le cran de lui dire que c'est pas son truc.

— Oui, d'autant qu'il m'a l'air habitué à obtenir ce qu'il veut.

S'il avait espéré encourager ainsi l'étudiante à lui donner son avis sur Berglund, il fut déçu. Elle haussa les épaules et déclara qu'elle avait eu une dure journée. Tout ce qu'elle voulait maintenant, c'était s'asseoir au soleil avec une bonne tasse de thé. Ou peut-être une cannette de bière.

— Donc, vous ne savez pas où je peux trouver Hattie ?

— Désolée, pas la moindre idée. Et ce n'est même pas la peine que je vous donne son numéro de portable, ça ne passe nulle part ici.

— Si elle revient, dites-lui que je la cherche.

— Bien sûr. Pas de problème.

Mais Jimmy la considérait comme une faiseuse d'embrouilles, il n'était pas sûr de pouvoir lui faire confiance.

Il trouva Berglund seul au bar du Pier House. Un café posé sur la table devant lui, le professeur griffonnait des notes sur un bloc A4. Perez vit qu'il avait une graphie longue et grêle, presque illisible. La salle était déserte, à part lui et Cedric Irvine occupé à lire le *Shetland Times* derrière le comptoir.

— Qu'est-ce que je vous apporte ?

Le patron le reconnut pour l'avoir vu la veille et lui fit un sourire de connivence. Jimmy se dit qu'il devait en savoir autant que tout un chacun sur ce qui s'était passé ici. Il se demanda si Sandy avait pensé à lui poser des questions sur Mima.

— Un café, répondit-il. Noir, bien serré.

Cedric hocha la tête et disparut. Berglund fit signe à Perez de la main.

— Je croyais que vous ne deviez pas venir à Whalsay aujourd'hui.

— Il y a eu un imprévu.

Il s'assit en face de lui.

— Alors, les monnaies de Setter ont tenu leurs promesses ?

— Absolument. En plus, elles sont en parfait état.

— Je cherche Hattie.

Berglund arqua les sourcils.

— Qu'est-ce que vous lui voulez ?

— Juste bavarder, répondit l'inspecteur avec un sourire. Encore quelques points à vérifier.

— Je suppose qu'elle est au Bod.

— J'en viens. Sophie m'a dit qu'elle était avec vous.

Cette situation devenait ridicule. Jimmy n'avait aucune envie de jouer à cache-cache à travers l'île avec une névrosée. Il avait mieux à faire.

— On a eu une courte discussion en début d'après-midi sur les nouveaux objectifs de son projet, mais je ne l'ai pas vue depuis au moins deux heures.

Cedric apporta le café. Perez attendit qu'il se soit de nouveau absorbé dans son journal avant de poursuivre.

— Vous n'avez pas amené Hattie ici ?

L'archéologue grimaça.

— Grands dieux, non ! Tout à l'heure, la salle était bondée de pêcheurs. Ils faisaient un chahut de tous les diables, et même au mieux de sa forme, Hattie est une petite fleur sensible. On est allés se promener sur la plage en dessous d'Utra. C'est un coin abrité, très agréable.

— Elle vous a dit où elle allait, quand vous vous êtes séparés ?

— Elle voulait marcher encore un peu, histoire de rassembler ses idées, d'organiser dans sa tête la suite des fouilles. Je pensais qu'elle retournerait à Setter ensuite. Sophie y était déjà repartie. Moi, je suis venu ici. Comme je vous l'ai dit, la salle était plutôt agitée. Je suis monté passer quelques coups de fil dans ma chambre. Il faut qu'on fasse authentifier les monnaies, mais j'ai aussi d'autres travaux en cours à la fac.

Perez but quelques gorgées de café. Hattie avait dû regretter son appel au commissariat sitôt qu'elle avait raccroché et à présent elle le fuyait, trop honteuse pour le rencontrer. Les gens réagissaient souvent de manière irrationnelle avec la police. Le plus judicieux serait de rentrer à Lerwick. Cependant, Jimmy entendait encore les inflexions désespérées de la jeune femme au téléphone. Même si elle ne voulait plus se confier à lui, peut-être parviendrait-il à la convaincre qu'elle avait besoin de parler à quelqu'un. Fran comprendrait s'il n'appelait pas Cassie ce soir. Il quitta le Pier House sans évoquer ses intentions avec Berglund.

L'inspecteur longea le loch en direction de Setter. Il resta un moment debout à contempler le paysage et soudain, un plongeon catmarin apparut. Le premier qu'il voyait ce printemps. Sans doute resterait-il nicher ici même. L'oiseau poussa un cri. Un jour, Fran avait dit que ce son lui évoquait un enfant perdu hurlant à l'aide. Il s'était moqué d'elle alors, pourtant aujourd'hui, il comprenait. Les anciens appelaient le plongeon « oie de pluie » et, selon la croyance, son arrivée était signe de tempête ou de malheur.

Setter affichait le même fouillis négligé que lors de sa première visite. Le tas de ferraille rouillait toujours à côté de la maison, les orties et les poules ébouriffées n'avaient pas bougé. Le méchant chat se prélassait au soleil sur le toit de l'étable. Perez se demanda ce que son père aurait pensé de Mima Wilson. Lui qui mettait un point d'honneur à maintenir sa propriété de Fair Isle impeccable, il aurait réprouvé ses mœurs excentriques et son penchant pour la bouteille. L'inspecteur frappa à la porte. Il lui sembla entendre un bruit à l'intérieur, mais lorsqu'il essaya d'ouvrir, le verrou était mis. Il regarda par la fenêtre de la cuisine. Joseph Wilson était assis dans l'unique fauteuil. La tête entre les mains, il pleurait. Jimmy ne pouvait décemment pas troubler son chagrin. Il jeta un rapide coup d'œil sur le champ de fouilles pour vérifier que Hattie ne s'y trouvait pas, puis s'éclipsa.

22

Perez rata le dernier ferry au départ de Whalsay et se retrouva à prendre une chambre au Pier House Hotel. Lui qui pensait faire un saut de puce et être de retour chez lui pour dîner, il se sentit coincé sur l'île. Naufragé. Cependant, il savait qu'il n'aurait pas beaucoup dormi s'il avait regagné Lerwick. Il voulait être présent si Hattie réapparaissait. Il avait passé presque toute la soirée chez Evelyn, tandis qu'elle appelait ses voisins les uns après les autres. Nul n'avait vu la jeune femme depuis que Paul Berglund l'avait quittée sur la plage. Si elle se trouvait toujours à Whalsay, ce n'était avec personne qui la connaissait auparavant.

Joseph arriva au moment où Jimmy s'en allait.

— Est-ce qu'on rameute quelques gars pour faire une battue sur la colline ? La petite a pu tomber, se casser une cheville.

L'inspecteur hésita. Il faisait nuit à présent. La dernière fois qu'on avait vu Hattie, elle était sur la plage. Pourquoi serait-elle allée s'égarer sur les hauteurs ? Finalement, ce fut Sandy qui répondit.

— On ferait peut-être mieux d'attendre demain matin, qu'il fasse jour. Rien ne nous dit qu'elle n'a pas quitté l'île, et elle détesterait qu'on fasse tout un foin autour d'elle.

Perez fit un détour par le Bod en rentrant d'Utra et fut surpris d'y trouver Sophie. Il ne la voyait pas du genre à passer une soirée entière toute seule chez elle. Étendue sur sa paillasse, elle lisait, une cannette de bière à la main. Elle ne bougea pas quand il frappa, se contenta de lui crier d'entrer. Maintenant que le soleil était couché, il faisait froid dans le refuge de pierre, pourtant la jeune femme n'avait pas l'air de s'en rendre compte. Par terre à côté du lit, son sac à dos débordait de vêtements pêle-mêle.

— Toujours pas de nouvelles ?

À présent oui, elle paraissait presque inquiète. Au moins leva-t-elle les yeux de son livre.

— Ça ne lui ressemble pas. D'habitude, elle ne fait rien en dehors de son boulot, ajouta-t-elle.

— Je me demandais si vous aviez le numéro de sa mère.

— Non. Je crois qu'elles n'ont pas beaucoup de contacts.

Sophie posa son roman et se tourna face à lui, allongée sur le flanc.

— Mme James est dans la politique, elle se soucie plus de son travail que de sa fille. Ce n'est pas Hattie qui me l'a dit, c'est l'impression que j'ai eue.

— Et son père ?

Sophie haussa les épaules.

— Elle n'en parle jamais. Mais en même temps, on ne fait pas dans les grandes discussions intimes sur nos familles.

— Comment va Hattie ces derniers temps ?

— Ben, elle a toujours été un peu spéciale. Enfin, sérieuse, quoi. D'habitude, sur les champs de fouilles, on trime toute la journée et le soir, on fait la fête. Je crois qu'elle, elle bosserait toute la nuit si elle pouvait. Et elle a vraiment un problème avec la bouffe. En général, les gens mangent comme quatre sur les chantiers – c'est super-physique, comme boulot. Elle, elle avale à peine de quoi nourrir un moineau. Cela dit, vers la fin de la saison dernière, ça allait un peu mieux. Peut-être que l'île lui faisait du bien, l'aidait à se détendre. Quand on est revenues cette année, elle paraissait d'humeur guillerette.

— Avec la découverte des pièces, elle a bien dû se dire qu'elle n'était pas obligée de se mettre une telle pression.

— On aurait pu penser ça, oui. Mais depuis la mort de Mima elle est redevenue super-bizarre. Renfermée. J'en ai marre de ses sautes d'humeur. Et je suis pas sûre que l'archéologie soit ma tasse de thé, finalement. J'espère persuader mes parents d'investir dans une petite affaire pour moi. J'ai une copine d'enfance qui ouvre un bar à Richmond, elle cherche une associée. C'est nettement plus mon truc. Une fille, faut que ça s'éclate. J'ai prévenu Paul ce midi que je laissais tomber.

— Hattie était au courant ?

— En fait, je lui ai pas dit. Je voulais pas qu'elle se remette à bouder dans son coin. Je comptais sur Paul pour lui en parler quand il l'a prise à part après le déjeuner.

Elle désigna du doigt son sac à dos plein à craquer.

— J'ai commencé à faire mes bagages. Maintenant que c'est décidé, je veux m'en aller le plus vite possible.

La nouvelle de la démission de Sophie avait-elle pu suffire à faire craquer Hattie, au point de se cacher ou de s'enfuir ? Peut-être. Elle aurait pu le vivre comme un rejet. Mais ce n'était pas cela qui l'avait poussée à téléphoner à Jimmy. Le coup de fil datait d'avant son entretien avec Berglund.

Lorsque Perez arriva à l'hôtel, le professeur était toujours au bar, toujours au travail. Il buvait maintenant un whisky, verre dans une main et stylo dans l'autre.

L'inspecteur s'installa dans un fauteuil en face de lui.

— Sophie me dit qu'elle vous a donné son congé.

— Oui, c'est casse-pieds. Je me demande qui on va bien pouvoir trouver pour la remplacer au débotté.

— Hattie l'a pris comment ?

— Elle avait l'air contente. Elle m'a dit qu'elle aimerait autant travailler seule. J'ai comme l'impression qu'elles ne se sont pas très bien entendues cette saison. Mais je ne suis pas sûr que ça passe auprès de notre responsable santé et sécurité, surtout maintenant qu'il n'y a plus personne à Setter.

— Vous n'avez pas pensé à m'en informer, tout à l'heure, quand je cherchais Hattie ?

— Ça ne m'a pas paru important. Et puis j'espère encore convaincre Sophie de changer d'avis. Vous n'avez toujours pas trouvé Hattie ?

La question ne lui était venue qu'à l'instant. Il paraissait curieux, mais pas vraiment inquiet. Suis-je donc le seul à me faire du mouron pour cette gamine ? songea Jimmy. Même Sandy avait trouvé qu'il dramatisait. Cela dit, le jeune homme avait ses propres préoccupations en ce moment : un père affligé et des obsèques à préparer.

— Non. Je pensais contacter sa famille au cas où elle aurait quitté l'île. Je ne veux pas sonner le branle-bas général si elle n'est plus ici. Vous avez un numéro de téléphone ?

Il s'attendait à ce que Berglund oppose une certaine résistance, mais peut-être la perspective d'une battue en règle et de la mauvaise publicité que cela ferait à l'université le rendit-elle coopératif.

— Je dois avoir ça quelque part dans mon ordinateur. Quelques minutes et je vous l'apporte.

Perez appela Gwen James depuis sa chambre. Elle répondit immédiatement.

— Allô ?

Une voix grave, pleine et agréable à l'oreille. Jimmy s'imagina une femme brune, à la poitrine généreuse, modulant du jazz dans la lumière tamisée d'un club. Ridicule. À tous les coups elle était blonde, maigre, et elle chantait faux.

Il se présenta ; se prit à bredouiller en essayant de s'expliquer, de trouver le ton juste.

— Il n'y a pas de quoi s'inquiéter pour l'instant, mais je me demandais si vous aviez des nouvelles de votre fille.

— Elle m'a appelée cet après-midi.

Un instant, il se sentit soulagé.

— Est-ce qu'elle vous a dit si elle comptait quitter Whalsay ?

— Non. J'étais en réunion et mon téléphone était coupé. Elle a juste laissé un message, disant qu'elle voulait me parler et qu'elle rappellerait plus tard. Bien sûr, j'ai essayé de la joindre dès que j'ai été libérée, mais son portable ne passait pas. Ça arrive souvent qu'elle n'ait pas de réseau, là-bas. Elle a peut-être emprunté l'appareil de quelqu'un ou appelé d'une cabine publique.

Il y eut un silence.

— Je ne peux pas m'empêcher de me faire du souci pour elle, inspecteur. Elle a déjà eu des problèmes d'ordre psychiatrique. Elle réagit très mal face au stress. Je pensais que Whalsay serait l'endroit idéal. Sans danger, reposant. Et en effet, elle paraissait enchantée l'an dernier. Mais sur son message, elle avait l'air en crise, paniquée.

On aurait dit que Mme James en voulait aux Shetland, comme si l'archipel avait trahi sa confiance.

— Est-ce qu'elle est du genre à s'isoler quand elle n'est pas bien ?

— Peut-être. Oui, vous devez avoir raison. Elle a toujours préféré être seule, toute petite déjà. La foule lui donnait des crises de nerfs.

Elle s'interrompit, ajouta rapidement :

— Je ne vais pas pouvoir venir. Pas tout de suite. Je dois siéger à la Chambre demain et je ne vois pas comment j'expliquerais mon absence. La dernière chose dont Hattie ait besoin si elle fait une rechute, c'est bien d'être poursuivie par une horde de journalistes.

Elle semblait parfaitement rationnelle. Perez se rappela comment était Fran quand Cassie avait disparu : si désespérée qu'elle pouvait à peine parler. Il se demanda si Mme James croyait savoir où se cachait sa fille, si c'était pour cela qu'elle paraissait si calme.

— Hattie ne serait pas allée voir son père ?

— Je ne pense pas, inspecteur. Nous avons divorcé quand elle était encore bébé et il ne s'est jamais beaucoup intéressé à elle. Il est journaliste. Aux dernières nouvelles, il se trouvait au Soudan.

— Est-ce qu'elle aurait pu contacter quelqu'un d'autre si elle se sentait en détresse ? Une infirmière, un médecin ?

— Franchement, je ne crois pas. Mais il est toujours possible qu'elle ait téléphoné au service dans lequel elle a été internée. Je vais vérifier. S'ils ont eu de ses nouvelles, je vous rappelle.

Nouveau silence.

— Je peux compter sur votre discrétion, n'est-ce pas, inspecteur ?

Plus tard, Jimmy discuta avec Billy Watt, qui travaillait régulièrement sur le ferry. Le bar était maintenant fermé, Berglund avait regagné sa chambre sans se préoccuper du sort de sa thésarde. Billy était venu à la demande expresse de Perez. Il n'avait pas pu se libérer plus tôt, son fils n'arrivait pas à s'endormir. Ils burent un café dans la chambre de l'inspecteur.

— Il fait ses dents, expliqua-t-il avec un grand sourire. Pauvre petit bonhomme.

— Je crois qu'elle a pu prendre un des ferries de l'après-midi. Est-ce que tu l'as vue ? Petite, très brune. Tu l'aurais repérée, si tu l'avais fait embarquer ?

— Je ne la connais pas, mais on n'a pas beaucoup de passagers piétons. Je me la rappellerais, si je l'avais vue. Il n'y avait personne qui corresponde à son signalement sur mes trajets.

— Tu as commencé à quelle heure ?

— Seize heures. Il y avait deux ferries en service aujourd'hui, comme d'habitude. Ce n'est pas parce que je ne l'ai pas vue qu'elle n'est pas partie.

Perez se demandait ce qui avait pu effrayer la jeune femme au point de lui faire prendre la fuite. *J'aurais dû la persuader de me parler au téléphone. J'aurais dû tout laisser tomber et filer à Whalsay sur-le-champ. Elle avait deux heures à patienter entre le moment où elle a quitté Paul Berglund et notre rendez-vous. Qu'est-ce qui a bien pu se passer pour qu'elle ne puisse pas supporter deux heures d'attente ?*

— Je poserai la question aux autres membres de l'équipage, proposa Billy.

Il s'assit sur le rebord de la fenêtre et regarda les chalutiers au mouillage. Au large, une bouée clignotait.

— Ça peut attendre demain matin ? Je ne voudrais pas les déranger si ce n'est pas indispensable. Il y en a qui prennent le premier service aux aurores.

Elle est adulte, pensa Perez. Vingt-trois ans. C'est une jeune femme intelligente.

— C'est bon, oui, ça attendra demain.

Il pensait que Billy s'en irait, mais celui-ci s'attarda à siroter la dernière gorgée de son café instantané, préparé grâce à la bouilloire de la chambre, et quand Jimmy lui en offrit un autre, il accepta. L'inspecteur était content d'avoir de la compagnie. Au moins, cela lui permettait de garder un certain recul par rapport à la disparition de Hattie. Seule son imagination s'enflammerait.

— Tu sais ce que je ferais si je voulais quitter l'île incognito ? fit Billy en posant son mug par terre. Je me ferais emmener en voiture. Surtout sur le petit ferry, la plupart des gens ne descendent pas de leur véhicule. On ne remarque pas les passagers quand le conducteur paie son billet. On voit qu'il y a quelqu'un sur le siège, mais sans le regarder vraiment. Il y en a eu quelques-uns comme ça aujourd'hui.

— Qui aurait pu l'emmener ? lança Jimmy comme pour lui-même. Et où est-ce qu'elle serait allée, une fois à Laxo ?

— Tout dépend de l'heure. Quelquefois, le bus pour Lerwick correspond à l'arrivée du ferry.

Perez se dit qu'il avait peut-être bien vu l'autocar pendant qu'il montait de Lerwick. Leurs chemins se seraient-ils croisés ? Hattie était-elle assise là, recroquevillée sur son siège, à regarder par la fenêtre ? Si au matin elle n'avait pas reparu, il faudrait qu'il aille parler au chauffeur. Il se demanda si quelqu'un à Whalsay pourrait lui fournir une photo d'elle. Sophie ou Berglund devaient sûrement en avoir. Il préférait éviter de rappeler Gwen James. *Tout ça n'est qu'une réaction excessive de la part de Hattie. Elle est peut-être adulte, mais immature et à bout de nerfs. Elle est contrariée parce que Sophie n'en pouvait plus de travailler avec elle. Elle a réagi comme une gamine dans la cour de récréation, qui se cache la tête entre les mains en espérant que ses persécuteurs vont s'en aller.*

Il se sentit rassuré à l'idée qu'elle avait pu quitter l'île en voiture, qu'elle se trouvait en sécurité sur le ferry pour Aberdeen, partie retrouver sa mère dans le Sud. Sandy avait raison, il n'y avait pas de quoi s'affoler. Jimmy appellerait Joseph pour lui dire d'attendre qu'il ait parlé aux agents de la North-Link le lendemain matin avant de lancer les recherches.

Billy se leva pour partir.

— J'espère que le bébé dort encore !

Perez était tellement obnubilé par Hattie qu'il mit un moment avant de comprendre qu'il parlait de son fils.

23

Sandy se réveilla à l'aube par une matinée superbe. Soleil et très peu de vent. Pas un bruit dans la maison, même son père n'était pas encore debout. Il se leva en se disant qu'il y avait des années qu'il n'était pas tombé du lit si tôt, peut-être bien depuis qu'il était petiot – sauf quand on l'appelait pour une urgence au boulot. C'était ce mode de vie sain, songea-t-il. Ça ne lui valait rien. Ça déréglait son horloge interne. Il descendit se faire un café et alla le boire dehors. Par la porte ouverte, il entendit un bruit de chasse d'eau à l'étage. Il n'avait envie de parler à aucun de ses parents, posa son mug sur le perron et s'éloigna de la maison.

Sans l'avoir décidé, il se retrouva sur le chemin de Setter. Il avait la tête pleine de la disparition de Hattie. Perez avait probablement raison, elle avait simplement fugué. Il y avait des jours où Whalsay lui faisait cet effet, à lui. Des jours où il n'avait qu'une envie : tourner les talons pour ne jamais revenir. Et Hattie était si fragile, si nerveuse. Mignonne, avec ses grands yeux noirs. Il comprenait que certains hommes puissent la trouver attirante. Ceux qui voulaient une femme à protéger et à choyer. Mais la vie avec elle ne devait pas être simple, or Sandy n'aimait pas se compliquer l'existence.

Lorsqu'il arriva chez sa grand-mère, il fit sortir les poules avant d'entrer faire pipi et se préparer un autre café. Quelqu'un avait laissé des traces de son passage : une bouteille de Grouse à moitié vide et un verre sale, un cendrier plein de mégots. Son père, sans doute. Le jeune homme savait qu'il venait à Setter pour échapper à Evelyn et se recueillir en paix. La cuisine présentait un aspect sordide qui le chagrina.

Il détestait imaginer Joseph assis tout seul ici à fumer, boire et pleurer.

Dehors, le soleil était encore bas. Il miroitait sur la mer, ligne argentée à l'horizon revenant en écho sur le loch au bout du champ. Un lilas tout tordu, courbé par le vent, commençait à fleurir non loin de la bicoque. Dans le ciel au-dessus de l'eau, quelques mouettes éparses faisaient un raffut de tous les diables, taches très blanches dans le matin clair. Le policier se rappela les mots d'Anna : « Ronald et toi, vous avez eu de la chance de grandir à Whalsay. » Un jour comme celui-ci, en effet, l'île était presque parfaite.

Son café à la main, il se dirigea vers le champ de fouilles ; s'arrêta, comme il le ferait toujours désormais, à l'endroit où il avait découvert le corps de sa grand-mère. Est-ce que ce serait si terrible de laisser tomber son boulot et Lerwick pour reprendre Setter ? Il savait s'y prendre avec les animaux et ça ferait une telle joie à son père ! En vendant son appartement, il pourrait apporter quelques fonds à l'exploitation, tenter le coup en y mettant toute son énergie. Mais tout en formulant cette pensée, il savait que c'était impossible. Il finirait par détester sa famille et l'île avec. Mieux valait rester comme il était, venir une fois de temps en temps en visite.

Il avait maintenant atteint la tranchée-école où sa mère avait trouvé le crâne. Il y jeta un œil. Qu'espérait-il ? De nouveaux ossements en train de pousser, un coude peut-être, recourbé à la façon d'un gros tubercule de pomme de terre ? Un rang d'orteils ? Naturellement il n'y avait rien, que la terre arasée par la truelle d'Evelyn.

Sandy poursuivit nonchalamment jusqu'à la tranchée plus profonde, correspondant à la maison médiévale, où les pièces d'argent étaient demeurées cachées pendant des siècles. Il savait qu'il faisait tout pour retarder son retour à Utra. Il ne se sentait pas capable d'affronter la bonne humeur stoïque de son père, l'inépuisable énergie de sa mère. Le jeune homme se rappela vaguement quelques documentaires télévisés. Et s'il trouvait un tas entier de pièces, des monnaies d'or et d'argent, et aussi des bijoux ? Il visualisa un monceau de rubis et d'émeraudes scintillant au soleil du matin. Ce serait considéré comme un trésor lui appartenant, non ? Est-ce que ça ne ferait pas assez d'argent pour permettre à ses parents de prendre des vacances, de ne plus avoir à trimer autant pour rester à la hauteur des Clouston et des autres familles de pêcheurs ? Il se ressaisit : voilà qu'à nouveau il s'inventait des contes de fées. Petit, on lui avait raconté des histoires de lutins qui amassaient des objets brillants et étincelants, mais ça n'arrivait jamais dans la vraie vie.

Pourtant, lorsqu'il se rapprocha du trou rectangulaire, l'espace d'un instant il crut voir se réaliser ces rêves d'enfant. En bas, un objet réfléchissait l'éclat du soleil, faible lueur qui pourrait révéler quelque trésor enfoui.

Il se pencha, fébrile malgré la conscience d'être ridicule, et découvrit Hattie James au fond de la tranchée. Étendue sur le dos, elle le regardait. Dans l'ombre, son visage était blanc comme le marbre. Elle était vêtue de noir et offrait l'image d'un négatif photographique un peu passé. Même le sang paraissait d'encre – et il y en avait beaucoup. Il avait giclé en imprimant des vagues sur la paroi verticale de l'excavation. Il tachait les mains de la jeune femme, ses manches, et aussi le gros couteau rustique avec lequel, semblait-il, elle s'était ouvert les veines. Les entailles n'étaient pas perpendiculaires aux poignets, mais profondes et tout en longueur, presque jusqu'au creux du coude. Le soleil se reflétait toujours sur la lame du couteau, funèbre pied de nez aux espoirs fantasmés du policier quelques minutes auparavant.

Sandy n'arrivait pas à détourner la tête, la forme et les traits de la gisante ondulaient devant ses yeux. Il sentit qu'il allait s'évanouir et se pencha en avant, se força à rester conscient. Il pivota, puis dut refaire volte-face pour vérifier qu'il ne s'agissait pas d'un horrible cauchemar. Impossible de contacter Perez sans en être absolument sûr. Ensuite, il regagna la maison pour appeler l'inspecteur sur son portable. Celui-ci répondit aussitôt, mais quand son collègue lui eut expliqué en bredouillant ce qu'il venait de découvrir, il se heurta à un silence absolu.

— Jimmy, tu es là ?

Le jeune homme sentit la panique l'envahir. Il ne pouvait pas assumer ça tout seul. Lorsque Perez finit par répondre, ce fut d'une voix si étrange que Sandy le reconnut à peine.

— Je suis passé à Setter hier soir. J'ai jeté un coup d'œil sur le chantier, mais pas dans les tranchées. J'aurais dû la trouver.

— Tu n'aurais rien pu faire.

— Je me suis convaincu qu'elle avait quitté l'île. J'aurais dû prendre davantage de précautions, mobiliser du monde pour organiser une vraie battue. Elle n'aurait pas dû avoir à passer la nuit là-bas toute seule.

— Elle devait déjà être morte à ce moment-là. Tu n'aurais rien pu faire, répéta Sandy.

C'était bizarre de devoir rassurer son patron. D'ordinaire, Perez savait comment réagir dans toutes les situations. Au bureau, c'était lui le calme. Jamais énervé, jamais émotif.

— Tu viens ? reprit le jeune homme. Ou bien il faut que j'appelle quelqu'un ?

— Fais venir un docteur pour confirmer le décès.

— Oh, elle est morte. J'en suis sûr.

— Quand même. Il faut un document officiel. Tu sais comment ça marche.

— Je vais appeler Brian Marshall. Il saura rester discret.

— Alors j'arrive.

Rien qu'à la façon dont l'inspecteur avait prononcé ces mots, Sandy sut qu'il se reprochait la mort de Hattie, qu'il ne se la pardonnerait jamais. Il aurait aimé épargner à son patron le visage blafard dans la pénombre de la tranchée, les entailles profondes dans la chair blanche des bras, le sang comme du goudron. Il aurait voulu protéger Jimmy de cette vision.

En attendant l'arrivée du médecin, ils se tenaient au bord du trou que Sandy considérait à présent comme la tombe de Hattie. Perez s'était ressaisi, de nouveau très professionnel.

— Je reconnais le couteau, dit-il.

— Il était à elle ?

C'était ce que Sandy avait supposé. Assurément, si on a l'intention de se suicider, on le fait au moyen d'un outil personnel. On ne va pas impliquer un tiers en utilisant son couteau.

— Non, il est à Berglund.

— Il a dû l'oublier sur le chantier. Les filles remisent tout leur matériel dans la cabane pour la nuit.

— Pour l'instant, on traite le décès comme suspect. Personne n'approche. Et je veux un relevé des empreintes du couteau.

— Mais elle s'est suicidée.

Pour le jeune homme, c'était une évidence : la position étudiée, les poignets ouverts. On avait affaire à une demoiselle à bout de nerfs, à l'imagination débordante et au goût prononcé de la mise en scène.

— On traite ce cas comme une mort suspecte.

Cette fois, la voix de Perez était forte et ferme. Sandy se dit que c'était la culpabilité qui le rongeait. Hattie l'avait appelé à l'aide et à présent, l'inspecteur avait l'impression de lui avoir failli. Il ne voyait pas quoi dire pour le réconforter.

Jimmy leva les yeux vers lui.

— Comment elle a su, pour se taillader comme ça ? La plupart des suicidaires ratent leur coup parce qu'ils essaient de se trancher les poignets à la perpendiculaire.

— J'en sais rien, fit Sandy, presque à bout de patience. C'était une fille brillante. Elle se sera renseignée. Il y a sûrement des trucs sur Internet.

Perez garda le silence, se détourna de la tranchée.

— Ton père était là hier soir. À Setter. C'est une des raisons pour lesquelles je ne me suis pas attardé dans le coin. Il avait l'air bouleversé.

Le jeune homme ne répondit pas. Joseph ne ferait jamais de mal à quiconque ; son patron s'en voulait tellement qu'il cherchait quelqu'un sur qui rejeter la faute.

24

Mme Laing portait une veste en daim souple et un pull en cachemire vert pâle. Elle avait enfilé des bottes de caoutchouc avant de rejoindre le site des fouilles, non sans plier soigneusement le bas de son pantalon à l'intérieur afin qu'il ne soit pas tout froissé lorsqu'elle se déchausserait. Tous trois regardaient la jeune femme étendue au fond du trou. Perez se sentait un peu étourdi ; idées et images lui dansaient dans la tête. Il faisait de gros efforts pour maintenir les apparences devant la procureure. Il avait dû la saisir officiellement de cette nouvelle mort suspecte, toutefois il aurait préféré avoir plus de temps avant son arrivée. Il ne pensait pas qu'elle débarquerait par le premier ferry.

— On a un certificat signé par un médecin ? demanda-t-elle.

Un carnet à couverture cartonnée et un élégant stylo bille en argent à la main, elle prit des notes tout au long de la conversation.

— Oui, répondit aussitôt Sandy, désireux de gagner son estime. Brian Marshall est venu tout à l'heure.

— Est-ce qu'il a avancé une opinion sur la cause du décès ?

— Tout laisse penser à un suicide.

Sandy, encore.

— Mais il a précisé qu'il faudrait attendre l'autopsie pour pouvoir conclure avec certitude, intervint Jimmy.

Il avait presque l'impression de défendre Hattie. Cette mise en scène grotesque, si ostentatoire et vulgaire, ne lui ressemblait pas du tout.

— Je suppose qu'il n'a rien pu affirmer concernant l'heure du décès ?

— Rien de significatif, poursuivit l'inspecteur. On sait qu'elle a été vue pour la dernière fois vers seize heures. J'avais rendez-vous avec elle au Bod à dix-huit heures et elle n'est pas venue. Ça peut signifier qu'elle était déjà morte à ce moment-là, mais pas forcément. Sophie a travaillé ici jusqu'à seize heures trente environ, et elle affirme ne pas l'avoir aperçue.

— Et à seize heures, où se trouvait Mlle James ?

— Sur le sentier près de la plage.

Perez se sentait l'esprit un peu plus clair à présent. S'il arrivait à se concentrer uniquement sur les faits, peut-être parviendrait-il à aller au bout de cette entrevue sans faire l'imbécile.

— J'ai interrogé tous les habitants de Lindby hier soir. Anna Clouston l'a vue repartir vers le Bod. Auparavant, Hattie était allée se promener sur la plage avec son directeur de thèse. Il l'a félicitée pour l'importante découverte qu'elle venait de faire ici, mais l'a aussi informée de la démission de son assistante. Sophie trouvait leur collaboration difficile et de toute façon, elle a décidé de laisser tomber l'archéologie. J'ai l'impression qu'elle n'a pas besoin de travailler pour gagner sa vie et que cette activité n'était qu'une passade.

— Donc, l'hypothèse est que la jeune femme se serait tuée suite à un désaccord avec son directeur.

— Désaccord, je ne crois pas. Berglund l'a mise au courant de la démission de Sophie. Hattie avait l'air plutôt contente de continuer les fouilles toute seule.

— Quand même…

La procureure s'interrompit, leva les yeux un moment de son carnet.

— Vous dites qu'elle a eu des soucis d'ordre psychiatrique ?

— C'est ce que m'a rapporté sa mère hier soir au téléphone.

— Elle a pu ressentir la décision de son assistante comme une critique implicite, non ? Visiblement, Sophie répugnait à travailler avec elle. Ça a dû être douloureux pour une jeune femme sensible.

— Peut-être.

Perez espéra qu'au ton de sa voix elle saisirait son scepticisme à ce propos.

— Elle avait déjà fait d'autres tentatives de suicide ?

— Sa mère ne m'a pas donné ce genre de détail. En revanche, elle a évoqué un séjour en HP, et elle était manifestement inquiète.

Quoique pas au point de se déplacer jusqu'ici.

— Sophie et Berglund conviennent tous les deux que depuis le décès de Mima, Hattie était devenue plus solitaire et renfermée, continua Jimmy. Même sa découverte archéologique n'a pas eu l'air de lui remonter beaucoup le moral. Les pièces confirmaient sa théorie sur la fonction du bâtiment. Tout le monde s'attendait à ce qu'elle soit folle de joie. Et elle était emballée, en effet. Elle m'a parlé de ses ambitions pour l'avenir du projet. Pourtant elle gardait une mine soucieuse. Je crois que la mort de Mima Wilson l'avait profondément affectée.

— Ah, donc vous la connaissiez. La démission de sa collègue n'aurait pas pu être la goutte d'eau… ?

— Peu probable, selon moi. Elle m'a paru très indépendante. J'ai eu l'impression qu'elle préférait être seule. Et son directeur n'avait pas l'air de penser que la défection de Sophie l'ait beaucoup perturbée.

Mme Laing semblait avoir pris sa décision.

— Il faut qu'on parle à sa mère avant de s'engager là-dedans. Si la gamine avait déjà essayé de se suicider, hors de question d'ouvrir une enquête officielle pour homicide. Ça voudrait dire faire venir l'équipe d'Inverness.

Ce qui aurait des conséquences budgétaires, sans compter les répercussions sur le secteur touristique shetlandais. La procureure ne s'attirerait pas la sympathie des politiques si elle criait à l'assassinat et au final si le suicide était avéré. Or actuellement, elle tenait à rester en bons termes avec la classe dirigeante.

— Ce qui m'ennuie, c'est la coïncidence, reprit Perez. Deux morts violentes, l'une expliquée par un accident, l'autre par un suicide. J'ai du mal à avaler ça.

— Oui, moi aussi, ça m'a traversé l'esprit.

Aimablement sarcastique. *Je ne suis pas idiote, Jimmy.* Puis, durcissant le ton :

— Mais je refuse de me laisser entraîner dans une théorie du complot. C'était une jeune femme dépressive. Cette affaire ressemble typiquement à un suicide d'adolescente.

— Elle avait vingt-trois ans. Plus vraiment une adolescente.

Laing poursuivit comme si l'inspecteur n'avait rien dit :

— Oui, le suicide est la cause la plus probable et c'est comme ça qu'on va envisager les choses pour l'instant. La mère vient aux Shetland ?

Perez ne répondit pas immédiatement. Il se rappelait son coup de fil à Gwen James un peu plus tôt, le silence à l'autre bout de la ligne, finalement rompu par un unique sanglot.

— Pas tout de suite. Elle dit qu'elle ne s'en sent pas capable. Pas si tôt. J'ai le sentiment qu'elle ne supporte pas l'idée de s'effondrer en public et qu'elle va se terrer chez elle quelque temps.

Comment le savait-il ? Il n'en était pas sûr, pourtant il pensait ne pas se tromper.

La procureure fronça les sourcils.

— Il nous faut des précisions sur le passé médical de sa fille. Vous allez devoir lui parler, Jimmy.

De nouveau, Perez se rappela son appel. Il cita : « Je ne suis pas sûre de pouvoir en discuter par téléphone. »

Laing réfléchit quelques minutes. Sans doute soupesait-elle le coût d'un voyage dans le Sud contre la valeur d'un service personnalisé à l'égard d'une femme politique.

— Alors allez la voir à Londres. Prenez l'avion cet après-midi. Appelez-moi à votre retour.

Sandy s'agita, fit crisser le sable et les graviers sous ses pieds. Jimmy savait très bien ce qu'il pensait. *Emmène-moi.* Son collègue était-il jamais allé à la capitale ? Peut-être une fois, en voyage scolaire. Il se le représenta en train d'arpenter les rues, le nez levé vers les bâtiments qu'il ne connaissait que par le cinéma ou les journaux télévisés. Le jeune homme accrocha son regard. Son expression était parfaitement lisible. Implorante. Perez avait perçu la tension à Utra. Sandy

185

n'aspirait qu'à une chose : s'échapper, ne serait-ce qu'une journée. Mais absolument rien ne pouvait justifier qu'ils fassent le déplacement tous les deux.

L'inspecteur prit un risque, tout en sachant qu'il s'en mordrait probablement les doigts par la suite. Il le fit aussi bien pour montrer à Rhona Laing qu'il n'était pas prêt à se laisser dicter sa conduite que pour donner sa chance à Sandy.

— Sandy pourrait peut-être s'en charger. Ce serait une bonne expérience pour lui.

Fran séjournait à Londres. Si Jimmy s'y rendait lui-même, il pourrait passer la soirée avec elle. Seulement elle voudrait le présenter à ses amis. Il imaginait la situation. Un bar à vin à la mode, des discussions animées sur des sujets dont il ignorait tout et ne pensait rien. Il lui ferait honte. Alors il y avait aussi un peu de lâcheté dans sa décision.

La procureure leva les yeux au ciel.

— C'est une mission délicate. Mme James n'est pas n'importe qui.

Sandy n'était pas précisément connu pour son tact et sa discrétion. Ni pour son intelligence.

— Je pense qu'il est prêt. Je le brieferai avant son départ. Et moi, je tiens à rester ici.

Elle haussa les épaules.

— C'est vous qui décidez.

Le sens de ces mots ne laissait aucun doute : si Sandy se plantait, Perez porterait seul le chapeau.

Jimmy croisa de nouveau le regard de son collègue et cette fois, il y lut la terreur à l'état pur. Ce n'était pas du tout ce que le jeune homme avait en tête. Il s'était imaginé suivre son patron en balade, une nuit dans un hôtel londonien tous frais payés et un peu de tourisme, sans avoir à assumer l'entière responsabilité de l'entretien, sans encourir les foudres de Laing s'il ratait son coup.

— Allez, file faire ton sac. Je passerai à Utra quand j'en aurai terminé ici et on discutera de la meilleure façon de procéder.

Sandy détala sans demander son reste. Perez raccompagna la procureure jusqu'à sa voiture.

— Franchement, je vous ai connu plus sensé, fit-elle sèchement. Sans chaperon, je ne suis même pas sûre qu'il arrive jusqu'à Londres.

— Je crois que je l'ai sous-estimé jusqu'ici. Il a fait preuve d'une grande sensibilité sur cette affaire. Et puis Gwen James doit savoir louvoyer face à des interrogateurs avertis. Elle y est sans arrêt confrontée, à la Chambre et avec les journalistes. J'espère que la simplicité de Sandy lui fera baisser sa garde.

Laing le regarda comme si elle n'en croyait pas un mot, comme si lui-même était bon à interner, mais elle ne fit aucun commentaire.

Sans surprise, la nouvelle de la mort de Hattie s'était répandue dans l'île. Une grappe de badauds s'était amassée dans l'allée, davantage attirés par le spectacle que par une quelconque affection envers la défunte. Celle-ci n'était qu'une des filles qui bossaient aux fouilles, rien de plus. Même Evelyn ne voyait en elle qu'un élément du projet. Mima était probablement la seule à Whalsay qui ait réellement connu la jeune femme.

Quand la voiture de la procureure s'éloigna, les curieux commencèrent à se disperser et Jimmy aperçut Sophie un peu à l'écart.

— Je suis navré, lui dit-il.

La jeune femme avait pleuré. Elle n'était pas du genre à avoir la larme facile et il fut surpris par cette manifestation d'émotion. Il regarda les autres personnes qui regagnaient la route. La plupart s'étaient garées sur le bas-côté. Jackie Clouston déguerpit à pied vers sa villa sur la colline. Avait-elle abandonné Andrew à lui-même pour venir voir ce qui se passait ?

Sophie s'assit dans l'herbe en bordure du chemin. Elle portait un pantalon de treillis, un sweat au nom de son université et des sandales de marche. Ses orteils étaient larges et bronzés.

— Je m'en veux, c'est horrible. Hier, j'étais là à la débiner, et pendant ce temps, elle projetait de se tuer.

— Vous n'aviez jamais soupçonné qu'elle puisse avoir ce genre d'idée ? demanda Perez en s'asseyant à côté d'elle.

Elle marqua un temps d'arrêt. Il crut qu'elle s'apprêtait à lui faire une révélation importante, mais elle sembla se raviser et se contenta de secouer la tête.

— Je ne savais jamais ce qu'elle pensait, jamais.

— Les fouilles ne vont pas pouvoir reprendre. Pas avant quelque temps, en tout cas.

L'inspecteur estimait toujours que Setter devait être considéré comme une scène de crime.

— Quand est-ce que vous comptez partir ?

— Après les obsèques de Mima. J'ai décidé de prolonger jusque-là quand j'ai appris la nouvelle. Hattie aurait voulu que j'y assiste.

À Utra, Sandy était en phase de panique terminale. Joseph s'était éclipsé. Evelyn repassait une chemise pour son fils et une pile de slips s'entassait sur la table de la cuisine. Visiblement remplie d'orgueil que son cadet ait été choisi pour cette mission, elle ne faisait qu'ajouter à l'anxiété générale. Édimbourg, elle comprenait. Michael y avait fait ses études et il y habitait. La ville était symbole de raffinement. Mais Londres, c'était un autre monde, inconnu et violent. Un repaire d'étrangers et de gangs cagoulés.

— Tu ne passeras qu'une nuit là-bas, dit Perez en s'asseyant.

— Où est-ce que je vais loger ?

— Morag te réservera une chambre à l'hôtel. Et je t'ai pris rendez-vous avec la mère de Hattie chez elle. Elle habite Islington. Pas loin du métro. Je te montrerai sur le plan. Je lui ai dit comment sa fille était morte. Ne t'inquiète pas. Demain, à cette heure-ci, tu seras à l'approche de Sumburgh.

Le jeune homme n'avait pas besoin de parler. Jimmy savait ce qu'il pensait. *Je ne suis pas sûr d'y arriver.*

Evelyn avait terminé, elle mit la chemise sur un cintre qu'elle suspendit à la porte, replia la table à repasser contre le mur. Puis elle quitta la pièce, les slips dans une main et le cintre dans l'autre. Ils l'entendirent s'affairer dans la chambre de Sandy. Manifestement, elle ne le jugeait pas capable de boucler sa valise tout seul.

— Écoute, reprit Perez. Dis-toi que c'est une mère qui vient de perdre sa fille. Concentre-toi là-dessus et oublie tout le reste. Oublie son métier. Imagine ce que ressentirait Evelyn si on retrouvait ton cadavre sur le rivage.

— Culpabilité, fit Sandy après un instant de réflexion. Elle se demanderait ce qu'elle aurait pu faire pour empêcher ça.

— Gwen James sera exactement dans le même état. Ne retourne pas le couteau dans la plaie. Elle se sentira déjà bien assez coupable, pas la peine d'en rajouter une couche. Ton rôle, c'est de la faire parler de sa fille. Ne pose pas trop de questions. Laisse-lui du temps et donne-lui le sentiment que tu l'écoutes vraiment. Elle fera le reste.

— On ne peut pas lui proposer de venir ? Comme ça tu pourrais lui parler, toi.

Le jeune homme essayait désespérément de se raccrocher aux branches.

— Je le lui ai suggéré, et je suis sûr qu'elle finira par faire le déplacement. Mais elle dit que c'est trop tôt. Elle préfère rester chez elle. Et moi, je préfère que tu la voies dans son environnement, là où elle se sent le plus à l'aise. Tu es parfaitement capable d'y arriver, Sandy. Je ne t'enverrais pas là-bas si je n'étais pas convaincu que tu vas très bien t'en sortir.

Perez laissa son collègue à ses préparatifs et partit à la recherche de Joseph. Il le trouva dans la grange, occupé à bricoler les entrailles d'un tracteur vénérable. Quand le fermier l'aperçut, il s'essuya les mains sur un torchon plein de cambouis. Il était livide.

— Quelle sale histoire. Deux morts à Setter.

— Ça n'a sûrement rien à voir avec le lieu.

— Je sais pas. C'est l'impression que ça donne.

— Vous étiez là-bas, hier soir.

— Comment vous savez ça ? lança le fermier en le regardant d'un air aussi stupéfait que si Jimmy venait de tirer un lapin d'un chapeau.

— Je vous ai vu par la fenêtre. Vous aviez l'air bouleversé, je n'ai pas voulu vous déranger. Vous êtes arrivé à quelle heure ?

— Je sais pas. Après le dîner.

— Vous êtes sorti ? Du côté des fouilles ?

— Non.

— Vous n'avez rien vu ? Rien entendu ?

L'inspecteur observait le père de Sandy. Dans la pénombre de la grange, difficile de savoir ce qu'il pensait.

— Non. Je vais là-bas certains soirs, juste pour boire et oublier. Je n'ai rien entendu.

25

Sandy débarqua à Heathrow en pleine heure de pointe. L'idée du métro ne lui avait jamais plu, même avant que les attentats à la bombe fassent la une de tous les journaux. Ça lui paraissait contre-nature d'être enfermé dans un tunnel sans voir où on allait. Il avait quand même étudié le plan figurant au dos du *London A-Z* que Perez lui avait prêté, mais ça lui avait paru bien trop compliqué. Il ne comprenait rien à ces lignes de différentes couleurs. Il préféra prendre la navette pour King's Cross. Comme c'était le terminus, aucun risque de descendre au mauvais arrêt. Morag lui avait réservé une chambre au Travel Inn d'Euston Road. Le policier devait s'y installer et rassembler ses esprits avant d'aller rencontrer Gwen James. Il n'en revenait toujours pas que son patron lui ait fait confiance pour mener cet entretien, et en l'espace d'une minute il passait du comble de la fierté au comble de l'appréhension.

La navette était bondée. Le Shetlandais essaya d'accrocher le regard d'un passager afin d'engager la conversation avec un citadin qui pourrait le rassurer une fois arrivé à destination, mais tous semblaient épuisés par le voyage et gardaient les yeux fermés. Les seuls qui parlaient ne s'exprimaient pas en anglais. Chaque fois qu'il se rendait à Édimbourg ou Aberdeen, Sandy éprouvait la même claustrophobie les premiers jours. Avec les grands immeubles partout alentour, il avait la sensation d'être enfermé, de ne pas voir le ciel ni l'horizon. À Londres, c'était pareil, sauf que les immeubles, encore plus hauts et plus serrés, donnaient l'impression d'une ville sans fin. D'une ville d'où on ne pouvait s'échapper.

En passant dans le centre, des éclairs d'excitation le saisirent devant tel nom de rue qu'il reconnaissait, tel panneau indiquant un monument célèbre, mais son enthousiasme retombait aussitôt. Il était ici en mission. Cet entretien, il ne pouvait pas se permettre de le louper. Il observait les avenues, scrutait les passants. La petite amie de Perez, Fran Hunter, se trouvait à Londres en ce moment. Il se sentirait mieux s'il apercevait ne serait-ce qu'un seul visage familier. Évidemment, c'était impossible. Quelle probabilité avait-il de la voir parmi ces milliers d'individus ? N'empêche, il cherchait quand même.

Pour gagner son hôtel à pied, le jeune homme dut remonter à contre-courant la foule qui affluait vers les gares de King's Cross et de St Pancras. Il se sentit oppressé. S'il s'immobilisait un seul instant, les gens le renverseraient, le piétineraient sans hésitation, sans s'arrêter pour lui demander ce qui n'allait pas.

À l'hôtel, le réceptionniste eut toutes les peines du monde à comprendre son accent, mais la réservation avait bien été enregistrée et on lui donna une carte magnétique en guise de clé. Sa chambre lui parut majestueuse, grand lit double et salle de bains privative. Il regarda au-dehors la circulation ininterrompue d'Euston Road et ses trottoirs grouillants de monde. Depuis sa fenêtre haut perchée, le bruit lui parvenait comme un bourdonnement atténué, un grondement lointain pareil à celui des vagues sur les rochers les jours de tempête – ce que Mima appelait « le calme ». Sandy alluma la télévision pour ne plus l'entendre. Il prit une douche et enfila la chemise que sa mère lui avait repassée. Evelyn l'avait soigneusement pliée dans sa valise et elle était à peine froissée. *Je devrais être plus gentil avec elle. Elle s'est si bien occupée de moi. Pourquoi je n'arrive pas à l'aimer davantage ?*

Il mit un petit moment avant de dénicher la bouilloire, cachée dans un tiroir, et lorsqu'il l'eut trouvée il se prépara un thé, qu'il accompagna du sachet de biscuits déposé avec. Il n'avait pas envie d'un vrai repas. Perez avait précisé qu'il pouvait se payer à manger sur ses frais de mission, cependant il préférait repousser ça après l'entretien. Il fut tenté d'appeler son patron pour lui dire qu'il était bien arrivé, puis songea que ce serait grotesque. Mieux valait attendre d'avoir quelque chose à raconter.

La circulation était moins dense quand le jeune homme sortit pour se rendre au domicile de Gwen James. Il décida de risquer le métro. Ce n'était qu'à quelques stations et Perez avait noté sur le plan l'itinéraire à suivre depuis la sortie. Le Shetlandais n'avait pas de monnaie pour prendre son billet à l'automate et dut faire la queue au guichet ; il se sentit ridiculement fier lorsqu'il trouva le bon quai.

Arrivé bien trop en avance pour son rendez-vous, il tua le temps en se promenant dans le quartier. Il faisait sombre à présent, les réverbères étaient allumés. Quelques fenêtres éclairées laissaient voir l'intérieur des appartements en entresol. Dans l'un d'eux, une superbe créature tout de noir vêtue préparait le dîner. Sandy trouva la scène incroyablement chic, cette mince jeune femme aux longs cheveux brillants qui cuisinait dans son appartement de ville, un verre de vin sur la table à côté d'elle. La rue était bordée d'arbres, leurs pousses bien vertes dans la lumière artificielle. Au coin, de la musique s'échappait d'un pub. La porte s'ouvrit sur un homme en costume et des éclats de rire résonnèrent.

Posté devant chez Gwen James, le policier prit une profonde inspiration. Il y avait deux sonnettes. À côté de l'une d'elles, une étiquette manuscrite indiquait : JAMES, en grosses lettres penchées à l'encre noire. Il sonna et attendit. Un bruit de pas se fit entendre puis la porte s'ouvrit. Mme James était grande et très brune. Séduisante, pour qui aimait les femmes mûres – ce qui n'était pas vraiment le cas de Sandy. Pommettes hautes et corps élancé. Elle incarnait le raffinement, paraissait totalement à sa place dans cette ville. Le policier songea que dans vingt ans, la jeune femme entrevue dans l'appartement de l'entresol serait comme elle.

Il se présenta, en s'efforçant de parler lentement afin de se faire comprendre du premier coup sans avoir à répéter. Son patron disait toujours qu'il avait tendance à bafouiller et en plus, Mme James ne devait pas être habituée à son accent.

— Je m'attendais à voir l'inspecteur Perez.

193

— Malheureusement, il a été retenu sur place.

Elle haussa les épaules pour signifier que ça n'avait pas vraiment d'importance et conduisit Sandy dans un salon aussi grand que son appartement de Lerwick tout entier. Les teintes déclinaient un camaïeu de bruns et de marrons riches et profonds, agrémentés de quelques touches de rouge. La députée alluma une cigarette, inhala profondément.

— J'avais arrêté en entrant au ministère de la Santé, dit-elle. Mais je ne pense pas que quiconque ose me critiquer aujourd'hui.

— Vous ne voulez pas un peu de compagnie ?

Quand il y avait un décès à Whalsay, tout le monde venait entourer les proches du défunt. Pour le policier, ce deuil solitaire n'était pas naturel.

— Non. Je ne tiens vraiment pas à devenir un animal de foire.

Elle le regarda à travers un nuage de fumée.

— Vous connaissiez ma fille ?

— Oui. Ma mère, Evelyn, était investie dans le projet archéologique. Et Setter, le domaine où se trouvent les fouilles, appartenait à ma grand-mère. C'est là qu'elle habitait.

— Mima ? La vieille dame récemment décédée ?

— Oui. Elle s'entendait très bien avec votre fille.

— Hattie m'en a parlé dans ses lettres. J'étais heureuse qu'elle se fasse des amis à Whalsay, mais un peu jalouse aussi, quelque part. Notre relation a toujours été très tendue. Ça m'attristait de la savoir plus proche d'une inconnue que de moi.

— À mon avis, ce n'était pas le cas.

Sandy savait que la famille, ce n'était jamais simple. Il suffisait de voir sa propre relation avec sa mère.

— Ma grand-mère s'entendait à merveille avec tous les jeunes du coin.

Il fit une pause.

— Hattie vous écrivait souvent ?

— Toutes les semaines. Une habitude qu'elle avait prise en quittant la maison. Comme un devoir. Je crois que ça lui était plus facile que de m'appeler. Elle a commencé quand elle est partie pour la fac et n'a plus jamais cessé, pas même pendant son internement à l'hôpital. Nous nous entendions très bien par courrier. C'est quand on se retrouvait en chair et en os que les choses se compliquaient.

Le jeune homme se demanda brièvement s'il ne devrait pas, lui aussi, essayer d'écrire à sa mère.

— J'imagine que vous n'avez pas gardé ses lettres ?

— Eh bien si, figurez-vous. Quelle tristesse, non ? Je les ai toutes conservées dans un classeur. Les jours de vague à l'âme, je les relis. Le pire, c'est qu'elle devait penser que je les survolais rapidement avant de les jeter.

Ne sachant que répondre, Sandy garda le silence. La méthode Perez. « Laisse-lui du temps et donne-lui le sentiment que tu l'écoutes vraiment. »

— Vous voulez les voir ?

Gwen écrasa sa cigarette et le regarda en plissant les yeux.

— J'aimerais beaucoup, oui.

— Merde ! s'écria-t-elle. Je ne crois pas pouvoir y arriver sans boire un verre. Vous m'accompagnez ?

Le policier acquiesça. Non qu'il ait eu besoin d'un remontant maintenant, même si ç'avait été le cas tout à l'heure, simplement, il ne voulait pas casser l'ambiance.

— Du vin ?

De nouveau, il opina.

Mme James revint avec deux grands verres à pied qu'elle tenait par la base et une bouteille de vin rouge. Elle la déboucha, la posa sur la table basse et ressortit. Lorsqu'elle reparut, elle portait un classeur plein de lettres. Elle s'assit à côté de Sandy sur le canapé, si près qu'il sentit son parfum et l'odeur du tabac dans ses cheveux.

— Voilà la plus récente. Je l'ai reçue hier, d'où ma surprise quand elle m'a téléphoné. Nous nous appelions rarement, et qu'est-ce qu'elle pouvait avoir de neuf à me raconter ?

— Vous avez conservé l'enveloppe ?

— Non.

— Je me demandais quand elle l'avait postée.

— Oh, ça, je peux vous le dire : elle était partie la veille. Ça m'a impressionnée, tout ce chemin en si peu de temps !

Elle lui tendit la lettre. Papier blanc uni, format A4. L'écriture lui parut très soignée. Il trouvait ce mode de communication bizarre, franchement dépassé pour quelqu'un de si jeune. Lui prenait toujours des nouvelles de ses parents par téléphone, et même Evelyn utilisait le courriel.

Chère Maman,

Je viens de vivre une drôle de semaine. Mardi, un épouvantable accident s'est produit. Mima, qui habite Setter, là où on fait les fouilles, a été tuée d'un coup de fusil. Difficile d'imaginer qu'une tragédie pareille puisse arriver dans un endroit comme Whalsay. Apparemment, un des villageois était sorti chasser le lapin et elle a reçu une balle perdue. Elle portait mon ciré. Je ne peux pas m'empêcher de me sentir responsable. Tu vas dire que c'est ma vieille parano qui remonte, et tu auras peut-être raison. Sa mort m'a terriblement perturbée. Mais ne t'inquiète pas, je vais bien, je garde mon sang-froid. Et oui, je mange.

Et puis aujourd'hui, nous avons fait une découverte extraordinaire sur le champ de fouilles : des pièces d'argent, qui prouvent que j'avais raison sur la fonction du bâtiment. On parle de reconstruire la maison telle qu'elle devait être au XVe siècle, mais ce n'est pas pour tout de suite. Par moments, je ne me sens pas à la hauteur pour mener le projet à bien, puis je me dis que ce serait l'entreprise la plus passionnante au monde. Et que je suis là, à l'origine de tout.

Comment ça va pour toi ? Je t'ai entendue dans Today *au début de la semaine et j'ai trouvé que tu assurais drôlement. J'attends de tes nouvelles. À bientôt.*

Bisous,

Hattie

— Qu'est-ce que vous en pensez ? interrogea Gwen, qui avait presque fini son premier verre de vin.

Sandy eut un passage à vide, s'efforça de trouver une réponse.

— Elle n'a pas l'air franchement déprimée.

— C'est ce que je me suis dit à la première lecture, mais maintenant je me demande. « Par moments je ne me sens pas à la hauteur pour mener le projet à bien. » Peut-être que ça veut dire qu'elle envisageait de se supprimer.

— Non. Ça veut dire qu'elle faisait des projets d'avenir. C'est comme ça que je le sens.

— Si vous avez raison, il a dû se passer quelque chose entre le jour où elle a écrit cette lettre et celui où elle m'a appelée. Vous n'êtes pas de cet avis ? En tout cas, sa perspective sur les événements a changé.

Le policier ne savait que penser. Il avait peu d'opinions personnelles. Il préféra garder le silence.

— Je veux dire, ces lignes paraissent plutôt apaisées. Mais au téléphone, elle avait l'air complètement affolée.

— Est-ce que vous avez conservé son message ?

— Oui.

Elle fouilla dans son sac et en tira son portable.

— J'aimerais emporter votre carte SIM pour le faire écouter à mon patron. Et on pourrait en tirer d'autres informations. Le lieu d'où elle appelait, par exemple. Ça nous serait utile.

Le Shetlandais ne se sentait pas capable d'entendre la voix de Hattie maintenant. Pas dans cette pièce, en compagnie de sa mère. Mais Gwen James avait la tête ailleurs, déjà occupée à actionner les touches.

« Maman ! Maman ! Où tu es ? Il s'est passé un truc horrible. J'arrive pas à le croire. Je crois que je me suis trompée à propos de Mima. Il faut que je te parle. Je te rappelle plus tard. »

Le ton était paniqué, suraigu. Sandy revit la jeune femme à la table de la cuisine d'Utra, souriant à une remarque d'Evelyn. Elle s'était montrée bouleversée en apprenant la mort de Mima, mais là c'était autre chose. Une détresse absolue.

— Est-ce que votre fille avait déjà fait des tentatives de suicide ? s'enquit-il. Je sais qu'elle a été souffrante à un moment.

— Non, fit Gwen d'un air absent, les yeux toujours rivés sur son téléphone. Une fois, elle a dit qu'elle aurait voulu être morte, mais ce n'est pas tout à fait pareil, non ?

197

— Pas du tout, non.

— En lisant sa lettre, je me suis dit qu'elle allait bien. Choquée par le décès de votre grand-mère, mais globalement bien. Depuis des années, je vivais dans l'inquiétude permanente. Certains me croient insensible parce que je ne parle pas beaucoup d'elle, parce que nous n'habitions pas ensemble. Ç'aurait été plus simple de la garder ici, où j'aurais pu la surveiller, mais elle avait besoin d'indépendance. Parfois, quand je travaille, il m'arrive de ne pas penser à elle de toute la journée ; après, je me sens coupable. Je rêvais qu'un jour l'inquiétude disparaîtrait, que je n'aurais plus à me faire de souci pour elle. Qu'on trouverait un médicament miracle ou qu'elle rencontrerait un homme qui l'aimerait et prendrait soin d'elle. Cet hiver, j'ai cru que c'était arrivé. Les Shetland l'avaient transformée, comme par magie. Elle avait toujours ses mauvais jours, mais elle paraissait plus calme, presque heureuse.

Elle s'arrêta, inspira dans un sanglot.

— Maintenant, je donnerais n'importe quoi pour m'inquiéter de nouveau.

Sandy aspira de petites gorgées de vin. Il aurait aimé trouver les mots pour réconforter son interlocutrice. Perez aurait dû venir. Il aurait su quoi dire, lui.

— Vous croyez que Hattie s'est suicidée ?

La question de Gwen le heurta de plein fouet, le fit cligner des yeux.

— Non, répondit-il sans réfléchir, puis, rougissant aussitôt de sa gaffe : Mais il ne faut surtout pas m'écouter. Ce n'est que mon avis, et je me trompe tout le temps.

Elle le regarda.

— Je vous remercie d'avoir fait tout ce chemin pour me rencontrer.

— Ma famille habite Whalsay. Si vous voulez voir où votre fille a passé quelques mois, nous vous accueillerons avec plaisir.

Sur le trottoir devant l'appartement, la carte SIM de Gwen James dans sa poche et la pile de lettres dans un sac, le policier se dit qu'il n'avait pas beaucoup avancé. Que dirait

Perez ? Et la procureure ? Tout cet argent pour l'envoyer en mission et au final, il ne rapportait quasiment rien de neuf. Le jeune homme ne se sentait pas d'affronter le raffut du métro, les visages inexpressifs des passagers. Il étudia le plan de la ville sous un réverbère et regagna son hôtel à pied dans la douceur de la nuit citadine.

26

Suivant des yeux le ferry qui quittait Whalsay en emportant Sandy à son bord, en route pour Londres, Perez se dit que ses parents avaient dû se sentir dans le même état lorsque, à douze ans, ils l'avaient envoyé loin de Fair Isle, en pensionnat au lycée de Lerwick : responsables de sa solitude, comme s'ils l'avaient abandonné. Toute la journée, chaque fois que son téléphone sonna, l'inspecteur s'attendit à ce que ce soit son collègue, coincé ou perdu quelque part dans la capitale.

Il trouva Berglund toujours au Pier House. L'archéologue semblait avoir élu domicile à la table près de la fenêtre, transformée en bureau, encombrée de son ordinateur portable et jonchée de papiers.

— J'imagine que vous êtes au courant, pour Hattie ? lança Jimmy.

— Oui, quel gâchis ! Une fille si douée. Je n'ai jamais compris le suicide.

Sa voix trahissait un intérêt théorique, mais pas de regrets sincères.

— On a retrouvé votre couteau à côté d'elle.

— Ah bon ? fit le professeur en levant brusquement les yeux de son écran. Je ne m'étais même pas rendu compte que je l'avais perdu.

Il frémit de dégoût.

— On va devoir le conserver pour les analyses.

— Oh, je ne veux pas le récupérer. Je ne pourrai jamais m'en resservir.

— Quand est-ce que vous l'avez vu pour la dernière fois ?

—Je ne sais plus. Je suis sûr que je l'avais hier matin quand je suis passé sur le champ de fouilles. J'ai dû l'oublier là-bas. Ou alors il est tombé quand je me promenais avec Hattie.

— Vous l'avez vue le ramasser ?

— Bien sûr que non. Sinon elle me l'aurait rendu, non ?

Il émit un petit ricanement, comme s'il avait peine à croire à la stupidité de l'inspecteur.

De Symbister, Perez reprit sa voiture pour gagner Lindby et la grande villa des Clouston. Jackie était dehors, occupée à faire les vitres du salon. Un chiffon sec à la main, elle les frottait avec une telle énergie qu'elle semblait près de percer le verre. Se sentant soudain observée, elle se retourna.

—Je sais, un orage et elles seront de nouveau pleines de sel. Mais c'est agréable d'y voir clair, au moins quelque temps. Tout le monde trouvait qu'Andrew était stupide quand il a fait reconstruire ici, à un endroit aussi exposé, mais pour rien au monde on ne voudrait être plus bas. On adore la vue dégagée et la mer de chaque côté.

— Je ne veux pas vous déranger.

— Vous ne me dérangez pas. J'avais juste besoin d'une occupation. D'une distraction, vous voyez. Un second décès sur l'île… c'est dur à encaisser. Même si je ne connaissais pas très bien la petite étudiante, ça fait un choc. Venez, entrez.

L'inspecteur s'attendait à trouver Andrew dans son fauteuil habituel, à la cuisine, mais il était vide. Jackie comprit qu'il s'interrogeait.

— Ronald a emmené son père faire un tour. Jusqu'au golf, pour qu'il passe un peu de temps avec ses amis. Après, ils iront peut-être au club de voile ou boire un verre au Pier House. Andrew n'est pas très bien, ces jours-ci. Ça le déprime de ne pas pouvoir prendre la mer. Avant, c'était lui le maître à bord. Maintenant, il se sent impuissant. Pas tant au niveau physique, mais moralement, ça le mine. Anna voulait que Ronald s'occupe de son potager aujourd'hui, mais je lui ai dit : « Ça peut attendre. Ton père est plus important que deux haricots et trois patates à planter. »

Perez se demanda comment la jeune femme avait pris cela. Néanmoins, il se contenta d'acquiescer.

— Est-ce qu'on peut aller au salon ? Profiter de la vue, maintenant que les fenêtres sont si propres ? hasarda-t-il.

— Oui. Pourquoi pas ? D'habitude, je reste à la cuisine, mais allez-y, j'apporte le café.

Le séjour était une vaste pièce carrée qui occupait la moitié de la maison, agrémentée d'une cheminée de marbre et de gros meubles rutilants : deux canapés de satin gris, un buffet parfaitement astiqué, deux petites tables reluisantes et un grand miroir doré. Quelques photos sous verre, prises par des professionnels. Le mariage de Jackie et Andrew, ce dernier majestueux en queue-de-pie et chapeau haut de forme, véritable géant à côté de son épouse. La maison juste après sa construction. Des portraits scolaires de Ronald. L'atmosphère générale était froide et impersonnelle. Perez se demanda s'ils utilisaient souvent cette pièce. Il s'assit face à la grande baie vitrée. Elle offrait une vue imprenable sur toute la pointe sud de l'île, du pavillon neuf de Ronald et Anna à la plage de galets, puis jusqu'à Setter où le corps de Hattie avait été découvert.

Jackie arriva d'un pas vif, chargée d'un plateau garni d'un service de fine porcelaine, d'un petit pot pour le lait, d'une cafetière de vrai café et d'une assiette de biscuits maison. Que faisait-elle, à part la cuisine et le ménage ? Elle devait s'ennuyer, dans sa gigantesque villa témoin. Est-ce que s'occuper de son mari lui prenait tout son temps ?

Elle sembla deviner ses pensées.

— Quand on a construit la nouvelle maison, je pensais faire chambres d'hôtes. Pas tant pour l'argent, mais parce que ça m'aurait plu d'avoir de la compagnie, de rencontrer des gens venus des quatre coins du monde. C'est une des raisons pour lesquelles elle est si grande.

— Ça paraît une bonne idée. Surtout avec Anna et ses stages. Ça lui éviterait de devoir loger les gens au Pier House ou chez elle.

— Oui, mais Andrew n'est pas d'accord. Plus maintenant. Depuis son attaque, tout ce qui sort de son train-train quotidien le perturbe. Il ne serait pas capable d'affronter des inconnus.

Elle secoua la tête, manière de repousser ses rêves enfuis. Perez se servit un café, s'accorda un instant pour en savourer l'arôme.

— Vous avez croisé Hattie James, hier ?

— Non. Je la connaissais à peine. Seulement de vue. Evelyn avait pris sur elle de s'occuper des deux étudiantes. Elle est comme ça, il faut toujours qu'elle fourre son nez partout. Surtout quand il y a de l'argent à récupérer. C'est loin d'être une sainte, contrairement à ce que tout le monde dit.

— Comment ça, de l'argent à récupérer ? s'enquit Jimmy, sincèrement curieux.

— Les Wilson devaient bien empocher des droits pour les fouilles de Setter.

L'inspecteur eut l'impression qu'elle allait ajouter autre chose, mais elle se referma comme une huître et il n'insista pas. Il se dit qu'il devait défendre la mère de Sandy, mais que savait-il d'elle, au fond, hormis qu'elle était accueillante ? Ces chamailleries entre les deux cousines le déprimèrent. Tout à coup, il se revit à Fair Isle : il avait sept ou huit ans et assistait à un cours de catéchisme où une gentille petite vieille expliquait que l'amour de l'argent était la racine de tous les maux. « *L'amour* de l'argent, attention. Pas l'argent lui-même. C'est quand la cupidité se met à gouverner nos vies que les choses commencent à dégénérer. » *Ne serait-ce pas le cas ici ? Ce n'est pas la richesse en soi qui a dégradé les relations entre ces deux familles. C'est l'amertume et la jalousie qu'elle suscite.*

— Alors les étudiantes ne sont jamais venues ici ?

— Non. Autrefois, on organisait de grandes fêtes où on invitait presque toute l'île. On poussait les meubles, il y avait toujours quelqu'un pour jouer de la musique. C'étaient des moments merveilleux. La maison était pleine de jeunes. Ronald amenait ses copains du lycée et tous les pêcheurs venaient avec femmes et enfants. Andrew n'avait pas son pareil à l'accordéon. Ça chantait, ça dansait. Mais aujourd'hui, mon mari ne supporte plus la foule. Déjà, rien que la famille, ça l'épuise.

— Je comprends, acquiesça Jimmy en se resservant un café Le bon vieux temps doit vous manquer.

— Oh là là, vous n'imaginez pas à quel point

Elle regarda en contrebas, vers le pavillon de son fils, la tête probablement pleine d'airs de violon, de souvenirs de fêtes et de rires. Avait-elle espéré qu'Anna lui succéderait pour organiser des soirées ? Était-elle déçue par cette bru qui semblait davantage préoccupée de monter son entreprise que de s'amuser ?

— Hattie et son directeur sont allés se promener sur la plage hier après-midi, reprit l'inspecteur. Vous avez une vue magnifique d'ici. Vous les avez peut-être aperçus ?

— Andrew n'allait pas très bien hier. Certains jours, il se met une idée en tête et n'en démord plus. Il la ressasse jusqu'à en devenir fou. J'ai dû appeler Ronald pour qu'il vienne le calmer.

— Qu'est-ce qui le tracassait ?

— L'accident de Mima. Quelque chose dans cette balle perdue lui a rappelé sa jeunesse. Il est plus vieux que moi et il a connu Jerry Wilson, le mari de Mima. Mon beau-père et lui travaillaient ensemble à la construction de petits caboteurs pour le Shetland Bus. Les bateaux servaient à la résistance norvégienne et aux agents sur le terrain. Ça remonte à loin. Le mari de Mima est mort il y a des années, peu après la fin de la guerre. J'étais encore toute gamine. Alors quel rapport ça peut bien avoir avec cet accident ? Mais quelquefois, la tête d'Andrew marche comme ça. Des événements qui remontent à son enfance lui paraissent plus réels que ce qui s'est passé hier.

— Donc, vous n'avez pas eu l'occasion de vous poser un peu pour admirer la côte ? Vous n'avez pas remarqué Hattie et Berglund ?

Elle lui lança un sourire éclatant.

— Hier, je n'ai même pas pu aller aux toilettes sans qu'Andrew se plante au pied de l'escalier pour me demander où j'étais. Ronald a réussi à l'apaiser un peu quand il est arrivé. Il sait s'y prendre avec son père, il a plus de patience que moi.

— Peut-être que vous avez vu Hattie plus tard, quand elle était seule.

— Non. Pas de la journée.

— Mais vous n'avez pas manqué la procureure ce matin ? Je vous ai aperçue parmi les badauds.

— J'étais en train de faire le lit à l'étage et j'ai remarqué un attroupement à Setter. Je suis descendue pour voir ce qui se passait. Pure curiosité. C'est là que j'ai appris que la petite était morte. Je ne pouvais pas m'attarder. J'avais laissé Andrew tout seul.

Elle leva les yeux vers Jimmy.

— Comment elle est morte ?

— Je suis navré, fit-il avec douceur. Je n'ai pas le droit d'en parler.

— Oui. C'est logique.

Après un temps, elle ajouta :

— Il paraît qu'elle s'est suicidée.

— À vrai dire, à l'heure actuelle, on n'en sait rien.

— Je n'ose pas imaginer ce que vivent ses parents. On est prêt à tout pour protéger ses enfants, mais on ne peut pas les prémunir contre eux-mêmes.

Dans un sourire, elle poursuivit :

— Vous avez des enfants, inspecteur ?

Il secoua la tête machinalement. *Mais bien sûr que si. J'aime Cassie comme ma fille. Comment est-ce que je réagirais si elle était désespérée au point de se jeter dans un trou pour se taillader les veines ?*

27

Sandy fut surpris de trouver Perez pour l'accueillir à Sumburgh. Il avait laissé sa voiture au parking et aurait très bien pu remonter tout seul vers le nord. Après quelques bières et un dîner à son hôtel londonien, il avait dormi comme un bébé jusqu'à ce que son réveil sonne. Au matin, la ville ne lui avait plus paru aussi intimidante et étouffante.

Il s'était senti d'autant mieux qu'il disposait d'éléments tangibles à rapporter à son patron – les lettres de Hattie et la carte SIM de sa mère. Il avait également pris quelques notes sur son entretien, mais il se méfiait de lui-même avec les mots. Au moins ne rentrerait-il pas les mains vides.

Dans l'avion, il avait guetté l'apparition des falaises de Sumburgh Head et à l'atterrissage, il s'était senti soulagé d'être de retour sain et sauf et sans avoir commis de bourde majeure. Lorsqu'il vit Perez qui l'attendait, appuyé à un mur de l'aérogare, il se remit à angoisser d'un coup.

La première chose qui lui vint à l'esprit fut que Gwen James avait appelé pour se plaindre de lui. Le policier ne voyait pas ce qu'il avait pu faire de mal, mais ça ne l'avait jamais empêché de cafouiller. Puis il s'inquiéta pour sa famille.

— Qu'est-ce qui se passe ?

— Rien, répondit Perez avec un grand sourire. J'avais hâte de savoir comment tu t'en étais sorti. J'ai profité de la voiture de Val Turner. On avait rendez-vous à Lerwick et elle part dans le Sud pour une conférence.

— Pourquoi tu voulais la voir ?

— J'avais des questions sur les os que les filles ont retrouvés à Setter. Tout le monde est parti du principe qu'ils étaient vieux de plusieurs siècles, mais en fait, on n'en sait rien. S'ils étaient plus récents, on regarderait les deux derniers décès autrement. Trois morts sur la même parcelle, même la procureure serait bien obligée d'admettre que c'est davantage qu'une coïncidence.

— Qu'a dit Val ? Si le corps était récent, on aurait sûrement retrouvé plus que quelques ossements.

— Je suppose, oui. Ça ne colle pas. Ce n'est sans doute qu'un hasard. Mais je trouve ça bizarre. Les deux mortes avaient un lien avec Setter et on a des traces d'une autre sépulture au même endroit...

Jimmy s'interrompit, haussa les épaules.

— M'écoute pas. Je me fais sûrement des films.

Sandy se dit que quelques mois seulement auparavant, son patron ne lui aurait jamais parlé comme ça, ne l'aurait pas mis dans la confidence. Il ressentit une bouffée de panique, comme avant de partir pour Londres. Comment pourrait-il se montrer à la hauteur de ces nouvelles attentes ?

— Il y a toujours eu de drôles d'histoires sur Setter, hasarda-t-il.

— Quel genre ? fit Perez en le regardant intensément.

Le jeune homme regretta aussitôt d'avoir ouvert la bouche, parce qu'en réalité il ne savait pas vraiment, pas en détail. Il se rappelait vaguement certaines histoires de fantômes et de spectres errant dans la nuit.

— Il y a des gens qui ne voulaient pas traîner là-bas après la tombée du jour. Dans le temps. Tout le monde a oublié, maintenant.

— Ta mère les connaîtrait, ces histoires ?

Sandy haussa les épaules. *Même si elle les connaissait, elle ne te les raconterait pas. Elle aurait trop peur de passer pour une idiote.* Il changea de sujet.

— Alors, qu'a dit Val à propos des ossements ?

— Que selon elle ils devaient être très anciens. Encore une théorie qui tombe à l'eau. Mais elle a demandé une expertise en urgence et elle me tiendra au courant dès qu'elle aura les résultats.

L'aérogare était calme, les deux hommes s'installèrent à une table pour boire un café.

— Tu as lu toutes les lettres ?

L'inspecteur observait un couple âgé en grande conversation avec l'agent du comptoir d'enregistrement. Sandy suivit son regard. Ils se tenaient par la main. Dégoûtant, songea-t-il. À leur âge, ils ne devraient pas s'afficher comme ça hors de chez eux.

— Non, seulement la dernière.

Évidemment, j'aurais dû les lire. Perez y aurait passé la nuit, tendu, inquiet. Il ne se serait pas saoulé à la bière blonde hors de prix au bar de l'hôtel pour s'écrouler dans un sommeil d'ivrogne. Au retour, dans l'avion, Sandy avait feuilleté une revue masculine en papier glacé présentant un mannequin aux seins nus en couverture. Il avait à peine pensé à l'enquête.

Mais Jimmy s'abstint de tout commentaire.

— Ton impression sur Gwen James ?

— Comme tu disais : elle se sent coupable. Elle a fait ce qu'elle croyait le mieux pour sa fille.

Le jeune homme s'aperçut qu'il avait envie de donner une bonne image de la députée.

— Elle ne voulait pas s'immiscer dans la vie de Hattie, mais c'est sûr qu'elle l'aimait. Je veux dire, visiblement, son boulot lui prend énormément de temps, mais ça ne l'empêchait pas de se faire du souci.

— Est-ce qu'elle croit que sa fille s'est suicidée ?

— Une fois, quand elle était en dépression, Hattie a dit qu'elle aurait voulu être morte. Mais elle n'a jamais fait de tentative de suicide. Et Mme James ne pense pas qu'elle était particulièrement déprimée ces temps-ci. Cet hiver, à la fac, elle était très positive, impatiente de retourner travailler à Whalsay. Et dans sa dernière lettre, elle avait l'air de se projeter dans l'avenir. Ce n'est que le message téléphonique qui l'a vraiment inquiétée.

— On peut l'écouter ?

— Oui, j'ai rapporté sa carte SIM.

Le policier avait vérifié sa poche au moins une douzaine de fois pour s'assurer qu'elle s'y trouvait toujours. À présent il la tendit à Perez, heureux d'être déchargé de cette responsabilité.

— Je lui ai dit qu'on la lui rendrait quand on en aurait terminé. C'est la seule trace qu'elle ait de la voix de sa fille.

— Bien sûr. Tu as bien fait de la persuader de te la donner.

Ils avaient fini leur café. Sandy croyait sentir que Jimmy avait autre chose à lui dire. Ils restèrent un moment silencieux.

— Alors, on y va ? finit par lancer le jeune homme, qui n'avait jamais eu la patience de son patron.

Nouvel instant d'hésitation. Peut-être Perez était-il aussi réticent que lui-même à regagner Whalsay ? C'était le manque de clarté qui compliquait tout. Devaient-ils considérer les décès comme des crimes ou non ? Étaient-ils sur l'île en tant que simples citoyens shetlandais ou en tant qu'officiers de police ? La procureure ne les soutiendrait que si c'était dans son intérêt et en ce moment, elle tenait surtout à se faire bien voir de la classe politique.

— Oui, répondit Perez. On ne peut pas passer la journée ici à boire du café.

Sandy s'apprêtait à lui dire qu'il avait de la chance. Lui au moins, il n'aurait pas à endurer les obsèques du siècle le lendemain matin. Puis il songea que ça paraîtrait puéril et ingrat, incompatible avec sa nouvelle image d'adulte responsable. En plus, ça risquait de passer pour un manque de respect envers Mima. Il se sentit tout fier de commencer à savoir la boucler.

Le jeune homme pensait que son supérieur remonterait avec lui jusqu'à Whalsay, mais Perez lui demanda de le déposer à Lerwick. Sa présence sur l'île n'était pas indispensable, il avait d'autres choses à faire et la procureure attendait le compte-rendu de l'entretien de Sandy avec Gwen James. Il rejoindrait Whalsay quand il aurait reçu le rapport d'analyse des ossements.

À Utra, Evelyn parut à peine s'apercevoir du retour de son fils. Michael et sa famille arrivaient par le dernier avion d'Édimbourg. Sandy s'attendait à ce qu'elle ne parle que de

Hattie, mais la mort de la jeune femme semblait lui être sortie de l'esprit, chassée par des questions essentielles du style ce que mangeait Olivia le matin et si Amelia allait pouvoir supporter que les serviettes de toilette ne soient pas assorties à la literie. Le jeune homme était surpris que la famille vienne au grand complet. Qu'est-ce que sa belle-sœur espérait retirer de ce déplacement ? Croyait-elle que Mima laissait quoi que ce soit qui mérite le voyage ?

Joseph avait préféré s'éclipser. Il avait filé à Setter pour s'assurer que la Rayburn chauffait bien la maison avant l'arrivée de Sandy.

— Je vais voir si papa a besoin d'un coup de main.

Le jeune homme avait acheté une bouteille de single malt à Heathrow, il la glissa dans la poche intérieure de sa veste et descendit vers Setter. Le temps était au beau fixe, pas un souffle d'air. À Londres, songea-t-il, les considérations météorologiques n'avaient probablement aucune importance, pas plus que le sens du vent.

Il trouva son père accroupi devant la cuisinière. Elle s'était éteinte. Joseph froissait des pages de journaux pour les recouvrir de petit bois. Il entendit son fils entrer et sourit en le voyant.

— Il y a un tas de briques de tourbe dans le jardin. Au moins, tu n'auras pas froid.

Sandy tira la bouteille de sa veste à la façon d'un prestidigitateur.

— Tu vas bien boire un petit coup.

— Allez, mais rien qu'un gorgeon. Je ne peux pas rentrer saoul alors que Michael et sa femme débarquent. Que dirait ta mère ?

Ils échangèrent un sourire complice.

— En tout cas, fit Sandy, s'ils te prennent la tête, tu pourras toujours venir te planquer ici.

Joseph approcha une allumette du papier et le feu partit. Il posa une brique de tourbe dessus, puis une autre. L'odeur si particulière du combustible envahit la pièce et prit Sandy à la gorge. Elle lui rappela sa grand-mère avec tant de force qu'il dut cligner des yeux pour vérifier que Mima n'était pas là, elle aussi.

Le policier alla chercher deux gobelets dans le placard, les épousseta à l'aide d'un torchon pendu à la galerie de la cuisinière et les remplit de whisky. Son père referma la porte de la Rayburn. Ils trinquèrent, toast silencieux à Mima, et s'assirent pour boire.

— Tu sais qu'on a trouvé d'autres ossements après le crâne que maman a découvert ?

Joseph devait en avoir eu vent. Sans jamais avoir l'air d'écouter les potins, il avait le génie de Mima pour flairer tout ce qui se passait sur l'île.

— Ils pourraient appartenir à un de nos ancêtres, qu'est-ce que tu en penses ?

— J'en pense qu'il faudrait arrêter de creuser le terrain de Setter.

Le ton était dur, ce qui ne ressemblait pas à Joseph. Sandy le regarda, stupéfait. Il ne l'avait jamais entendu parler ainsi, même quand il était gamin et qu'il avait fait une bêtise. Son père poursuivit :

— J'en pense que si on n'était pas venu fourrer son nez par ici, ma mère serait toujours en vie.

— Pourquoi tu dis ça ?

— Deux morts en une semaine. Depuis quand personne n'était décédé violemment à Whalsay ?

Jugeant la question rhétorique, le policier garda le silence.

— Eh bien ? insista Joseph.

— J'en sais rien.

— J'ai essayé de me souvenir. Mon père a péri en mer. C'était il y a plus de cinquante ans. Je ne me rappelle aucun accident depuis. Et tout à coup, deux dans la même semaine. Ça ne m'a jamais trop plu que des étrangers viennent farfouiller la terre, et je n'étais pas le seul de cet avis sur l'île. Mima n'était plus toute jeune, mais pas non plus en âge de mourir. La petite Anglaise n'était qu'une gamine. Maintenant, tu dis qu'elles ont déterré un tas d'os.

— Pas un tas. Et puis ils sont vieux. Probablement des centaines d'années.

— Je m'en fiche. J'irai voir ce Paul Berglund demain matin avant l'enterrement. Je lui dirai que je veux les voir déguerpir. Peu importe ce qu'ils ont pu convenir avec Mima. Je suis chez moi maintenant. Je ne veux plus de ce bazar.

Bercé par la chaleur de la Rayburn et celle du whisky dans sa gorge, Sandy se demandait quoi dire pour réconforter son père. Celui-ci n'était pas du genre superstitieux. Pourquoi le jeune homme ne s'était-il pas rendu compte qu'il était si bouleversé ? Joseph ne montrait jamais ses sentiments, mais Sandy aurait dû se douter que la mort de Mima l'avait plus profondément affecté qu'il ne voulait bien le laisser paraître.

— Je m'occupe de Berglund, déclara-t-il enfin. Tu auras assez à faire demain.

— Ça ne va pas plaire à ta mère.

Le policier s'attendait à un nouveau sourire complice, mais le fermier était on ne peut plus sérieux.

— Tu sais qu'elle a des ambitions pour ici.

— Un chouette musée, dont elle serait responsable, acquiesça Sandy. Eh ben, il faudra qu'elle se trouve autre chose, un autre projet pour passer le temps.

— Ça n'a pas été facile pour elle de vivre avec moi. J'étais un assez mauvais parti. On n'a jamais été aussi riches que les autres familles de Lindby.

Joseph attrapa la bouteille et se resservit. Oubliés, Michael et son Édimbourgeoise d'épouse. Il poursuivit :

— Tu ne devrais pas être si dur avec elle. Elle a très mal vécu qu'on ne puisse pas vous offrir la même chose que ce qu'avaient les gosses de pêcheurs.

— Tu t'es toujours bien occupé de nous. On n'a jamais manqué de rien.

Dehors, la nuit commençait déjà à tomber ; on était en début de saison et le soleil restait bas dans le ciel.

— Ça, c'est grâce à elle. Une vraie magicienne avec l'argent. Elle trouvait toujours le moyen d'en tirer le maximum.

Malgré la douce chaleur qu'offrait encore cette fin de journée, le fermier tendit les mains vers le fourneau. Son visage n'était plus qu'une ombre.

— Qu'est-ce que tu comptes faire de Setter ? s'enquit Sandy.

Comme avec Perez, il sentait que sa relation avec son père avait changé. Elle était devenue plus égale. Il le prenait davantage au sérieux. Si le jeune homme parvenait à le ramener sur du concret, peut-être Joseph reprendrait-il un peu de poil de la bête.

— Je me demandais si tu envisageais de te réinstaller ici, poursuivit-il.

— Je pourrais pas !

— Pourquoi ça ?

— On ne revient jamais en arrière. On ne revit jamais sa vie.

Joseph vida son verre, marqua un temps d'arrêt et continua :

— Je me disais que tu voudrais peut-être reprendre la propriété. J'ai toujours pensé que je ferais de toi un bon fermier. Tu sais t'y prendre avec les bêtes.

— Non !

Sandy s'aperçut que son cri horrifié risquait de vexer son père, mais pour lui, c'était la pire des perspectives imaginables. Habiter si près d'Evelyn qu'elle saurait toujours où le trouver, entendre ses moindres faits et gestes commentés d'un bout à l'autre de l'île, savoir ses petites amies observées sous toutes les coutures. Ses compétences toujours mesurées à l'aune de celles de Joseph….

— J'y ai pensé, expliqua-t-il. Mais ça ne marcherait pas. J'ai mon boulot. J'adore ce que je fais.

À peine eut-il prononcé ces mots qu'il sut que c'était l'entière vérité.

— Bien sûr, fit son père. C'était une idée idiote.

— J'irai voir Berglund demain matin, lui dire qu'on veut être tranquilles quelque temps.

— D'accord, parfait.

Joseph se leva, s'approcha de l'évier pour rincer son verre.

— Laisse, lança Sandy. Je m'en occuperai plus tard.

Il se leva à son tour. Les deux hommes se regardèrent un moment en silence.

— On ferait mieux de rentrer, déclara enfin le plus âgé. Ton frère ne va pas tarder. Evelyn risque d'envoyer une équipe à notre recherche.

Ils se mirent en route dans le crépuscule et arrivèrent à Utra au moment même où la voiture de location de Michael apparaissait au bout de l'allée. Les étoiles commençaient à briller.

28

La veille de l'enterrement de Mima, Anna prit le ferry dans l'après-midi pour aller récupérer sa robe au pressing à Lerwick. Comme le vêtement était déjà ample au niveau de la taille avant sa grossesse, il tombait toujours bien. C'était sa première sortie en ville avec James. Elle éprouva un certain malaise à pousser le landau dans la rue principale, se sentit comme une usurpatrice, une petite fille jouant au papa et à la maman. Elle ne croyait toujours pas vraiment à son rôle de mère.

L'Anglaise était heureuse de sortir de chez elle. Ronald aurait dû se réjouir de ne pas être inculpé pour la mort de la vieille dame, pourtant il paraissait plus sombre que jamais. Anna avait toujours apprécié ses petites virées en ville, et aujourd'hui elle décida de se faire plaisir avec un scone et un bon espresso au Peerie Café, puis un tour à la librairie Shetland Times. Elle se sentait presque redevenue elle-même et le petit avait cessé de brailler, pour cet après-midi du moins.

Sur le chemin du café, elle croisa une jeune femme rencontrée l'année précédente, lors d'un séminaire organisé par le Conseil des Shetland à destination des créateurs d'entreprises. Jane montait sa boîte d'informatique. Elles s'installèrent ensemble et se mirent à papoter sans voir le temps passer : elles commencèrent par parler du bébé, évidemment, puis en arrivèrent bientôt à leurs projets professionnels respectifs. Jane venait du Sud, elle aussi. Un peu plus âgée qu'Anna, elle n'avait pas d'enfants. Elle trouvait le statut d'indépendant trop solitaire et songeait à chercher un associé.

Au début, quand Anna avait eu l'idée de ses ateliers « fibres », elle aussi avait envisagé une association – avec Evelyn. Elle s'était dit que ce serait bien d'avoir une insulaire à ses côtés, et l'expérience de la mère de Sandy, sa voix, ses anecdotes apporteraient une note d'authenticité à l'entreprise. Et puis finalement, elle avait préféré rester seule maîtresse à bord. Evelyn en avait été déçue, elle le savait, cependant elle était demeurée généreuse dans son soutien : elle lui avait permis d'utiliser ses motifs de tricot et ses recettes de teintures. Elle avait même tenté de lui obtenir des subventions auprès du Conseil des Shetland. Ça n'avait pas abouti – « Ils serrent bien plus les cordons de la bourse qu'autrefois », avait-elle expliqué – mais c'était quand même drôlement sympa d'avoir essayé.

La jeune femme ne dit rien de tout cela à Jane, persuadée que cette dernière ne comprendrait pas qu'elle préfère travailler seule. À la fin de l'après-midi, elles échangèrent leurs adresses électroniques et se promirent de rester en contact.

La jeune femme rentra chez elle dans un état quasi euphorique et au dîner, elle parla de sa rencontre à Ronald.

— C'est super, commenta-t-il. Je suis content que tu aies passé une bonne journée.

Pourtant elle le sentait la tête ailleurs, préoccupé. Il ne l'écoutait pas.

— Qu'est-ce que tu as ? Je peux faire quelque chose ?

Il secoua la tête en silence. Anna éprouva un nouvel élan d'impatience. Pourquoi n'était-il pas plus fort et plus déterminé ? Elle pouvait presque tout lui pardonner, hormis sa faiblesse.

Le matin des obsèques, elle se prépara avec soin. Sitôt levée, elle déballa la robe de son sac plastique et étendit le costume de Ronald sur le lit. Il s'était sauvé de bonne heure chez ses parents, après une nouvelle convocation de Jackie. Anna alla prendre un bain et lorsqu'elle regagna la chambre, le costume se trouvait toujours au même endroit. Assise à sa coiffeuse pour se maquiller, elle le voyait dans le miroir, qui lui rappelait l'absence de son mari, toujours pas rentré. La voisine qui s'était proposée pour garder James n'allait pas tarder. Quel embarras si Ronald n'était pas reparu avant qu'elle se présente…

D'ordinaire, la jeune femme ne s'embêtait pas à se pomponner, mais aujourd'hui elle voulait montrer qu'elle avait fait un effort. Elle ne se sentirait pas capable d'affronter tout ces gens autrement. Et puis elle avait besoin de reprendre un peu confiance en elle. Elle s'était trouvée si balourde et boursouflée à la fin de sa grossesse ! Elle jeta un nouveau coup d'œil à sa montre, inutile car elle savait fort bien l'heure qu'il était, et se demanda quand Ronald allait enfin revenir. Encore une demi-heure et il serait temps de filer pour l'église. Son absence lui mettait les nerfs à vif. Où était-il ? Elle redoutait qu'il ait changé d'avis pour les obsèques. *Je n'aurais pas dû le laisser aller à la villa. Je n'aurais pas dû le quitter d'une semelle.* La moutarde commençait à lui monter au nez. Son mari se débrouillait toujours pour la décevoir.

Anna réfléchit à ce qu'elle ferait s'il ne revenait pas. Se rendrait-elle seule à la cérémonie ? Enfin, elle entendit la porte d'entrée, ressentit l'éternel mélange de colère et de soulagement. Elle regarda sa montre. Ils avaient tout juste le temps.

Il pénétra dans la chambre, rouge comme une pivoine. Il avait dû dévaler la colline à toutes jambes.

— Mon père ne veut pas venir. Je ne sais pas ce qu'il lui prend. Il a été agité toute la semaine, mais jamais à ce point. Ma mère refuse de le laisser seul.

— Eh bien, on va y aller sans eux.

Peut-être était-ce un mal pour un bien, après tout. Anna préférait avoir Ronald rien qu'à elle. Ils seraient plus discrets, juste tous les deux. Bien mieux que de débarquer en force. Jackie était si prompte à défendre son fils qu'elle aurait été capable de provoquer un esclandre. La jeune femme se tourna vers son mari, craignant qu'il n'ait l'intention de prendre prétexte de son père pour se soustraire aux funérailles, mais déjà il ôtait ses vêtements.

— Tu crois que j'ai le temps de prendre une douche ?

— Si tu fais vite.

217

Toujours devant sa coiffeuse, Anna regarda son époux émerger de la salle de bains, enroulé dans une serviette. Elle aurait voulu le prendre dans ses bras et le frotter, mais elle n'osa pas, se contenta de l'observer à la dérobée en feignant de se brosser les cheveux. On frappa à la porte – la voisine. Elle le laissa seul pour aller ouvrir.

Ils se garèrent de l'autre côté de la bande de sable qui reliait le Houb au reste de Whalsay. Leur voiture était la dernière d'une longue rangée. L'église était comble. Il y avait là des gens de Lindby, mais aussi d'autres villages de l'île – Symbister, Skaw, Isbister. Anna aperçut Sophie assise à côté du prof de fac ; l'affluence était telle qu'ils se tenaient serrés épaule contre épaule. L'étudiante portait un jean noir et un pull noir à col en V. La rumeur lui attribuait des parents fortunés : elle aurait pu se trouver une tenue plus adéquate. L'universitaire était en costume et cravate noirs. Lui, au moins, il avait mis les formes.

Evelyn et Joseph avaient pris place au premier rang, en compagnie de leurs deux garçons. Anna n'avait rencontré Michael qu'une seule fois. Lors d'une de ses visites à Whalsay, Evelyn l'avait traîné chez elle, pressée d'exhiber son grand fils qui faisait une si brillante carrière à Édimbourg. Aujourd'hui, l'Anglaise lui trouva l'air accablé, avec ses épaules tombantes et ses mains jointes comme en prière. Sandy regardait devant lui à la manière d'un petit garçon retenant ses larmes à grand-peine.

À leur entrée, nombre de têtes se tournèrent vers les jeunes parents, avec force murmures et coups de coude. Ronald marqua un temps d'arrêt, mais Anna lui prit la main et ils continuèrent d'avancer, la tête droite et sans regarder personne. Ils trouvèrent de la place à côté d'un couple âgé qu'elle ne connaissait que de vue. Elle les voyait souvent ensemble, affairés à creuser la tourbe ou à cultiver leur potager à l'abri de son muret, sur la colline au-dessus de Setter.

Quand l'assistance entonna le premier chant, la jeune femme fondit en larmes. Elle était tout sauf mélomane – incapable de retenir un air, sans parler de jouer d'un instrument –

mais parfois la musique l'émouvait ainsi et aujourd'hui, debout au milieu de tous ces gens, enveloppée par la mélodie, elle se surprit à sangloter. Son mari lui tendit un mouchoir, saisit sa main et la caressa du pouce. Après le premier couplet, Anna se convainquit qu'il s'agissait d'une nouvelle réaction hormonale et parvint à se ressaisir. Ronald risquait de trouver cet épanchement déplacé et embarrassant.

L'office terminé, on se rassembla au cimetière. L'endroit était propret, bien entretenu, entouré par la mer sur trois côtés. Les fous de Bassan étaient de retour après un hiver sous d'autres latitudes. Dans le soleil encore haut, elle les contempla qui plongeaient dans la baie, tout blancs sur l'eau grise, puis reporta son attention sur le groupe réuni autour de la tombe, regarda le petit cercueil s'enfoncer dans la terre. Elle ne pouvait concevoir que la véritable Mima soit étendue à l'intérieur.

La jeune maman sentait ses seins gorgés de lait, elle pensa à James qui l'attendait à la maison. Elle s'avisa qu'elle aussi serait enterrée ici. Sa vie était toute tracée et rien ne viendrait se mettre en travers. Ronald et elle auraient d'autres enfants. Ils seraient baptisés ici même, dans cette église où plus tard ils se marieraient. S'ils avaient une fille, Ronald remonterait l'allée centrale à son bras pour la conduire à l'autel. Anna deviendrait une vraie femme de Whalsay, avec des petits-enfants plein sa cuisine.

L'assistance commençait à se disperser. Tout le monde avait été invité à Utra pour le thé. La jeune femme savait que ce serait trop pour son mari et de toute façon, leur présence n'était probablement pas souhaitée. Mieux valait rentrer directement chez eux. Elle devait allaiter James. Evelyn s'éclipsa très vite. L'Anglaise l'imagina, un tablier sur ses habits du dimanche, s'activant à remplir les bouilloires, à ôter le film protecteur des petits pains et des gâteaux. Joseph et ses fils se tenaient toujours debout devant la tombe.

Anna s'apprêtait à prendre le bras de Ronald pour l'entraîner. Elle était fière de la façon dont il avait affronté la situation. Il ne voulait pas venir et elle se demandait si elle avait bien fait d'insister.

Mais sans qu'elle s'en rende compte, son mari s'était éloigné pour rejoindre Joseph et les garçons. Il s'adressa à l'aîné en lui tendant la main. Elle ne distingua pas ce qu'il lui disait. Michael hésita un instant, jeta un coup d'œil à son père et à son frère puis saisit la main tendue. D'après Evelyn, il s'était beaucoup rapproché de la religion depuis son mariage. L'influence d'Amelia. Peut-être jugeait-il de son devoir de pardonner. Ensuite, Sandy serra Ronald dans ses bras. Les deux hommes paraissaient au bord des larmes. Joseph gardait ses distances, mais il n'avait pas l'air hostile.

— Ça va aller.

L'Anglaise s'aperçut qu'elle avait réellement prononcé ces mots, à mi-voix. Là où elle se trouvait, personne n'avait pu l'entendre et elle les répéta un peu plus fort. Cette semaine atroce était enfin révolue. Mima désormais inhumée, ils allaient pouvoir oublier ces terribles événements.

Tandis qu'elle attendait Ronald, Sophie et Paul Berglund s'approchèrent. Ils semblaient être venus jusqu'à l'église à pied. L'étudiante affichait une mine si pâle et fatiguée qu'Anna la crut d'abord malade. Puis elle se rappela que son amie était morte, elle aussi. Le service funèbre auquel elle venait d'assister avait dû raviver la douloureuse réalité du suicide. Car la police conclurait forcément au suicide, que pouvait-elle envisager d'autre ?

— On se demandait si vous accepteriez de nous raccompagner en voiture, demanda Berglund. Ça ne vous dérange pas ?

— Franchement, c'est pas la peine, intervint Sophie, les cheveux dans le visage, poussés par le vent. On peut marcher. On veut pas vous embêter. Vous allez peut-être à Utra ?

— Non. Il faut qu'on rentre pour le petit. Ça va être l'heure de la tétée.

De nouveau, l'Anglaise lui trouva une mine épouvantable. Sophie ne serait pas capable de refaire tout ce chemin à pied dans cet état. Elle qui paraissait toujours en si grande forme ! Anna l'avait recrutée pour la remplacer dans l'équipe féminine d'aviron de Lindby. L'étudiante adorait ça et chaque course d'entraînement la laissait rayonnante, à peine en sueur.

Mais elle était jeune. Peut-être trouvait-elle la mort violente plus acceptable pour une vieille femme que pour une fille de son âge.

— Si vous voulez bien attendre que Ronald ait fini sa conversation, on peut vous ramener. Où est-ce que vous voulez aller ? Au Bod ou à l'hôtel ?

— À l'hôtel, fit Berglund avant que Sophie ait eu le temps de répondre. On a besoin d'un petit remontant.

Il enlaça l'étudiante à l'épaule. Peut-être n'était-ce qu'une manière de la réconforter après les jours pénibles qu'elle venait de traverser, mais cela ne donnait pas cette impression. Le geste semblait plus intime et plus possessif.

Ronald fit signe à Anna de le suivre et se dirigea vers la voiture. Elle aurait voulu lui demander comment il se sentait, ce qu'avaient dit les Wilson, mais c'était délicat en présence d'étrangers. Ils roulèrent en silence jusqu'à Symbister.

Devant l'hôtel, la jeune maman descendit de voiture pour saluer ses passagers. Elle mit la main sur l'épaule de Sophie.

— Hattie devait être au plus mal. Sinon, pourquoi aurait-elle fait une chose pareille ? Passe à la maison quand tu veux. Ça fait du bien de voir du monde.

L'étudiante hocha la tête. Les larmes lui étaient remontées aux yeux et elle semblait incapable de parler. Berglund l'attira de nouveau contre lui pour l'entraîner à l'intérieur.

29

Perez ne s'était pas rendu aux obsèques de Mima. Il avait expliqué sa décision à Sandy la veille. « Ce n'est pas par manque de respect. Surtout, dis-le bien à tes parents. Je penserai à vous. Mais la présence d'un policier ne ferait que perturber la cérémonie. »

Et Sandy avait acquiescé, il ne comprenait que trop. Les gens murmureraient déjà bien assez autour des circonstances de la mort de Mima. L'inspecteur ne ferait qu'apporter de l'eau au moulin de leurs commérages.

Jimmy passa donc la matinée dans sa chambre au Pier House, à lire le courrier de Hattie à sa mère. Sans l'avoir vraiment décidé, il semblait avoir élu domicile à l'hôtel. Il y était revenu la veille au soir, après son rendez-vous avec la procureure. Ce matin, lorsqu'il était descendu pour le petit-déjeuner, Jean l'avait accueilli par un large sourire. « Alors, toujours là ? » Désormais, elle connaissait ses préférences : grande cafetière de café très fort, œufs brouillés, toasts de pain complet. Elle lui avait dit : « Voulez pas quelque chose de plus consistant, aujourd'hui ? » Mais juste pour le taquiner, pas pour qu'il modifie sa commande.

Avant de commencer sa lecture, Perez alla la trouver à la cuisine et lui demanda si elle aurait l'amabilité de lui préparer du café à emporter dans sa chambre. Elle était seule. Cedric Irvine devait assister aux funérailles. Jimmy sentit que la serveuse aurait bien voulu qu'il s'attarde à bavarder avec elle, cependant il avait hâte de se plonger dans les lettres. Jean était arrivée sur l'île depuis peu, elle ne devait pas avoir grand-chose à lui apprendre. Il repensa que c'était avec Cedric qu'il devrait s'entretenir de Mima, mais puisque celui-ci était à l'église, ça attendrait.

Les plis étaient classés par ordre chronologique, toutefois l'inspecteur ne les aborda pas ainsi. Sandy lui avait dit qu'ils étaient extrêmement précieux pour Gwen James, que sa fille lui avait manqué après son départ pour la fac et qu'elle aurait trouvé plus simple de la garder à la maison, sous sa protection. Peut-être Perez avait-il mal jugé la députée. Ses propres parents étaient bien convaincus d'agir dans son intérêt en l'envoyant en pensionnat à Lerwick à l'âge de douze ans. Sauf que dans leur cas, ils n'avaient pas vraiment le choix.

Il s'absorba dans les lettres de façon décousue et aléatoire. Il les relirait dans l'ordre plus tard mais pour l'instant, il voulait se faire une idée générale de ce que Hattie avait à raconter. Les premières qu'il parcourut avaient été écrites à l'hôpital psychiatrique. Rédigées sur du papier réglé ordinaire, elles étaient courtes, confuses, et d'une graphie fort différente des autres – longue et affaissée, les mots dansant sur les lignes. Au début, il était évident que la jeune femme vivait mal son internement. « *S'il te plaît, s'il te plaît, laisse-moi rentrer à la maison. Je n'ai vraiment pas besoin de rester ici. Je ne le supporte pas. Je veux que tout ça s'arrête.* » Était-ce là la référence à son désir d'être morte dont avait parlé Sandy ? Plus tard dans son séjour, les courriers devenaient plus bavards. « *On est tous allés à la piscine en ville aujourd'hui. Je n'avais pas nagé depuis une éternité et ça m'a fait un bien fou. Le minibus est tombé en panne au retour. On a dû regagner l'hôpital à pied, en longeant la route sur le bas-côté, et Mark nous surveillait comme un groupe d'écoliers. Je m'attendais presque à ce qu'il nous demande de nous mettre en rang par deux et de nous tenir par la main.* » À mesure que son humeur s'améliorait, son écriture changeait, se faisait plus régulière, plus maîtrisée.

Il y avait deux semaines d'interruption. Perez supposa que cela coïncidait avec la période que Hattie avait passée chez elle avant de retourner à l'université, pendant laquelle elle n'avait donc pas eu à correspondre avec sa mère. Il se demanda comment elles s'entendaient, regretta de ne pas avoir rencontré Gwen James afin de se représenter le foyer que composaient les deux femmes. S'étaient-elles lancées dans de longues discussions constructives chaque soir ? Ou bien avaient-elles fait comme s'il ne s'était rien passé de spécial dans la vie de Hattie, comme si son absence ne s'expliquait par rien que de très normal, un boulot d'été ou un séjour à l'étranger ? Gwen avait-elle continué de se noyer dans le travail ?

L'inspecteur remonta ensuite directement aux premières semaines de Hattie à l'université, avant sa dépression et son internement. Papier blanc format A4, mais les missives étaient rédigées à la main, et non tapées à l'ordinateur. La jeune femme ne manquait jamais sa lettre hebdomadaire. Jimmy fut surpris par une telle discipline : la plupart des étudiants menaient une vie de patachon, faite de soirées et de concerts, de cuites carabinées et de dissertations à terminer à la dernière minute. Peut-être Hattie faisait-elle exception à cette règle. À l'évidence, elle était ambitieuse et bien décidée à réussir. Les courriers de cette époque portaient principalement sur ses études. Si elle sortait avec des gens, elle n'en parlait pas à sa mère. Perez lut chaque pli avec attention, à l'affût de noms d'amis auprès de qui se renseigner sur l'état d'esprit de la jeune femme, mais ceux qu'il trouva n'étaient que des camarades mentionnés en passant. Il y avait peu de chances qu'elle ait gardé le contact avec aucun d'entre eux.

Jimmy commençait à perdre espoir de tirer de cette correspondance autre chose qu'un aperçu de la vie de Hattie. Il finit son café et se leva pour s'étirer, regarda le port en contrebas. Il y régnait un silence inhabituel. Hormis le ferry reparti vers Laxo, aucun des autres navires ne bougeait. Presque toute l'île devait s'être rendue aux obsèques. Puis, dans une lettre expédiée d'une nouvelle adresse, il tomba sur un nom connu.

Le courrier datait de la fin juin et correspondait aux premières grandes vacances universitaires de Hattie, l'été précédant son séjour à l'hôpital psychiatrique. Le ton était joyeux et enthousiaste. Quel soulagement avait dû ressentir Gwen

James en le lisant ! « *J'adore chaque minute que je passe ici. J'en suis sûre à présent, c'est ce que je veux faire de ma vie. Paul Berglund, le responsable des fouilles, est venu sur le site hier, et il a l'air ravi de l'avancement des travaux. Il nous a tous invités au pub à la fin de la journée. Au réveil ce matin, j'étais un peu dans le cirage !* »

Pas d'autre référence au professeur dans ce pli. Si c'était leur unique rencontre, on pouvait excuser l'archéologue de n'avoir pas reconnu une bénévole entrevue une fois sur un chantier. Sauf que deux semaines plus tard, la jeune femme reparlait de lui :

« *Paul m'a invitée à dîner pour me remercier de mon efficacité sur les fouilles. Il est vraiment charmant, et c'est le meilleur du pays dans son domaine. J'envisage même de changer d'option à la fac pour pouvoir m'inscrire dans son département. Je ne veux pas le perdre de vue après toute l'aide qu'il m'a apportée.* »

Perez fut distrait par un bruit de moteur à l'extérieur. C'était l'énorme 4×4 de Clouston. L'enterrement avait-il été si pénible qu'il venait noyer son chagrin au bar ? Mais Ronald resta au volant. Berglund et Sophie descendirent de l'arrière, puis Anna émergea de l'avant. Jimmy n'entendit pas leur conversation. L'Anglaise remonta à côté de son mari et la voiture s'éloigna. Le professeur et l'étudiante entrèrent dans l'hôtel.

L'inspecteur brûlait de parler à Berglund. Lorsqu'il lui avait demandé depuis combien de temps il connaissait Hattie, pourquoi l'archéologue avait-il omis cette rencontre bien antérieure à la thèse de la jeune femme ? Mais il ne voulait pas lui poser la question devant Sophie. Il se replongea dans sa lecture.

Par la suite, Hattie n'évoquait plus Paul, pas plus que l'idée de changer d'option pour travailler sous sa houlette. Peut-être son stage d'archéologie était-il terminé, car il remarqua une nouvelle interruption dans les lettres. Les suivantes venaient de l'hôpital. Quel changement radical avait bien pu se produire pour transformer l'étudiante passionnée en malade dépressive ayant besoin d'être internée ?

Après ce séjour en psychiatrie, les courriers ne retrouvaient jamais l'enthousiasme exprimé pendant les fouilles dirigées par Berglund. Hattie donnait de ses nouvelles sur un ton plat, sans passion, en se cantonnant à ses études. Son écriture était petite et serrée. La jeune femme ne révélait rien de son état moral, pourtant Perez perçut sa tristesse. Elle n'était peut-être plus malade, mais elle restait très abattue. Jimmy trouva ces missives difficiles à lire. Il se la représenta, seule dans sa minuscule chambre à la résidence universitaire, écrivant chaque semaine à sa mère parce que c'était son habitude.

Tout était si calme au-dehors que l'inspecteur entendit la porte de l'hôtel s'ouvrir, le bruit des pas qui s'éloignaient. En jetant un coup d'œil par la fenêtre, il vit Sophie se hâter en direction du Bod. L'étudiante lui tournait le dos et il ne put voir son visage.

Il trouva Berglund au bar. Le professeur était seul, sans même Jean à l'horizon, bien qu'elle ait dû faire une apparition pour le servir car il tenait un grand verre de vin rouge à la main. Sophie avait probablement bu quelque chose avec lui, mais la table avait déjà été débarrassée.

— Inspecteur, je peux vous offrir quelque chose ?

L'archéologue était toujours en costume, toutefois il avait ôté sa cravate et déboutonné son col de chemise.

Jimmy aurait bien pris un autre café, mais il ne voulait pas faire venir la serveuse. Cette conversation devait se dérouler sans oreilles indiscrètes. Il déclina d'un signe de tête et s'assit.

— L'église était comble, dit Berglund. Mima devait avoir beaucoup d'amis.

— Je voudrais qu'on parle de Hattie.

— Bien sûr.

— D'autres obsèques auxquelles vous allez devoir assister.

Le professeur parut secoué.

— J'imagine, oui. Il faudra quelqu'un pour représenter l'université. L'enterrement rend la mort terriblement concrète. Je suppose que sa mère se chargera de tout organiser une fois le permis d'inhumer délivré. J'avais prévu de l'appeler demain, pour lui présenter nos condoléances et voir si on pouvait faire quelque chose.

— Vous m'aviez laissé entendre que vous ne connaissiez pas Hattie avant de prendre la direction de sa thèse.

— Vraiment ?

L'archéologue fronça les sourcils, baissa le menton sur la poitrine. Lui qui n'avait déjà pas beaucoup de cou semblait à présent n'en avoir plus du tout. Cela lui donnait un air de bouledogue de dessin animé.

Perez le regarda sans rien dire, attendant une explication.

— Je l'ai rencontrée il y a plusieurs années, elle n'avait encore qu'un an de fac. L'été où il a fait si chaud. Elle était bénévole sur un chantier de fouilles que je dirigeais dans le sud de l'Angleterre.

Il s'arrêta là, l'air buté, défiant l'inspecteur de poser des questions plus précises.

— Pourquoi vous ne m'avez pas dit que vous la connaissiez depuis longtemps ?

Jimmy avait conservé un ton léger. Si l'autre se sentait menacé, il pourrait bien la boucler pour de bon.

— Ça m'était sorti de l'esprit. J'ai travaillé avec un tas de jeunes étudiants au fil des ans. Ensuite, quand ça m'est revenu, je n'ai pas voulu en faire tout un plat. J'avais peur que vous ne vous mépreniez sur cet incident, que vous ne le sortiez de son contexte.

— Vous l'avez invitée à dîner. Un jour de cet été caniculaire, vous l'avez conviée à sortir avec vous. Elle seule, pas les autres. Parlez-moi de cette soirée.

Berglund hésita. Sans doute évaluait-il ce qu'il allait devoir révéler. Lorsque enfin il se décida, ce fut presque comme s'il racontait une histoire.

— Elle était très mignonne. Je suppose qu'elle était toujours séduisante quand elle travaillait sur le chantier de Whalsay, mais ici elle pouvait se montrer si sérieuse ! À l'époque, elle paraissait plus heureuse, elle était drôle et pleine de vie. C'est vrai, je l'ai invitée à dîner. Deux fois, en fait. Une décision impulsive que j'ai regrettée par la suite. J'étais marié et j'avais un enfant en bas âge. Mais après une longue journée sur le terrain, j'avais envie de quelqu'un avec qui passer une agréable soirée. J'aime la compagnie des femmes et mon épouse était à trois cents kilomètres de là. Ça ne va pas plus loin.

— Hattie savait que vous étiez marié ?

— Je ne le lui ai pas dit, mais ce n'était pas un secret. Les autres bénévoles devaient être au courant.

— Que s'est-il passé ?

— La première fois, rien. Nous avons dîné ensemble et je l'ai raccompagnée à son hébergement. La seconde fois, c'était plus intime. On a dîné au pub où je logeais. Les fenêtres étaient ouvertes et il y avait du chèvrefeuille dans le jardin. Ça embaumait, je me rappelle. On a bu une bouteille de vin blanc. Puis on a fait l'amour. Ce n'était pas un crime. Je n'étais même pas son professeur et Hattie était une adulte consentante.

— Elle était jeune et très naïve.

Pas un jugement, un simple commentaire. Perez regrettait à présent de n'avoir rien à boire. Il ne savait pas quoi faire de ses mains, posées sur la table devant lui.

— Comme vous dites, jeune et naïve. Elle a donné à cette soirée bien plus d'importance que je ne l'escomptais. La plupart des étudiantes ont plus d'expérience que moi, sexuellement parlant. Seulement, Hattie était une exception.

Il fit une pause.

— Elle avait dix-neuf ans, moi trente-cinq. Elle s'est crue amoureuse de moi.

— Elle vous a rendu la vie difficile ?

— Pas particulièrement. Il y a eu une rencontre gênante, puis elle a quitté le chantier. Je pensais ne jamais la revoir. Plus tard, j'ai changé de poste et je me suis retrouvé à diriger la thèse d'une étudiante pendant que sa directrice attitrée était en congé maternité. Cette étudiante, c'était Hattie.

— Vous l'avez reconnue ?

— Bien sûr, inspecteur. Je n'ai pas pour habitude de coucher avec toutes mes bénévoles. Mais elle a fait comme si on ne se connaissait pas alors j'ai suivi. J'ai pensé qu'elle préférait ça.

— Elle n'a jamais évoqué votre relation passée ?

— Ce n'était pas une relation. Rien qu'une nuit sans lendemain.

— Vous saviez qu'elle avait fait une dépression ?

— Non. Mais ça ne me surprend pas. Autant lors de notre toute première rencontre que dans son travail, il y avait une sorte de démesure chez elle. Elle prenait tout trop au sérieux. A posteriori, j'imagine que c'était peut-être un symptôme.

— Elle a fait un séjour en hôpital psychiatrique après cette histoire avec vous.

Le professeur marqua un assez long silence.

— Désolé. Je ne savais pas.

— Vous avez passé un moment avec Hattie l'après-midi de sa disparition. Vous n'avez pas reparlé de tout ça ?

— Absolument pas, inspecteur. C'était une conversation professionnelle entre collègues. Exactement comme je vous l'ai déjà dit.

— À votre avis, est-ce qu'il faut voir une signification dans le fait qu'elle ait utilisé votre couteau pour se tuer ?

Si c'est bien ce qu'elle a fait...

— Vous pensez qu'elle se sentait encore rejetée de ma part ? Que son suicide était une sorte de geste romantique ?

Perez regarda un moment l'homme qui lui faisait face. Berglund semblait presque flatté à cette idée, et il en fut écœuré. L'archéologue essayait de l'endormir. Il lui cachait quelque chose, ne lui avait pas tout dit. Cependant, quelles questions poser ? Jimmy n'était pas d'humeur à se replonger tout de suite dans les lettres de Hattie. Il regagna sa chambre et appela Fran. Lorsqu'elle lui demanda comment avançait l'enquête, il refusa de répondre. Il avait envie qu'elle lui parle de Cassie, qu'elle lui raconte tout ce qu'elles avaient fait. Il avait envie qu'elle le fasse rire.

30

Sandy eut l'impression que la cérémonie funèbre passait en un rien de temps, un peu comme dans un rêve. L'église était comble. Par tradition, aux Shetland, ce sont principalement les hommes qui assistent aux obsèques, et lorsqu'une femme vient à trépasser, l'assistance est plus clairsemée. Aujourd'hui pourtant, la nef était bondée et l'assemblée composée autant de femmes que d'hommes. Le policier se demanda pourquoi – sans doute parce que ces dames ne voulaient pas rater ça, songea-t-il, plutôt que par affection pour sa grand-mère. Celle-ci avait toujours compté davantage d'amis parmi la gent masculine que parmi la gent féminine. Assis au premier rang, il songea que Mima aurait apprécié les chants. Elle avait toujours adoré les belles mélodies. Joseph n'émit pas un son de tout le service, en revanche Evelyn récita le Notre Père et chanta les psaumes. Elle avait une voix aiguë et flûtée, juste peut-être, mais pas très agréable. Le jeune homme se dit qu'il aimerait bien épouser une femme dotée d'une jolie voix.

Puis tout le monde fut dehors dans le soleil à regarder le cercueil descendre en terre. Une nuée d'oiseaux de mer pêchait depuis la pointe de l'île, juste en dessous de l'église, et le policier se demanda si cela indiquait la présence d'un banc de maquereaux ; par association d'idées, il revit Mima faisant frire les poissons frais sur sa Rayburn quand il était enfant. Elle les roulait dans des flocons d'avoine avant de les jeter dans la poêle. Lorsqu'il reprit ses esprits, la cérémonie était terminée et il ne restait plus que lui, son père et son frère devant la tombe. Evelyn avait filé à Utra pour préparer la collation et les quelques personnes qui s'attardaient s'étaient éloignées, désireuses de présenter leurs condoléances mais répugnant à s'imposer. Le vent décoiffait les femmes et faisait gonfler leurs jupes.

Ronald s'approcha à ce moment-là. Sandy sentit les regards, curieux de voir quelle serait la réaction de la famille. Michael n'avait pas mâché ses mots envers leur cousin à son arrivée, sa grosse voiture de location bourrée d'affaires pour Olivia comme s'ils venaient pour un mois. « Complètement irresponsable. C'est n'importe quoi de sortir avec un fusil quand on a bu. Je n'arrive pas à croire que la procureure n'envisage aucune poursuite. » Le jeune homme avait jugé que ces propos ressemblaient plus à Amelia qu'à son frère. Sa belle-sœur avait laissé échapper que la famille devrait intenter une action si la procureure refusait de le faire. Maintenant, le policier redoutait un esclandre, que Michael se mette à vitupérer sur ce ton pompeux et arrogant qu'il prenait parfois ces derniers temps. Toutefois, l'aîné sembla se ressaisir en voyant Ronald. Celui-ci exprima combien il était navré. Sandy lui trouva l'air blême et emprunté, pire encore que lorsqu'il l'avait récupéré au bar le lendemain de la mort de Mima. Michael dut le sentir sincère car il lui serra la main et lui sourit. C'était le bon vieux Michael de Whalsay et non le nouveau, celui qui habitait Édimbourg et ne buvait jamais une goutte d'alcool.

Rentré à Utra, le policier se sentit reprendre pied. Il aurait voulu monter se changer, seulement la petite faisait la sieste dans sa chambre. Il avait bien des vêtements à Setter, mais il lui semblait malvenu de s'absenter. De toute manière, sa mère aurait été fâchée de le voir revenir en jean et pull, et il ne se sentait pas d'humeur à supporter ses récriminations aujourd'hui. On avait évoqué l'idée de se réunir à la salle des fêtes, toutefois Joseph avait préféré accueillir tout le monde à la maison. Il y avait des gens un peu partout : dans le salon, dans la cuisine, quelques jeunes qui fumaient dans le jardin. Amelia avait dû profiter du sommeil d'Olivia pour se mettre sur son trente et un. Tailleur noir et gris, fins escarpins noirs à talons. Sandy se dit qu'elle était prête à tout pour qu'on l'admire, même si elle revêtit un tablier — non sans en faire tout un cinéma — après avoir laissé à chacun le temps de détailler sa tenue. Elle aida Evelyn à servir le thé et les canapés et afficha une politesse irréprochable pour montrer comme elle était bonne chrétienne. Plus tard, quand la petite fut réveillée, elle alla la chercher et l'exhiba fièrement. Evelyn en était si rouge de plaisir qu'on aurait pu se croire à un baptême plutôt qu'à un enterrement.

Excédé par ce spectacle, Sandy passa dans le salon, où les hommes étaient rassemblés autour de son père qui leur distribuait des petits verres de whisky.

— Dis-moi, lui demandait l'un d'eux, qu'est-ce que tu comptes faire de Setter ?

C'était Robert, le capitaine du chalutier pélagique *Artemis*. Un grand gaillard d'une cinquantaine d'années au visage déjà rougeaud avant d'avoir bu.

— Je t'achèterais la maison un bon prix, poursuivit-il. Ma Jennifer se marie l'an prochain, ça lui conviendrait parfaitement.

Joseph le fusilla du regard.

— Elle n'est pas à vendre.

— Je te la paierais au prix du marché. Comptant.

— L'argent ne peut pas tout acheter. Je viens de te le dire, Setter n'est pas à vendre.

Robert haussa les épaules comme si le fermier était fou et se tourna vers ses amis. Sandy regarda son père se resservir, avaler son verre cul sec. Il aurait voulu que tout le monde s'en aille pour le laisser pleurer en paix.

Il faisait presque nuit lorsque les visiteurs furent enfin partis, et dans la maison les lumières étaient allumées. Michael et Amelia essayaient d'endormir la petite à l'étage. Evelyn rinçait la vaisselle dans l'évier avant de la mettre à la machine. Sandy alluma la bouilloire et proposa de préparer un thé. Il était soulagé que tout soit terminé. Bientôt, il regagnerait Setter. Perez passerait peut-être lui dire ce qu'il avait découvert dans les lettres de Hattie. Son père revint du salon chargé d'un plateau de verres vides. Le jeune homme ne lui avait jamais vu la mine si fatiguée, plus encore que du temps où il partait chaque matin aux aurores travailler pour Duncan Hunter.

— Je vais faire du feu au salon, dit Joseph. Après une journée pareille, une bonne flambée nous fera du bien.

— Excellente idée, approuva Evelyn en se tournant vers lui avec un sourire.

Ainsi fut fait, et ils s'assirent ensemble au séjour pour boire le thé. Le temps s'était couvert et la pluie battait aux fenêtres. En tirant les rideaux, le policier se dit que le vent avait tourné ; quand il venait du nord, les intempéries frappaient toujours de ce côté-ci de la maison. La petite s'était tue à présent, mais Michael et Amelia n'avaient pas reparu. Evelyn reprit son tricot. Elle était incapable de rester sans rien faire, même un jour comme celui-ci.

Tout à coup, elle parut prendre une décision.

— Robert m'a parlé. Il veut t'acheter Setter.

— Je sais. Il m'en a parlé aussi.

Sandy sentit son père en colère, bien que rien dans sa voix ne le trahisse : le ton était calme et égal.

— Tu ne vas pas lui vendre, hein ? reprit Evelyn sans cesser de tricoter, le cliquetis de ses aiguilles en fond sonore.

— Non. Je le lui ai dit : Setter n'est pas à vendre.

Apparemment, sa femme n'avait pas entendu ces derniers mots – ou bien elle avait déjà préparé la suite dans sa tête et rien ne pouvait plus l'arrêter.

— Parce que si tu veux vendre, je pense qu'on devrait en parler à l'Amenity Trust. On aurait bien besoin de cet argent, et je suis sûre qu'ils nous en donneraient un bon prix. Les pièces que les filles ont trouvées là-bas augmentent la valeur du bien, non ?

— Tu m'écoutes donc jamais, satanée bonne femme ? Setter n'est pas à vendre !

C'était sorti comme un cri. Pas très fort, mais nettement plus qu'à l'ordinaire, avec des accents passionnés et amers. Le ton était si choquant qu'un silence complet s'ensuivit. Même le tricot s'arrêta. Embrassant la pièce du regard, Sandy découvrit son frère dans l'encadrement de la porte, figé et horrifié.

Le jeune homme ne savait pas comment réagir. Il arrivait parfois à Joseph de taquiner sa mère sur ses projets ou sa façon de s'immiscer dans les affaires des autres, mais jamais il n'élevait la voix contre elle. Sandy détestait la tournure que prenaient les événements dans sa famille. Pour la première fois, il commença à se dire qu'il aurait du mal à pardonner à

Ronald d'avoir tué Mima. Il espéra que Perez avait raison, que le coupable était quelqu'un d'autre. Quelqu'un qu'il pourrait haïr sans remords.

Finalement, ce fut Evelyn qui apaisa la situation. Elle posa son tricot et s'approcha de son époux, enroula ses bras autour de son cou.

— Oh, mon chéri. Je suis désolée, excuse-moi.

Discrètement, elle fit signe aux garçons de les laisser seuls. Il sembla à Sandy que son père pleurait.

Gênés, les deux fils se retrouvèrent dans la cuisine. Le cadet avait hâte de décamper.

— Tu n'es pas allé à Setter depuis que tu es là, lança-t-il. Tu veux m'accompagner ? Revoir la bicoque ?

— Oui, pourquoi pas ? Amelia est allée se coucher. Pour elle, ces retrouvailles familiales sont épuisantes.

Le policier se mordit la langue. Encore un signe de sa récente maturité.

Ils gagnèrent Setter à pied, malgré les averses et le vent qui les replongeaient dans l'hiver. Sandy se sentait plus réveillé qu'il ne l'avait été de toute la journée. À la cuisine, la Rayburn chauffait toujours. Il alla chercher une brique de tourbe dehors et la mit à sécher près de la cuisinière pour plus tard. Machinalement, il servit deux whiskies.

— Oh, pardon. Maman m'a dit que tu ne buvais plus.

Michael sourit.

— Ne va pas croire tout ce qu'elle te raconte. Je fais des exceptions pour les occasions spéciales.

— C'est bizarre d'être ici sans Mima, non ?

— À un moment, quand j'étais petit, j'ai cru que notre grand-mère était un lutin. Tu as déjà entendu ces histoires ?

Sandy secoua la tête. Les lutins faisaient partie du folklore shetlandais, mais il n'y avait jamais cru, même tout petiot.

— C'était peut-être avant que tu ailles à l'école. Une de ces frénésies aussi soudaines que passagères. On racontait que Mima était une femme lutin qui avait jeté un sort à son mari pour qu'il meure. Pendant quinze jours, je n'ai pas voulu mettre les pieds ici tout seul. Et puis un autre sujet a pris le relais dans la cour de récré et ça m'est complètement sorti de l'esprit. Jusqu'à aujourd'hui.

— Tu veux dire que c'est un lutin qui a tué Mima ?

Michael éclata de rire.

— Un lutin du nom de Ronald ? Je le trouve un peu grand, pas toi ?

Le jeune homme fut tenté de dire à son frère que le coupable n'était peut-être pas Ronald, mais l'atmosphère semblait décontractée entre eux et il ne voulait pas gâcher ça.

— Maman a raison pour Setter, reprit Michael. Papa devrait vendre.

— Il ne le fera jamais.

— Je pense qu'il n'aura pas le choix. À ton avis, combien il gagne avec la ferme ? Ça m'étonnerait que Hunter ait cotisé pour sa retraite, et il n'est plus tout jeune.

— Les parents s'en sortent bien.

— Vraiment ? Je ne vois pas comment.

Les deux frères se turent un moment. Sandy proposa un autre verre à Michael, mais celui-ci déclina.

— Il faut que je rentre, voir si tout va bien pour Amelia.

Le policier aurait aimé l'interroger à son sujet. *Qu'est-ce qui t'a pris de te caser avec une femme pareille ?* Mais à quoi bon ? Ils étaient mariés et ils avaient une gamine. Son aîné n'avait plus qu'à s'en accommoder.

— Tu vas retrouver ton chemin ?

Michael éclata à nouveau de rire.

— Je pense que je m'en sortirai, oui.

Une fois seul, Sandy commença par se changer. Puis il se mit à méditer sur ce que Michael lui avait dit des revenus de leurs parents, et ce que ça impliquait. Ces réflexions le tinrent éveillé jusqu'à tard dans la nuit. Il se leva une fois pour faire du café, mais cela mis à part, il resta assis dans le fauteuil de Mima, plongé dans ses pensées. Il aurait aimé en discuter avec son patron. Perez l'aurait probablement rassuré en lui disant qu'il se fourvoyait complètement. Il était Sandy Wilson, celui qui avait toujours tout faux. Seulement, Jimmy avait dû estimer que son collègue voudrait être seul le soir de l'enterrement de sa grand-mère, et il ne vint pas.

31

Le lendemain matin, Perez fut réveillé par le téléphone. Cette fois encore, sa première pensée fut pour Fran et Cassie et leur sécurité à Londres.

— Inspecteur Perez, excusez-moi de vous appeler si tôt.

Une voix d'Anglaise, que tout d'abord il ne reconnut pas. Soudain, son imagination s'emballa ; des visions d'horreur pleines de sang et de membres fracassés se succédèrent dans sa tête. C'était une infirmière des urgences, pensa-t-il. Ou une flic, formée à transmettre les mauvaises nouvelles. Il s'efforça à grand-peine de s'asseoir et d'évacuer les images cauchemardesques de son esprit.

— Gwen James à l'appareil. Vous m'avez demandé de vous prévenir si ma fille avait repris contact avec l'infirmier psychiatrique qui s'est occupé d'elle pendant son séjour à l'hôpital.

Enfin, il parvint à entrer dans la conversation.

— Alors, elle l'a appelé ?

— Pas récemment, non. Mais il m'a dit qu'une discussion avec lui pourrait vous être utile. Il ne juge pas souhaitable d'évoquer le cas de Hattie avec moi.

Mme James s'exprimait d'une voix tendue, hachée. Jimmy eut l'impression qu'elle avait bataillé sur ce point. Elle avait voulu obtenir des renseignements et l'infirmier lui avait résisté. Courageux.

Elle attendit, agacée, qu'il trouve de quoi noter le numéro auquel joindre ce monsieur. La chambre était glaciale. La veille, après son entretien avec Berglund, l'atmosphère lui avait parue étouffante et Perez avait coupé le chauffage. Grelottant, il retourna sous les draps pour conclure la conversation. Malgré son apparente impatience, Gwen James n'avait plus envie de raccrocher.

— Vous avez trouvé des choses intéressantes dans les lettres de Hattie, inspecteur ?

— Oui, merci. Pas mal. Nous vous les rendrons dès que possible.

— Quand vous en saurez plus sur les circonstances de la mort de ma fille, vous me tiendrez informée ?

— Bien sûr. Naturellement.

Et il raccrocha avant qu'elle pose d'autres questions.

Il était trop tôt pour appeler l'infirmier. Il fallait au moins attendre neuf heures. Dans la salle à manger, Jean commençait à mettre le couvert pour le petit-déjeuner.

— Vous n'arriviez pas à dormir ? lança-t-elle en ouvrant une brique de jus d'orange pour la verser dans un pichet.

Perez se demanda à quel moment elle se reposait, *elle*. Elle tenait encore le bar lorsque le dernier client du soir s'en allait et le lendemain matin, tout était toujours impeccable.

— Cedric est encore au lit, poursuivit la serveuse. Il a bu à la mémoire de Mima jusqu'à tard dans la soirée. Il l'aimait beaucoup.

— Est-ce qu'il lui arrivait d'aller la voir à Setter ?

— Oui, tous les jeudis après-midi. Pour parler du bon vieux temps, qu'il disait. Plutôt pour lui conter fleurette, oui. Mima était une sacrée vieille charmeuse.

Sur ce, Jean fila lui préparer son café.

Cedric fit son entrée juste au moment où Jimmy achevait son petit-déjeuner. Il avait le teint gris, les yeux gonflés.

— Dites-moi, Paul Berglund n'est pas parti avec le premier ferry, hein ? demanda l'inspecteur.

Il pensait en avoir terminé avec l'universitaire, du moins pour le moment, mais il ne tenait pas à ce qu'il s'esquive à son insu.

— Non, il descendra plus tard, j'en suis sûr. Il ne se lève jamais si tôt.

— Mima a eu une belle cérémonie ?

— Je crois, oui. Je ne me suis pas attardé longtemps à Utra. Tous ces gens qui faisaient cercle pour chanter ses louanges. Ils n'avaient pourtant pas grand-chose de positif à dire de son vivant. Je suis rentré ici pour boire quelques canons en paix à sa mémoire. Elle va me manquer.

Cedric leva sur Perez des yeux cernés de chair molle et fripée.

— Ça fait quand même bizarre, deux cadavres sur une île de cette taille. Qu'est-ce que vous faites ici, Jimmy ? Qu'est-ce qui se passe ?

Trois cadavres, songea l'inspecteur : il y a aussi les ossements retrouvés à Setter.

— La procureure m'a chargé d'enquêter sur la mort de Hattie James.

— Ah, d'accord.

— Est-ce que vous pouvez m'apprendre quoi que ce soit, Cedric ? Est-ce qu'il y a des choses que je devrais savoir sur Mima Wilson et Setter ? Il ne s'est rien passé d'étrange là-bas ?

— Pas dernièrement. Pas depuis au moins soixante ans.

— Et il y a soixante ans ?

— C'est de l'histoire ancienne. Vous n'avez pas le temps pour ça.

— C'est vous qui le dites.

Cedric se tut, puis sembla se décider à parler.

— Il y avait trois gars de Whalsay qui participaient au Shetland Bus.

Il regarda Perez pour s'assurer qu'il savait de quoi il retournait.

— Vous savez, c'était surtout ceux de Scalloway qui réparaient les bateaux et les maintenaient en état de prendre la mer. Mais quand Howarth, l'officier de marine qui chapeautait l'opération, a décidé qu'il fallait larguer les agents norvégiens avec des canots pour leur permettre de remonter les fjords par eux-mêmes, il est venu les faire fabriquer à Whalsay. C'était un travail hautement qualifié. Les caboteurs devaient passer pour norvégiens, la vie des hommes en dépendait. Il y

238

avait Jerry Wilson, qui était encore au lycée, trop jeune pour être enrôlé, mais déjà le meilleur marin de sa génération ; mon père, qui s'appelait Cedric Irvine, comme moi ; et le vieil Andy Clouston, le père d'Andrew.

— C'est-à-dire le mari de Mima, votre père et le grand-père de Ronald ?

— Exactement. Quoique à l'époque, Jerry et Mima n'étaient pas encore mariés. Ils frayaient ensemble, mais ils étaient trop jeunes pour convoler.

Perez garda le silence. Le patron devait vouloir raconter l'histoire à sa manière, et Jimmy lui avait dit qu'il avait le temps de l'écouter. Il essaya d'oublier le numéro de téléphone de l'infirmier griffonné sur le carnet, là-haut dans sa chambre. Cedric poursuivit son récit.

— Setter a toujours été entouré de légendes. Il y avait de drôles de bosses là où la gamine décédée a entrepris ses fouilles. La terre n'a jamais bien donné à cet endroit. Les petiots croyaient que c'était le domaine des lutins, et même les adultes prenaient Mima pour une espèce de sorcière.

Il s'arrêta, ferma ses paupières toutes plissées.

— Quel rapport avec le Shetland Bus ?

— On dit qu'il y a un Norvégien enterré là-bas. C'est le bruit qui courait quand j'étais gamin, même si mon père l'a toujours nié. Un agent double qui aurait entraîné la mort de plusieurs des siens en livrant des renseignements aux Allemands.

— Et les hommes de Whalsay auraient rendu la justice à leur façon ?

— C'est ce qu'on dit. Une des victimes était un ami de Jerry Wilson. Il se trouvait à bord d'un des caboteurs de Whalsay quand il a été capturé. Mon père a toujours refusé d'en parler, mais il y avait des rumeurs quand j'étais petit.

Cedric rouvrit enfin les yeux, très lentement.

— J'ai entendu dire qu'on avait retrouvé des ossements à Setter. Un bout de crâne, il paraît, et d'autres fragments d'os humains.

— Ils sont très vieux, répondit Perez. Bien antérieurs à tout ça.

Est-ce seulement vrai ? En réalité, je n'en sais rien. Soixante ans, ça fait un bail. Est-ce qu'on serait capable de faire la différence ? Les restes d'un cadavre enterré pendant la guerre ne seraient-ils pas d'apparence identique à ceux d'un individu mort depuis plusieurs siècles ?

— Eh ben voilà ! s'exclama Cedric, soudain jovial. C'est ce que je disais : rien que des légendes, tout ça.

— Comment est mort Jerry Wilson ?

— En mer. Accident de pêche. Il s'est trouvé pris dans une violente tempête. Mima en a eu le cœur brisé. Ils étaient amoureux depuis tout gosses...

Cedric se tut un instant.

— Elle a toujours été un peu excentrique, dès l'enfance. C'est à elle qu'appartenait Setter, pas à Jerry. Elle avait perdu ses parents toute petiote et elle a grandi là-bas avec sa grand-mère. Jerry est venu s'installer avec elles après leur mariage et au décès de la grand-mère, ils ont hérité de tout. Ça a attisé les jalousies. Deux jeunes, propriétaires de leur propre ferme. Mima n'a jamais été très appréciée dans l'île, surtout parmi les femmes. Elle ne faisait aucun effort pour s'intégrer. Les choses étaient différentes à l'époque : il fallait travailler ensemble et s'entraider pour s'en sortir. Les hommes partaient pêcher et les femmes se retrouvaient toutes seules pour accomplir la plupart des travaux de la ferme. Mima était robuste et en pleine forme, capable d'extraire la tourbe et de faire les foins aussi bien qu'un homme, mais le travail d'équipe n'était pas son fort. Si elle n'avait pas envie de se mettre au boulot, elle restait chez elle devant le feu.

Le patron s'interrompit le temps de se servir un café à la cafetière posée sur la table.

— Ensuite, quand Jerry s'est noyé et que Mima est redevenue célibataire de fait, les autres femmes de l'île l'ont vue comme une menace. Elle était jeune, belle, propriétaire de sa maison et de ses terres. Les autres craignaient que leurs maris ne les quittent pour elle. Seulement elle, elle est toujours restée fidèle à Jerry – du moins, à sa mémoire. Elle a eu des tas de propositions, mais elle ne s'est jamais remariée. Elle aimait trop son indépendance pour ça.

240

— Je suis surpris que ses obsèques aient attiré autant de monde, si elle était si mal perçue.

— Oh, les gens ne voulaient pas rater ça. C'était une petite célébrité, en son temps. Et tous les jeunes l'aimaient beaucoup. C'est sa propre génération qui la regardait de travers.

— Comment ça se passait avec Evelyn ?

Cedric lui décocha un regard vif sous ses lourdes paupières.

— Disons qu'elles ne se sont jamais vraiment entendues. Après la mort de Jerry, Joseph était tout pour Mima. Elle l'appelait son petit homme. Elle ne risquait pas de prendre en sympathie quiconque le lui volerait. Elle aurait dû se remarier. Elle n'avait pas un tempérament de célibataire.

— Est-ce que vous avez été de ceux qui lui ont demandé sa main ?

Cedric éclata de rire.

— Je n'ai même pas essayé ! Elle m'aurait trouvé bien pâle après son Jerry. Tout l'archipel savait qu'il était bel homme.

— Selon vous, est-ce que la mort de Mima peut avoir une relation avec les événements survenus il y a plusieurs décennies ?

— Bien sûr que non ! Je ne vois pas comment !

Perez le regarda, pas convaincu de son entière sincérité, mais Cedric se leva pour gagner la cuisine.

Mark Evans, l'infirmier psychiatrique, voulut d'abord être sûr que l'inspecteur était bien celui qu'il prétendait être.

— Mme James est une personnalité publique. Je ne veux pas qu'elle se retrouve harcelée par une meute de journalistes. Je suppose que vous comprenez.

Sa voix était douce, son élocution lente et son accent non identifiable. Rural. Jimmy se demanda s'il avait grandi dans une ferme – ça leur aurait fait un point commun – mais il n'osa pas lui poser la question. Il se contenta de lui fournir le numéro du commissariat de Lerwick.

— Ils vous confirmeront mon numéro de portable.

Puis il attendit, en laissant errer son regard au-dehors, que l'infirmier le rappelle. Après l'impression d'abandon de la veille, le port était redevenu normal. Des voitures faisaient la queue pour le ferry et quelques pêcheurs préparaient un petit chalutier à appareiller. Perez songea que c'était sur un bateau semblable que l'ami norvégien de Jerry Wilson avait dû embarquer pour son pays.

Le portable sonna, coupant court à ses rêveries d'aventures en temps de guerre, de mer grise et de vagues immenses. Jimmy n'avait jamais été courageux physiquement. Il pensait qu'il n'aurait pas eu le cran de s'engager dans le Shetland Bus.

— J'ai été très triste d'apprendre la mort de Hattie, dit Mark. Je me souviens parfaitement d'elle.

— Je me demandais si elle vous avait contacté récemment, mais sa mère m'a dit que non.

— Non, cependant elle a pu s'adresser à quelqu'un d'autre. Son médecin traitant devrait en avoir trace. Même quand elle était au plus mal, elle faisait preuve d'une singulière lucidité. Je pense qu'elle se serait rendu compte qu'elle avait besoin d'aide, si elle était désespérée au point de se suicider.

Perez releva une pointe d'incertitude dans le ton.

— Vous avez été surpris d'apprendre qu'elle s'était donné la mort ?

— Oui. C'était une jeune femme très intelligente. Pour moi, elle avait intégré les stratégies qui lui permettaient de surmonter sa dépression. Et elle comprenait que les médicaments pouvaient l'y aider. Elle n'a jamais refusé de les prendre. Est-ce qu'il s'est passé quelque chose qui l'aurait profondément bouleversée, un événement grave qui aurait pu la pousser à s'ôter la vie ?

— Pas à notre connaissance.

Après un court silence, Perez reprit :

— Nous n'avons pas complètement exclu les autres causes possibles de décès. Je mène l'enquête au nom de la procureure. Je vous remercie d'avoir pris le temps de me parler.

— Vous devez savoir qu'il y a quatre ans Hattie a été victime d'une agression. Ça n'a peut-être aucun rapport, mais il me semblait important que vous soyez au courant.

— Nous n'en avons aucune trace.

Tout en disant ces mots, l'inspecteur espéra que c'était vrai. On avait cherché Hattie dans les archives criminelles, c'était la procédure habituelle. Mais si elle avait été victime, son nom serait-il ressorti ?

— Elle n'a jamais porté plainte, expliqua Evans.

— Pourquoi ?

— Pour différentes raisons. Elle avait fait une sérieuse dépression un an plus tôt. Doublée d'épisodes psychotiques. Elle était convaincue qu'on ne la croirait pas. Peut-être se sentait-elle responsable, aussi. Elle n'a même pas voulu en parler à sa mère.

De sa voix calme et rassurante, Evans décrivit l'incident tel qu'il l'avait saisi. Il était visiblement en colère. Et lorsqu'il eut achevé son récit, Perez comprit pourquoi.

— Vous vous rendez compte qu'il n'y a aucune preuve ? déclara-t-il. Même à l'époque des faits, il n'y aurait peut-être pas eu matière à poursuites.

— J'en suis bien conscient. Je n'aurais sans doute pas dû vous le dire. Ce n'est pas du tout professionnel de ma part. Je ne pouvais pas m'en ouvrir à Mme James. Je voulais juste que vous le sachiez. Après tout, Hattie n'est plus là pour vous en parler elle-même.

32

Sandy s'éveilla de bonne heure. Il était étendu dans le grand lit surélevé de sa grand-mère. Evelyn lui avait donné des draps propres, mais les couvertures étaient celles de Mima. Elles sentaient la fumée de tourbe et l'humidité, comme le reste de la maison. Le drap s'était plissé sous lui de manière inconfortable. Il n'avait jamais été très doué pour faire les lits à l'ancienne. Il préférait le drap-housse et la couette.

Accrochée au mur en face de lui, il découvrit une photo qu'il n'avait pas remarquée. Deux femmes en train de descendre un chemin de terre. C'était à Whalsay, mais avant le goudronnage des routes. Chacune transportait sur son dos un *kishy*, panier de jonc tressé servant à transporter la tourbe, si plein que les mottes dépassaient derrière leurs épaules. Elles arboraient une coiffe désuète, des jupes jusqu'aux mollets, de gros souliers. Et tout en marchant, elles tricotaient, la pelote fourrée dans la poche du tablier, les coudes près du corps. Elles souriaient à l'objectif, figées un instant, mais on voyait bien que les aiguilles se remettraient à cliqueter dès que la photo serait prise. Sandy se demanda si elles tricotaient pour s'amuser ou parce que ramasser la tourbe était d'un mortel ennui, ou encore parce que leurs journées étaient si chargées que c'était le seul moment où elles pouvaient confectionner des habits pour leurs enfants. Ou pour gagner un peu d'argent. C'était le genre de chose que sa mère aurait été capable de faire. Pas exactement comme sur cette vieille photo, mais de mener plusieurs activités de front, parce qu'elle avait besoin d'être occupée et de maintenir la cohésion familiale.

Le jeune homme resta longtemps étendu à étudier le cliché. A priori, aucune des deux femmes n'était Mima. Elle était beaucoup plus belle que ça et n'avait jamais tricoté. « Je n'ai pas la patience », lui avait-elle répondu quand, enfant, il avait demandé pourquoi elle ne tricotait pas comme les autres grand-mères. Puis il songea à Joseph, qui allait à l'école dans des vêtements sales parce qu'elle n'avait pas non plus la patience de faire la lessive. Aujourd'hui, Sandy ne regrettait plus de n'avoir pas eu Mima pour mère ; Evelyn, au moins, les avait toujours bien nourris et vêtus de propre.

Michael et sa famille reprenaient l'avion pour le Sud dans l'après-midi. Les parents les accompagneraient jusqu'à Sumburgh. Sandy se dit que ce serait l'occasion de fouiner à Utra sans que personne lui pose de questions. Son malaise sur la situation à la maison s'était amplifié ces derniers jours. Les propos de Michael concernant l'avenir de leurs parents avaient fait passer cette préoccupation au premier plan. Sans doute cela expliquait-il également la tension de son père – cette impression confuse que quelque chose clochait.

Dans la cuisine de Mima, le jeune homme se fit un café et appela Perez. Il n'avait pas vu son patron depuis l'avant-veille et se sentait déconnecté de l'affaire. Ça lui avait plu de se trouver au cœur de l'enquête, d'y jouer un rôle réellement actif. L'inspecteur était déjà en ligne. Sandy alla prendre son café dehors. Son estomac le tiraillait. À Utra, Evelyn devait être en train de préparer le petit-déjeuner pour toute la famille, mais il ne se voyait pas supporter ça : les geignements de la petiote, les exploits professionnels de Michael, l'attitude de petite sainte d'Amelia. Il retourna à la cuisine, trouva un vieux paquet de biscuits au chocolat dans le placard et réessaya le numéro de Jimmy.

Cette fois, son supérieur répondit.

— Sandy, comment ça va ?

— Pas mal.

Le jeune homme avait voulu confier à Perez ses inquiétudes sur la situation à Utra, mais à présent il ne trouvait pas les mots. Et puis c'était probablement à lui de s'en occuper tout seul.

245

Après un court silence, Jimmy demanda :

— Est-ce que Mima parlait parfois du Shetland Bus ?

— Pas à moi.

Bien sûr, Sandy avait entendu des récits, mais les souvenirs des vieux ne l'avaient jamais vraiment captivé. Tout ça lui paraissait si loin que c'était périmé. Comme s'ils racontaient des histoires de lutins. Pourquoi est-ce que Perez s'intéressait à ça ?

— Apparemment, le père de ton oncle Andrew participait à la construction des canots que les navires norvégiens transportaient de l'autre côté de la mer du Nord.

— Oui, j'ai entendu dire ça.

— À ton avis, Andrew en saurait plus là-dessus ?

— Je pense que oui. Il s'est toujours intéressé à tout ce qui touchait à la marine.

— Est-ce qu'il te dirait ce qu'il sait ?

— Possible. Il y a des jours où il arrive à s'exprimer clairement. Il se rappelle beaucoup mieux les événements anciens que ce qui s'est passé la veille.

— Et si j'étais présent, il te parlerait quand même ?

— Oui, je crois.

— Il faut qu'on lui demande s'il y a un Norvégien enterré à Setter.

Perez lui expliqua pourquoi, mais Sandy ne comprit pas très bien quel rapport cela pouvait avoir avec les décès de Hattie et Mima. Malgré tout, il était content d'avoir un objectif constructif pour occuper sa matinée. Excellente excuse pour ne pas aller à Utra avant que tout le monde prenne la direction de Sumburgh. Il n'aurait pas à feindre d'être triste que les Édimbourgeois s'en aillent déjà.

Jackie avait dû les voir gravir la colline, car elle se tenait à la porte à leur arrivée.

— Entrez, fit-elle. Entrez donc.

Sandy se demanda pourquoi sa tante était si contente de les voir, puis il se rappela combien elle aimait recevoir avant l'attaque d'Andrew. La villa Clouston était toujours pleine de monde. Gamins, ils se retrouvaient tous là-bas et Jackie les accueillait, sans se préoccuper du bruit ou du désordre qu'ils semaient. Et même plus tard, une fois devenus ados, quand ils buvaient de la bière et mettaient la musique à fond, elle aimait les avoir auprès d'elle. Andrew leur avait acheté un vrai billard de salon. Elle devait souffrir de sa situation actuelle. Le couple avait fait construire cette grande maison idéale pour les soirées et voilà qu'elle se retrouvait à y tourner en rond sans personne à qui parler.

Jackie les fit passer à la cuisine et en un rien de temps, le café était prêt et une assiette de galettes à l'avoine disposée sur la table. Andrew occupait son fauteuil habituel, devant la Rayburn.

— Je suis navrée que nous n'ayons pas pu assister aux obsèques, dit-elle. Andrew était mal en point. Il ne voulait pas sortir. Mais il paraît que c'était très bien.

Sans demander ce qu'il fabriquait là, elle jetait des coups d'œil soupçonneux à Perez.

— Oui, acquiesça Sandy. Très bien.

Maintenant qu'ils étaient ici, le jeune homme ne voyait pas trop comment expliquer la présence de son supérieur et engager la conversation avec son oncle. Jackie se comportait souvent comme si son mari était sourd ou absent. Sandy se tourna vers lui.

— Tu te sens mieux, aujourd'hui ?

Andrew regarda dans le vide, puis hocha brièvement la tête.

— Écoute, reprit Jackie. Puisque tu es là, ça t'ennuie de rester avec ton oncle le temps que j'aille faire quelques courses ? Je n'ai plus de farine et je voulais préparer un gâteau. Je n'aime pas le laisser seul.

De nouveau elle regarda Perez.

— Enfin, si vous n'avez rien de particulier à me demander.

— Non, répondit tranquillement l'inspecteur. On voulait juste bavarder avec votre mari. Du bon vieux temps. Rien d'important. Vous pouvez y aller.

Sandy savait que c'était parfait, ainsi ils pourraient discuter sans être entendus par sa tante, pourtant il ne pouvait réfréner sa nervosité. Perez comptait sur lui pour convaincre Andrew de se confier à eux et il craignait que ce ne soit pas si facile. On disait que l'attaque n'avait pas affecté l'intelligence, seulement la parole et la mémoire immédiate, mais le jeune homme trouvait son oncle terriblement changé. Avant, c'était un solide gaillard, bouillonnant, fort en gueule, plein d'esprit de compétition. Il le revoyait au golf, jurant parce qu'il avait raté un trou. Enfant, il en avait même un peu peur.

Après quelques instants de silence, la porte d'entrée claqua, puis l'Audi démarra et s'éloigna dans l'allée.

— Je te présente Jimmy Perez, déclara Sandy. C'est mon patron. Ça ne te dérange pas qu'il reste là pendant qu'on bavarde ?

Un silence, suivi d'un bref hochement de tête.

— Ton père connaissait les gars du Shetland Bus ? Il construisait des canots pour eux ?

Sandy venait de mordre dans une galette, elle était plus friable qu'il ne s'y attendait et des flocons s'échappèrent de sa bouche lorsqu'il prononça ces mots. Il se sentit rougir, se demanda ce que son supérieur penserait de sa maladresse.

Andrew continua de le regarder fixement puis opina du chef.

— Il t'en a parlé ?

— Ils construisaient les yoles que les Norvégiens utilisaient une fois arrivés dans leur pays.

— Grosse responsabilité, intervint Perez. Ils devaient savoir que la vie des Norvégiens en dépendait.

Andrew le regarda, acquiesça de nouveau et enchaîna :

— Les gars de Whalsay allaient tester les rafiots en pleine mer.

— Ça devait être effrayant, au large, dans une minuscule embarcation.

— Ils étaient jeunes. Inconscients. Ils se croyaient éternels. Et c'était une bande de copains.

S'il butait sur un mot par-ci par-là, Andrew savait parfaitement ce qu'il disait.

— Jerry faisait partie de la bande, reprit Sandy. Le Jerry de Mima.

— Ce n'était qu'un gamin. Le plus casse-cou de tous, selon mon père.

— Tu sais qu'on a retrouvé de vieux ossements à Setter ?

Cette fois, son oncle se tut si longtemps que Sandy crut qu'il ne l'avait pas entendu.

— On ne me dit plus rien.

— C'est l'étudiante anglaise qui les a trouvés.

— Celle qui est morte ?

La réplique avait été immédiate, et si appropriée que le jeune homme en fut surpris. Jamais il n'aurait imaginé qu'Andrew ait pu enregistrer la mort de Hattie.

— Elle a découvert un crâne, expliqua-t-il. Enfin, c'est ma mère qui l'a trouvé, elle donnait un coup de main en tant que bénévole. Et je crois que c'est la seconde étudiante, Sophie, qui a déterré les autres ossements.

Nouveau silence. Son oncle porta le mug de café froid à ses lèvres, but une gorgée.

— Mon patron a l'air de penser que ces restes pourraient dater de l'époque du Shetland Bus, poursuivit Sandy. Qu'ils pourraient appartenir à un Norvégien. Est-ce que ton père t'a parlé de ça ?

Cette fois, Andrew se tourna vers Perez.

— Pourquoi ça vous intéresse ? Qu'est-ce que vous fabriquez encore ici, si la petite jeune s'est suicidée ?

— Oh, vous savez ce que c'est. Il y a des formulaires à remplir, des cases à cocher.

Andrew acquiesça, apparemment rassuré.

— À la fin, c'était le même cirque avec la pêche.

— Alors, est-ce que ton père t'a parlé du Norvégien ?

Encore un silence. Le vieil homme semblait perdu dans ses pensées.

— Il y a fait allusion, déclara-t-il enfin.

Il esquissa un sourire qui rappela à Sandy celui qu'il était avant son attaque : le boute-en-train de toutes les fêtes, blagueur, danseur aussi. Capable à lui seul d'emplir une pièce de son rire. De boire plus que quiconque sans vaciller.

— Quand il était un peu pompette, mon père embrayait sur la guerre, poursuivit Andrew.

— Qu'est-ce qu'il racontait ?

— Qu'il était mort de trouille chaque fois qu'il sortait essayer une yole. Qu'il devait peut-être la vie à Jerry Wilson.

Sandy eut une soudaine intuition. Quelque chose dans la voix de son oncle.

— C'est pour ça qu'il s'est tu pour le Norvégien ?

L'autre le regarda.

— Quelqu'un est allé baver là-dessus ?

Nouveau rappel de l'ancien Andrew, qui avait un sacré caractère quand on l'énervait.

— Non, fit le jeune homme.

J'ai juste appris quelques trucs de Perez.

— Tu peux me dire ce qui s'est passé ? poursuivit-il.

— Comment veux-tu que je le sache ? J'y étais pas.

— Tu dois bien te rappeler les histoires de ton père.

— Peut-être qu'elles sont pas bonnes à répéter.

— Deux personnes sont mortes. Il faut que ça cesse. Et les gens vont continuer à croire que Ronald a tué Mima si on ne découvre pas ce qui s'est passé.

— Ils auront vite fait d'oublier.

— Tu crois ça ? Et sa femme, elle oubliera ?

Son oncle retomba dans un long mutisme. Sandy songea que Jackie n'allait pas tarder à rentrer.

— Tout ce que je sais, c'est ce que mon père m'a relaté, finit par lâcher Andrew. J'ignore si c'est vrai. Je pense que oui, mais je n'en suis pas sûr.

— Je comprends. De vieilles histoires. Comment savoir ce qu'on peut croire ?

— On raconte que Jerry Wilson a abattu un jeune Norvégien.

— J'ai entendu ça. Parce que ce type avait donné des résistants aux Allemands.

— Non. Ça, c'est la version qu'ils ont fait courir dans l'île quand les gens ont commencé à poser des questions. Mais ce n'est pas ce qui s'est passé. Pas selon mon père.

Au cours de la conversation, l'élocution d'Andrew était devenue plus fluide. Il s'arrêta.

— Alors, pourquoi Jerry a tué ce Norvégien ? insista Sandy.

— Parce que c'était l'amant de Mima.

Le vieil homme se tut brusquement, comme stupéfait d'avoir prononcé ces mots. Puis il poursuivit à la hâte :

— Un jour, Jerry les a surpris ensemble. Le Norvégien était venu à Whalsay pour essayer une des nouvelles yoles. Il était coincé là à cause du temps ou d'une avarie sur un bateau. Je ne sais pas, mon père n'a pas donné d'explication sur ce point-là. Il disait juste que Mima avait flirté avec ce type toute la journée et qu'ils s'étaient retrouvés au lit au Pier House. Jerry était allé au QG de Lunna pour discuter des prochaines opérations et il n'était pas censé rentrer. Sauf qu'il est revenu et qu'il les a pris sur le fait.

— Mais ensuite, il a quand même épousé Mima.

— Il ne lui en a pas voulu. Enfin, pas trop, même si leur couple n'a jamais été aussi idyllique qu'on le disait. Toujours selon mon père. Mima n'était qu'une gamine, trop jeune pour comprendre ce qu'elle faisait. Jerry a tout reproché au Norvégien.

— Alors il l'a fait sortir et lui a tiré dessus ?

— C'est ce que disait mon père. Jerry n'avait jamais été très…

Andrew hésita, cherchant le mot juste.

— … stable.

— Et il a enterré le corps à Setter ?

Voilà ce que Sandy ne comprenait pas. Pourquoi Setter, l'endroit même où vivaient Mima et sa grand-mère ? Était-ce pour que sa jeune épouse n'oublie jamais qu'il ne fallait pas le provoquer ?

— C'est l'histoire qu'on racontait.

Andrew reposa soigneusement son mug sur la table. Sa main tremblait.

— Une des histoires.

Sandy regarda Perez, au cas où il souhaiterait poursuivre l'entretien lui-même, mais l'inspecteur lui fit signe de continuer.

— Je ne comprends pas pourquoi Mima a autorisé les fouilles sur son terrain. Elle devait bien se douter qu'il y avait un risque qu'on retrouve le corps.

— Elle ne le savait pas. Elle l'avait peut-être soupçonné, mais elle n'était pas au courant.

Le moteur de la voiture de Jackie résonna au-dehors. Andrew ne l'entendit pas. Sandy attrapa une nouvelle galette. Après tout, c'était son petit-déjeuner, et il ne l'avait pas volé. Sa tante ouvrit la porte et apparut, chargée de sacs.

— Merci, dit-elle. J'espère que vous ne vous êtes pas trop ennuyés. Andrew n'a pas grand-chose à raconter ces temps-ci.

33

Berglund avait loué une voiture chez Bolt, à Lerwick. Elle était toujours devant le Pier House. Perez la voyait depuis la fenêtre de sa chambre. Il appela le loueur et demanda jusqu'à quand le professeur l'avait réservée.

— Il repart par le ferry de ce soir. Il la laissera au parking de la gare maritime vers seize heures trente. En tout cas, c'est ce qui est convenu.

Jimmy aurait bien aimé retenir l'archéologue à Whalsay, mais il n'avait aucun moyen de l'y contraindre. Maintenant que Hattie n'était plus là pour le défendre, le chantier de Whalsay pourrait bien être totalement abandonné. Pour Rhona Laing, la jeune femme s'était suicidée, point. Et qu'elle l'ait fait avec le couteau de son directeur de thèse ne voulait absolument rien dire. Peut-être la procureure avait-elle raison. Le professeur se trouvait à Whalsay le jour où Mima avait été tuée, mais pour quelle raison s'en serait-il pris à une petite vieille de l'île ? À la connaissance de Perez, il n'avait même pas accès à un fusil. Dans le cas de Hattie, c'était différent. Le mobile se concevait aisément et Berglund était le dernier à l'avoir vue en vie. Pourtant, les deux décès pouvaient-ils vraiment être sans rapport, fruits d'une pure coïncidence ? Jimmy se demanda s'il devait prier l'archéologue de rester, ou au moins organiser un entretien plus officiel avant son départ. Sauf qu'alors il dévoilerait ses cartes. Berglund était un homme intelligent. Pour l'heure, mieux valait le laisser croire que son secret n'avait pas transpiré.

Perez resta assis derrière sa fenêtre en attendant de voir l'universitaire rouler jusqu'à l'embarcadère et monter à bord du ferry. Il voulait s'assurer qu'il partait. Ce ne serait pas avant une bonne heure, mais l'inspecteur n'était pas du genre à s'impatienter ni à s'ennuyer. Il appréciait les moments d'inactivité. Cela lui permettait de réfléchir plus posément. Mentalement, il passa en revue les personnages de cette tragédie insulaire. L'un d'eux était-il capable de tuer à deux reprises ? Par moments, son immobilité irritait Fran jusqu'à la rendre folle. Elle se mettait à hurler, en riant certes, mais énervée malgré tout. « Comment est-ce que tu peux rester assis sans rien faire ? À quoi tu penses ? » Il ne savait jamais trop quoi répondre. *Des histoires. Je me raconte des histoires, c'est tout.*

Son esprit dériva de l'enquête, revint à sa compagne et de nouveau au mariage. Éclaterait-elle de rire s'il lui demandait sa main ? Ça lui paraîtrait vieux jeu, dépassé. À tous les coups, elle trouverait ça ridicule.

Quand le ferry appareilla, Jimmy se leva. À l'épicerie de Symbister, il acheta du pain, du fromage, du jambon, des fruits et du chocolat. Il y avait d'autres clients dans le magasin, qui se turent jusqu'à son départ – il entendit le murmure des conversations reprendre derrière lui. Il refit un saut à l'intérieur pour prendre deux bières et s'amusa du silence revenu. Ensuite, il déposa les paquets sur le siège passager de sa voiture et roula jusqu'au Bod. Berglund parti, il pensait bien y trouver Sophie seule.

Assise à la table en formica, l'étudiante semblait occupée à remplir un formulaire. Jimmy la vit à travers les vitres crasseuses. Se rappelant la fois où elle l'avait surpris au milieu de la chambre, il prit soin de frapper et d'attendre qu'elle vienne lui ouvrir. Elle parut déçue en le voyant.

— Ah, c'est vous…

— Vous attendiez quelqu'un ?

Elle hésita.

— Je pensais que Paul passerait peut-être me dire au revoir.

— Il est parti. Je l'ai vu embarquer sur le ferry.

— Je règle la paperasse du chantier avant de m'en aller, expliqua la jeune femme en retournant s'asseoir. Ça sert à rien que je reste ici. Autant rentrer à Londres. De toute façon, c'est ce que j'avais prévu.

— Alors, vous allez tenir un bar à Richmond ?

Elle lui offrit un large sourire.

— Peut-être. Ça fait partie des possibilités. Je n'ai pas l'intention de me précipiter. Je pourrais commencer par m'octroyer quelques mois de repos.

Perez allait lui demander comment elle comptait gagner sa vie, mais il lui revint que ce n'était pas un problème pour elle. Il ne se rappelait pas avoir jamais rencontré quelqu'un qui n'ait pas besoin de travailler. Pas même Duncan Hunter, qui était sans doute la personne la plus riche qu'il connaisse.

— Vous allez retourner chez vos parents ?

— Dans leur maison, oui. Mon père vient de partir pour six mois à Hong Kong. Pour une de ses entreprises. Alors il n'y a personne.

— Vous n'avez pas envie d'être auprès d'eux ?

Malgré sa confiance en soi et sa voix assurée, Jimmy pensait qu'elle avait besoin d'être entourée.

— Pourquoi ça ? fit-elle d'un ton cinglant. Je suis majeure et vaccinée. Je ne vais pas courir me réfugier dans les jupons de ma mère au moindre coup de tristesse. Et puis tous mes copains sont à Londres.

— Vous êtes triste ?

La jeune femme le regarda comme s'il était fou.

— À votre avis ? La personne avec qui je viens de passer deux mois de ma vie s'est tuée. Mais ne vous en faites pas. Deux bonnes soirées de bringue et il n'y paraîtra plus.

— C'est ce que vous croyez ? Que Hattie s'est suicidée ?

— Bien sûr. Il y a une autre explication ?

Perez contourna la question.

— J'ai apporté de quoi pique-niquer. Allons faire une balade à la pointe nord de l'île.

De nouveau elle le dévisagea comme un aliéné.

— Ne vous inquiétez pas, la rassura-t-il sans trop savoir pourquoi. Je veux juste qu'on aille à un endroit où on ne sera ni dérangés ni entendus.

Il se gara près du pavillon du club de golf. Le temps s'était radouci : le vent soufflait en rafales sur les nuages d'un blanc éblouissant et offrait de belles plages de grand soleil. Le parking était vide et le green semblait désert. Ils marchèrent jusqu'à la côte et s'assirent sur les rochers face aux Skerries, les îles habitées le plus à l'est de l'archipel, nettement visibles à l'horizon.

— J'ai passé ma vie aux Shetland et je ne suis jamais allé là-bas, dit Jimmy.

Il tendit une cannette de bière à Sophie et étala le pique-nique sur une pierre plate. Un plongeon catmarin les survola en criant. *La dernière fois que j'en ai entendu un, c'était peu avant qu'on ne retrouve le corps de Hattie.* L'inspecteur avait beau savoir que ce n'était que superstition, il en éprouva un malaise. Quelle tragédie allait encore arriver ? Il reporta son attention sur les Skerries.

— Je devrais peut-être y faire un tour, un de ces jours.

Sophie tira sur l'anneau de sa cannette.

— Pourquoi on est là ? lança-t-elle. Qu'est-ce que vous me voulez ?

Elle était de nouveau en short, avec de grosses chaussures et un pull trop grand troué aux coudes. Pas de soutien-gorge, se dit Perez. Elle se pencha, les bras sur les genoux.

— Qu'est-ce que vous pensez de Paul Berglund ? demanda-t-il

Il ouvrit un petit pain croustillant, trancha un morceau de cheddar des Orcades à l'aide de son canif, lui tendit le simili-sandwich.

— Je n'ai rien à lui reprocher. Il a toujours été réglo avec moi.

— Vraiment ?

— Oui. Il y a pire, comme chef. On rigole bien avec lui.

— Et Hattie ?

Jimmy porta un carré de chocolat à sa bouche. Il trouvait l'étudiante un peu sur la défensive.

— Il était réglo avec elle ?

La jeune femme ne répondit pas. Une mouette fondit en piqué pour grappiller à manger. Au loin, un courlis cria.

Perez insista :

— Hattie vous a parlé de Paul ? Mise en garde, peut-être ? Est-ce qu'elle sentait que vous vous rapprochiez de lui et a voulu que vous sachiez comment il l'avait traitée ?

Sophie regardait les îles à l'horizon.

— Paul n'a rien fait de mal, lâcha-t-elle. C'est impossible.

— C'est lui qui vous l'a dit ?

Pas de réponse.

— Quelque chose a poussé Hattie au suicide, reprit Jimmy. S'il s'agit bien de ça, c'est avec le couteau de Berglund qu'elle s'est tuée.

L'étudiante détourna la tête de lui.

— Je déteste cette île. Tout le monde sait tout sur tout le monde. Au début, c'était chouette. Rien à voir avec les autres endroits où j'avais vécu. Je m'éclatais bien avec les pêcheurs, ils savent faire la fête. Maintenant, j'en peux plus. Quand le brouillard s'installe, c'est comme si le reste de la planète n'existait plus. Les gens perdent la mesure. Des broutilles survenues il y a des années refont surface et se mettent à gouverner leur vie.

— Quelles broutilles ?

Elle secoua la tête, agacée qu'il ne comprenne pas immédiatement.

— Rien de précis. Seulement cette impression que les insulaires sont incapables de s'affranchir de leur passé. Qu'ils n'ont aucun libre arbitre. Ou ne s'autorisent pas à en avoir.

— Alors rentrez chez vous. Rien ne vous en empêche. Laissez-moi simplement votre adresse.

Elle avait arraché une tige de bruyère qu'elle dépouillait une par une de ses fleurs sèches. Perez songea qu'il lui faudrait probablement plus de deux soirées de bringue pour retrouver sa joie de vivre.

— Est-ce que Hattie vous parlait, avant sa mort ?

Sophie le regarda, stupéfaite.

— Évidemment !

— Alors vous vous entendiez bien ?

Une brève hésitation.

— L'internat est un super-entraînement pour ce genre de situation. On apprend à se serrer les coudes.

Jimmy trouva la réponse décalée. *J'ai connu l'internat. Si on peut appeler comme ça la pension du lycée Anderson. Je ne suis pas sûr que ça m'ait appris grand-chose.*

— Est-ce qu'elle vous a parlé de Paul Berglund ? poursuivit-il. De ce qui s'était passé la première fois qu'ils avaient travaillé ensemble ?

— Paul dit qu'elle délirait. Qu'elle s'est juste payé un gros béguin d'adolescente.

— Mais elle, qu'est-ce qu'elle en disait ?

— Alors c'était vrai, toutes ces histoires sur lui ?

La jeune femme regardait Perez ; ses yeux semblaient immenses.

— Avec Hattie, je savais jamais. Des fois, j'avais l'impression qu'elle était folle. Elle avait des idées tellement dingues !

— Par exemple ?

Sophie secoua la tête, réticente à se montrer trop précise.

— Je sais pas, elle se laissait emporter par son imagination.

— Mais elle vous a parlé de Berglund.

— Oui, elle pensait qu'il me draguait. Elle a essayé de me prévenir. Je lui ai dit que j'étais une grande fille et que je pouvais me défendre toute seule.

— Je crois que ce qu'elle vous a dit sur le professeur était vrai. Mais il n'y a aucune preuve et il ne sera jamais poursuivi, si c'est ce qui vous inquiète. J'aimerais seulement savoir ce qu'elle vous a raconté.

Sophie vida sa cannette et l'écrasa entre ses doigts. Elle commença son récit d'une voix plate, monocorde, le regard perdu dans la mer.

— C'était juste après sa première année de fac. Elle avait déjà fait une espèce de dépression à la fin du lycée. J'imagine qu'elle était comme ça. Obsessionnelle. Pendant les vacances d'été, elle est partie comme bénévole sur un chantier de fouilles.

Elle s'interrompit, mais Perez ne broncha pas. Il voulait entendre sa version de ce qu'il connaissait déjà. L'étudiante poursuivit :

— C'est là que Hattie a rencontré Paul. Elle est tombée amoureuse de lui. Je veux dire totalement, éperdument. Elle

258

me l'a avoué. Il était marié, mais ça n'a jamais arrêté personne.

Là, Jimmy décida d'intervenir :

— Elle le savait ?

— Peut-être pas. Elle était tellement naïve, ça n'a même pas dû l'effleurer. Lui, j'imagine qu'il s'est senti flatté. Elle était jeune, brillante, excentrique. Il l'a invitée à sortir une ou deux fois. Il appréciait sa compagnie, mais il en voulait plus. Les mecs en veulent toujours plus...

Elle marqua une nouvelle pause, sans cesser de regarder au loin. Perez aurait bien voulu connaître ses pensées.

— Un soir, ils ont un peu bu ensemble. Il lui a proposé un café dans sa chambre. Elle a accepté, en pensant vraiment boire un café, avec peut-être un bisou et un câlin innocent en plus. Comme je disais, elle était très naïve. Mais Paul, lui, il attendait autre chose.

— Il l'a violée.

— Non !

Là, la jeune femme se tourna vers lui, choquée.

— Pas violée. Ça paraît atroce.

— Le viol est atroce.

— Ils étaient tous les deux saouls. Il a mal interprété les signes. Elle ne lui a pas dit d'arrêter. Pas clairement. Pas de façon catégorique.

Et c'était peut-être vrai, songea Jimmy. Hattie manquait tellement de confiance en elle... Au bout d'un moment, elle avait pu finir par céder et le laisser prendre ce qu'il voulait, trop effrayée pour hurler et faire un scandale. Puis après, c'était à elle-même qu'elle en avait voulu plutôt qu'à lui. Elle s'était laissé ronger par la colère au point de s'en rendre malade. Cette colère avait-elle viré à la paranoïa, ici à Whalsay ? Hattie redoutait-elle une récidive ? S'imaginait-elle qu'il l'observait, prêt à lui sauter dessus à la première occasion ? Pourtant, tout le monde la disait heureuse jusqu'à la mort de Mima. Tout ça n'était pas très logique.

Perez ne voulait pas laisser croire à Sophie qu'il lui reprochait quoi que ce soit. À son tour il regarda la mer, les reflets du soleil mouvant au gré des vagues et des ombres poussées par le vent.

— Vous avez une liaison avec Berglund ?

— Non !

L'inspecteur les revit ensemble, la veille, devant le Pier House, au retour des obsèques de Mima, tous deux vêtus de noir. Berglund avait pris la jeune femme par l'épaule, mais elle l'avait repoussé avant de s'éloigner. Sans doute disait-elle la vérité. Il se leva, il commençait à avoir froid. Malgré le soleil éclatant, le rocher où ils étaient assis restait glacial.

— Est-ce que vous lui avez parlé des allégations de Hattie ?

— Je n'ai pas pu m'en empêcher. C'était à l'église avant l'enterrement de Mima. L'ambiance était tellement morne et solennelle ! Impossible de rester assise là sans rien dire. On était arrivés en avance, il n'y avait personne d'autre. Personne pour nous entendre. Et j'avais besoin de savoir ce qu'il avait à dire pour sa défense.

— Alors, qu'est-ce qu'il avait à dire ?

— Il a pris ça à la rigolade, en expliquant que ce n'était qu'une gamine perturbée qui avait flashé sur lui, qu'elle ne savait pas ce qu'elle voulait.

Elle hésita puis poursuivit :

— Après ça, il m'a mise en garde : « N'allez pas répandre des rumeurs sur moi, Sophie. J'ai beaucoup à perdre. »

— À votre avis, est-ce que Hattie lui a reparlé de tout ça lors de leur entretien en privé ?

— Aucune idée.

La jeune femme semblait avoir l'esprit ailleurs à présent, ou peut-être avait-elle froid, elle aussi.

— En tout cas, Paul ne m'en a rien dit.

A-t-il également lancé un avertissement à Hattie ? se demanda Perez. Ou a-t-il adopté des mesures plus radicales pour l'empêcher de parler ? Le professeur l'avait dit lui-même : il avait beaucoup à perdre.

— Vous croyez que Hattie s'est suicidée ?

Il avait lâché la question sans réfléchir et s'aperçut qu'il retenait son souffle en attendant la réponse.

— Évidemment ! fit-elle en le regardant comme s'il était dérangé. Je vois pas ce que ça pourrait être d'autre. Cela dit...

— Oui ?

— Je me serais attendue à ce qu'elle laisse un mot. Elle écrivait à tout bout de champ. C'est comme ça qu'elle communiquait le mieux, qu'elle arrivait à comprendre les choses.

L'inspecteur savait qu'il devait aller retrouver Sandy et que la procureure attendait de ses nouvelles, pourtant, malgré le froid, il n'avait pas envie de partir. Il pensait que Sophie avait d'autres choses à lui apprendre, qu'il s'y était mal pris. Qu'il n'avait pas posé la bonne question. Mais la jeune femme commençait à s'impatienter. Elle se leva à son tour et s'éloigna à grands pas dans l'herbe rase pour redescendre vers la voiture, derrière le loch où se reflétaient les nuages et où bientôt le plongeon construirait son nid. Jimmy n'eut d'autre solution que de lui emboîter le pas.

34

Quand il regagna la maison après avoir fait sortir les poules et ramassé les œufs, Sandy trouva son patron qui l'attendait devant la porte. Elle n'était pas verrouillée, mais Jimmy patientait à l'extérieur comme s'il avait tout son temps.

— Ta voiture est là, lança-t-il. Je me suis dit que tu n'allais pas tarder.

Sandy songea que Mima aurait aimé les recevoir à Setter tous les deux. Elle se serait prise d'amitié pour Jimmy Perez, lui aurait servi du whisky et raconté ses histoires. Aujourd'hui, c'était l'inspecteur qui avait des choses à raconter.

— Restons dehors, suggéra-t-il. Pour profiter du beau temps.

Ils s'éloignèrent donc, longèrent le champ de fouilles et ses rubans, ses piquets, son tas de déblais, puis poursuivirent jusqu'au muret délimitant les terres de Setter. De nouveau Perez se demanda ce qu'il allait advenir du site. Les tranchées seraient-elles remblayées, le tas nivelé ? L'endroit resterait-il ensuite intouché à jamais ? Il relata à son collègue ce qui s'était passé entre Hattie James et Paul Berglund lorsqu'ils s'étaient rencontrés sur un chantier dans le Sussex.

— Tu crois ce que t'a dit l'infirmier psychiatrique ?

Sandy ne savait que penser. Pour lui, le viol était un crime urbain, un inconnu agressant une femme dans une ruelle à la nuit tombée. Deux personnes qui copulaient dans une chambre d'hôtel, c'était autre chose. Mais il connaissait suffisamment son supérieur pour ne pas piper mot.

— Oui, répondit ce dernier.

— Mais ça ne donne pas de mobile à Berglund pour tuer Mima, non ?

— Sauf si elle avait découvert ce qu'il avait fait. Peut-être qu'elle a menacé de tout révéler. Ou tenté de convaincre Hattie de porter plainte. Tu m'as dit que Mima l'aimait beaucoup et qu'elles étaient proches. C'était une maîtresse femme, indépendante. Hattie aurait pu lui faire des confidences. Même si ça n'allait pas jusqu'au procès, Berglund risquait de perdre son boulot.

— Ça me paraît pas plausible.

Décidément, l'inspecteur voyait toujours les choses bien plus compliquées qu'elles n'étaient.

— Berglund n'aurait pas été assez bête pour tuer Hattie avec son propre couteau, conclut le jeune homme.

Au-delà du muret, une vieille brebis grassouillette aux yeux chassieux mâchonnait les grandes herbes, deux petits agneaux encore tout flageolants à ses côtés.

— Qu'est-ce que tu as pensé de notre conversation avec ton oncle ?

— J'en sais trop rien.

Sandy avait encore du mal à émettre un avis tranché devant son supérieur. Jimmy était habitué à enquêter sur des homicides avec des collègues brillants venus du Sud, pas avec des flics locaux sans expérience comme lui.

— Mima n'a jamais évoqué un Norvégien rencontré pendant la guerre ?

— Non, or c'est typiquement le genre de truc qu'elle aurait adoré raconter. Coquin et théâtral à la fois.

Le policier avait peine à croire à toute cette histoire. La mémoire de son oncle n'était pas fiable et certains jours, il s'exprimait de travers.

— Selon Andrew, elle ne savait pas qu'il avait été tué, reprit Perez. Mais elle a bien dû avoir vent des rumeurs. Cedric m'a donné une version, il y en a certainement eu d'autres. Peut-être qu'elle a voulu éviter de devenir l'objet des ragots. Pas plus qu'elle ne l'était déjà, en tout cas.

— Tu crois quand même pas qu'une histoire vieille de plus d'un demi-siècle a le moindre rapport avec la mort d'une mamie aujourd'hui ?

Sandy trouvait que son patron était fou de se laisser obnubiler à ce point par les événements d'autrefois.

— Probablement pas.

— Je me demandais…

Le jeune homme hésita. Il ne voulait pas passer pour un
idiot.

— Oui ?

— Berglund. C'est un nom norvégien ?

— Scandinave, sûrement.

— Encore une coïncidence, à ton avis ?

— Tu penses que ce pourrait être un parent, un petit-fils
peut-être, venu se venger ?

Jimmy était amusé mais ne rejetait pas l'hypothèse.

— Je sais pas. Pas forcément se venger, mais se renseigner.
Il aurait pu poser des questions qui ont remué la vase.

— Ça vaut la peine de vérifier. Je m'en chargerai dès mon
retour au bureau. Je rentre tout à l'heure. Je ne peux pas vraiment justifier de prolonger ma présence ici et je dois tenir la
procureure au courant. Tu la connais.

— Tu vas tout lui dire ? Pour ma grand-mère et le Norvégien ?

— Bien sûr. Quoi qu'on en pense, elle est très discrète, tu
sais. Bien obligée.

Le jeune homme jeta un coup d'œil à Perez pour voir s'il
se moquait, mais il paraissait sérieux.

— J'avoue que ça me plaît pas, lâcha-t-il. Qu'on parle de
ma famille comme ça.

Il tourna les talons et se remit en marche vers la maison.
Que penserait son père de tout ça ? Ou bien savait-il depuis
toujours ce qui s'était passé soixante ans plus tôt ? Peut-être
devrait-il lui en parler avant que ça ne s'ébruite.

Comme ils approchaient de la bicoque, une voiture arriva
et Ronald Clouston en descendit. Il ne les avait pas remarqués
et sursauta en les voyant. Pareil à un grand ado dégingandé
pris les doigts dans la confiture. Sandy se dit qu'il avait peut-
être espéré lui parler seul à seul.

— Hé ho, lança-t-il – l'expression de son père. Tu veux entrer ? Il va falloir que j'aille à Utra pour dire au revoir à Michael, mais pas tout de suite.

— Non, merci.

Son cousin gardait la main sur sa portière, comme prêt à s'enfuir.

— Je vois que tu es occupé.

— Je partais, intervint Perez.

— Non, répéta Ronald. Je dois y aller. J'ai des choses à faire.

Il remonta dans sa voiture et démarra.

— Qu'est-ce qui lui a pris ? fit Jimmy.

— Les gens n'osent pas trop l'ouvrir devant la police.

Sandy regrettait de n'avoir pas été seul. Peut-être passerait-il un coup de fil à son cousin plus tard, pour connaître la raison de sa visite. Il avait senti que Ronald voulait lui parler mais s'était dégonflé au dernier moment. Il se tourna vers son patron.

— Qu'est-ce que tu veux que je fasse ?

— Tu peux supporter de rester encore un peu ici ?

— Oui, ça devrait aller. Mais j'aimerais bien rentrer chez moi dans pas trop longtemps quand même.

— J'espère que tout sera résolu d'ici quelques jours.

Le jeune homme se demanda si Jimmy avait de bonnes raisons de le penser ou s'il prenait ses désirs pour des réalités. Il réitéra sa question :

— Qu'est-ce que tu veux que je fasse ?

— Tu te crois capable d'inciter Sophie à se confier ? Elle était tout le temps avec Hattie. Elle pourrait avoir connaissance d'un détail important sans le savoir. Tu es plus proche de son âge, et elle te connaît déjà.

— Je peux toujours essayer.

Sandy entrevit soudain le résultat s'il parvenait à tirer quelque chose de l'étudiante, s'il découvrait un élément qui fasse avancer l'enquête. Ce que Perez serait heureux et fier !

— Je passerai au Bod ce soir, je l'inviterai peut-être à boire un coup au Pier House.

— Je me suis demandé si elle n'avait pas une liaison avec Berglund. Pourtant elle dit que non, et je ne vois pas pourquoi elle mentirait, à moins qu'elle ne craigne de lui causer des ennuis.

À ce moment, Sandy fut tenté de lui confier ses inquiétudes au sujet de ses parents, mais il décida qu'il s'agissait d'un problème personnel. S'il en parlait à son supérieur, ça deviendrait officiel, et tant qu'il ignorait de quoi il retournait, c'était hors de question.

À Utra, tout le monde s'apprêtait à partir pour l'aéroport. La grosse voiture de location était bourrée de bagages et Amelia attendait dehors, manifestement impatiente de s'en aller. Elle était en jean moulant, pull à décolleté arrondi et petite veste. Michael attachait leur fille dans le rehausseur-auto sur la banquette arrière.

Evelyn émergea de la maison en courant.

— Ah, te voilà ! Amelia commençait à penser qu'ils allaient devoir partir sans te dire au revoir. Je lui ai dit qu'on avait largement le temps. Sumburgh n'est pas comme ces gros aéroports du Sud où il faut une heure pour l'enregistrement.

Sandy ne parvint pas à savoir qui, de sa bru ou de lui, énervait le plus sa mère.

— Eh ben c'est bon, je suis là.

Michael se retourna. Il prit son frère dans ses bras, le serra très fort.

— Maintenant que tu es devenu un grand voyageur et que tu sais te débrouiller tout seul à Londres, tu n'as plus aucune excuse pour ne pas venir nous voir.

— Je viendrai.

Amelia s'était déjà installée sur le siège passager. Lorsque les voitures s'ébranlèrent, elle fit au revoir à Sandy. Une légère oscillation de la main, façon vedette de cinéma ou reine d'Angleterre. Le jeune homme attendit que les deux véhicules se soient éloignés sur la route de Symbister et alors seulement, il pénétra dans la maison.

La cuisine portait des traces de la précipitation causée par le départ des Édimbourgeois. Evelyn avait fait la vaisselle, naturellement – elle ne serait jamais partie en laissant des casseroles sales dans l'évier –, mais elle s'était contentée de l'empiler sur la paillasse au lieu de l'essuyer. Il y avait des miettes par terre et la poubelle débordait.

Maintenant qu'il était là, le policier ne savait plus très bien ce qu'il cherchait. Il s'assit à la table et se força à réfléchir posément. Il avait besoin de se tranquilliser, voilà tout. Il ne comprenait pas comment ses parents avaient réussi à rénover la maison avec leurs modestes revenus. Il voulait s'assurer qu'ils n'étaient pas endettés. C'était ça, son cauchemar : qu'ils aient emprunté à tout va pour que sa mère puisse rivaliser avec les familles de pêcheurs. Sandy connaissait le stress de l'endettement. Lui-même était un tel panier percé qu'il avait fini par découper sa carte de crédit en petits morceaux parce qu'il ne pouvait pas continuer à dépenser ainsi sans compter ; il se rappelait encore la boule au ventre lorsqu'il s'était rendu compte de l'ampleur de son découvert.

La tension entre ses parents pouvait s'expliquer par des soucis financiers. Il préférait penser que c'était ça. Tout autre motif – le sexe : que l'un d'eux se soit épris de quelqu'un d'autre – serait tout simplement monstrueux. Ils étaient vieux et c'étaient ses parents ; l'idée était inconcevable. Il se demanda s'il dramatisait. Peut-être que les deux morts survenues si près de chez lui l'avaient rendu fébrile au point de faire une montagne d'une taupinière. Puis il revit son père s'en prendre à sa mère après l'enterrement de Mima. De toute leur vie commune, pas une fois Joseph n'avait élevé la voix contre Evelyn, même lorsqu'il rentrait éreinté après une journée de travail pour Duncan Hunter. Non, Sandy ne dramatisait pas. Il y avait bien quelque chose qui clochait entre eux.

À partir de là, ça se compliquait. Il s'obligea à ordonner ses idées et à franchir l'étape suivante de son raisonnement. Si ses parents avaient des problèmes d'argent, se pouvait-il que l'un d'eux ait tué Mima pour sa maison et ses terres ? Pas Joseph. Il voyait combien son père était bouleversé. En plus, on lui avait déjà fait une offre intéressante pour la bicoque et il l'avait refusée. Alors, Evelyn ? Sandy savait depuis le début que c'était à elle qu'aboutiraient ses réflexions. Sa mère n'avait jamais vraiment fait bon ménage avec Mima. C'était une assez bonne gâchette et il y avait un fusil à Utra. Mais si le couple n'avait pas de problèmes financiers, alors le mobile disparaissait. Voilà pourquoi le jeune homme était venu rôder ici tel un voleur ou un espion.

Il savait où sa mère rangeait les relevés de compte : dans le bureau du salon, là où les filles avaient déposé les pièces d'argent avant de les envoyer au labo. Le tiroir était fermé, mais la clé suspendue avec les autres à un crochet dans le cellier. Evelyn avait toujours géré les finances familiales. Même quand Joseph travaillait pour Hunter, c'était elle qui se chargeait de régler et d'encaisser les factures, de remplir les déclarations de revenus. Sandy la revoyait s'asseoir à la table chaque mois, vérifier les comptes, froncer les sourcils lorsqu'elle découvrait le peu qu'il leur restait jusqu'à la paie suivante.

Il trouva la clé et ouvrit le tiroir. Les relevés étaient là, soigneusement regroupés dans le classeur bleu dont il se souvenait. Il regarda immédiatement le solde et éprouva un intense soulagement en constatant qu'il était créditeur. Le jeune homme survola rapidement les douze derniers mois. Aucun problème. Pas beaucoup de marge, mais pas de découvert. Evelyn aurait-elle pu contracter un emprunt ? Il n'en trouva aucune trace, or les papiers se seraient également trouvés dans le tiroir. *Comment ai-je pu douter d'elle ? Comment ai-je pu l'imaginer une seule minute capable de meurtre ?*

Le policier regarda sa montre. Presque six heures. Tout à coup il se sentit une faim de loup. Il n'avait pas déjeuné. Il eut envie de se faire plaisir. Descendre dîner au Pier House, éventuellement s'offrir une bière ou deux. Si les gars y étaient, ils pourraient jouer aux cartes ou parler du bon vieux temps. Davy Henderson traînerait sans doute par là. Peut-être qu'Anna s'était calmée et laisserait Ronald sortir pour la soirée. Puis il se rappela que Perez lui avait demandé de parler à Sophie. Il referma le tiroir et remit la clé au crochet, non sans s'assurer que tout était en ordre. L'idée que ses parents puissent s'apercevoir qu'il avait fureté dans leurs affaires lui était insupportable.

Sur la route de Symbister, il s'arrêta au Bod. Le bar du Pier House serait tranquille à cette heure, ils pourraient discuter. La tâche n'était pas si pénible, Sophie était de bonne compagnie. Elle avait le chic pour donner aux hommes qui l'accompagnaient le sentiment d'être uniques, séduisants. Sandy saurait-il l'amener à se confier ? Peut-être que s'il avait fait davantage d'efforts pour connaître Hattie, elle se serait ouverte à lui, elle aussi. Cependant, lorsqu'il frappa à la porte, personne ne répondit. Il jeta un coup d'œil à l'intérieur. Le matériel archéologique était toujours là, empilé dans un coin de la pièce, mais les affaires personnelles de Sophie semblaient avoir disparu.

Au bar de l'hôtel, Cedric tenait le comptoir, les yeux dans le vague. Le patron avait toujours fait le même âge depuis que Sandy était tout petit, pourtant ces jours-ci il semblait avoir pris un coup de vieux. Il marchait comme au ralenti.

— Tu as vu la fille du Bod ?

Cedric le regarda.

— Oui, tout à l'heure. Elle a pris le ferry. J'étais allé attendre Jean sur le quai. Sophie était chargée comme un baudet, avec son énorme sac à dos. Elle avait l'air contente de partir.

Le jeune homme appela Perez pour lui apprendre ce qui s'était passé. L'inspecteur marqua un long silence, mais ne parut pas lui reprocher d'avoir laissé filer l'étudiante. Sandy songea soudain que Hattie et Sophie prendraient peut-être le même ferry pour Aberdeen, sauf que l'une effectuerait la traversée dans la camionnette banalisée que les pompes funèbres utilisaient pour emporter les corps à l'autopsie, tandis que l'autre la passerait à traîner au bar.

35

En rentrant à Lerwick, Perez fit un saut au commissariat. Les locaux semblaient en sommeil : presque tout le monde était en congé pour Pâques. Au téléphone, la secrétaire de la procureure lui apprit que cette dernière serait en réunion jusqu'à la fin de la journée. Il prit rendez-vous pour le lendemain. Il avait hâte de rentrer chez lui, de fourrer ses vêtements au lave-linge et de se préparer un petit dîner. En attendant, il commença à réfléchir à la meilleure façon de retrouver la nationalité d'origine de Berglund.

Bien qu'il ait prévu de passer une soirée tranquille, une fois chez lui, il ne parvint pas à se détendre. Il n'arrêtait pas de penser à Sophie, de se repasser leur conversation sur les rochers. Elle avait raison pour la lettre. Certes, tous les suicidés ne laissent pas de mot, mais Hattie aimait écrire. Si elle avait eu l'intention de se donner la mort, elle aurait rédigé une note mûrement réfléchie à sa mère pour lui expliquer son geste. Elle ne lui aurait pas passé ce coup de fil paniqué. Brusquement, il eut envie que tout soit terminé. Fran serait bientôt de retour. Il ne voulait pas qu'elle le trouve au beau milieu d'une enquête, préoccupé et épuisé.

Il finit par se faire couler un bain. La pièce, étroite et toute en longueur, se remplit de vapeur, la buée dégoulinait sur les carreaux de la fenêtre. Aucune importance. La maison entière était humide, alors qu'est-ce que ça changerait ? La baignoire était vieille et profonde, l'émail écaillé. Il s'immergea, essaya d'oublier l'affaire, mais les scénarios possibles, les relations mouvantes entre les gens ne cessaient de l'assaillir par vagues. Il somnolait à demi. *La Danse de la vie humaine.* Qui donc avait écrit cela ? Les habitants de Whalsay passés et présents valsaient dans sa conscience. Un résistant norvégien et une jeune archéologue perturbée, une femme d'affaires ambitieuse et un vieil homme amoindri par une attaque. Comment ces personnages s'intégraient-ils dans cette histoire ? Il ferma les yeux et se sentit flotter vers la solution.

Le téléphone sonna. Il eut envie de le laisser, de poursuivre ses réflexions décousues, mais ce pouvait être Fran. Loin de son environnement habituel, il avait eu du mal à lui parler, et à présent il brûlait d'entendre sa voix. Il se leva et attrapa une serviette – il avait toujours cru que sa maison les pieds dans l'eau lui garantissait une intimité absolue, pourtant il s'était déjà fait surprendre par un canoéiste ou un marin passant sous ses fenêtres. La sonnerie se tut juste avant qu'il ait pu décrocher. Elle va laisser un message, pensa-t-il. Et il la rappellerait aussitôt, avant qu'elle ne file retrouver ses amis pour une pièce de théâtre expérimentale, un vernissage ou un dîner dans un resto chic.

Cependant, lorsqu'il composa le numéro de sa boîte vocale, ce fut une autre voix de femme qu'il entendit. Val Turner, l'archéologue des Shetland. « Jimmy, je viens de recevoir un rapport préliminaire sur les ossements de Whalsay. Si tu veux, tu peux encore me joindre pendant une demi-heure au bureau. »

Il regagna la salle de bains, mais l'eau lui parut grise et peu engageante, ses élucubrations ridicules. Il ôta la bonde et s'habilla.

Au lieu de contacter Val directement, il appela Fran sur son portable. Elle ne répondit pas et il laissa un message. Puis il composa le numéro de l'archéologue, qui décrocha immédiatement.

— Tu m'attrapes au vol, Jimmy. J'allais partir.

— Tu as un moment pour qu'on se voie ? Je t'inviterais volontiers à dîner. Pour te remercier d'avoir accéléré l'analyse des ossements.

Après tout, il avait besoin de compagnie. Ce n'était pas une bonne idée de rester tout seul à ruminer. Et il avait encore des questions à propos des fouilles. Sa lessive attendrait bien un jour de plus.

— Ah, lança-t-elle. Tu n'imagines pas les efforts que j'ai dû faire pour y arriver. Jusqu'ici, je n'avais jamais rien obtenu en moins de six semaines.

— Alors, je te dois vraiment une fière chandelle. On voit s'ils peuvent nous trouver une place au resto du musée ?

— Parfait. Dans une demi-heure ?

Val était déjà là lorsqu'il arriva, assise à une table pour deux près de la baie vitrée, avec vue sur la mer. Les jours rallongeaient, la nuit commençait tout juste à tomber. L'archéologue avait un verre de vin blanc devant elle, un autre pour lui.

— Je n'ai pas pris de bouteille. Je conduis et je suppose que toi aussi. Ça te va ?

— Très bien.

— Alors, les ossements…

Elle lui décocha un sourire épanoui, sachant combien il avait besoin de ces renseignements.

— Vas-y. Ils ont quel âge ?

— La plupart sont anciens.

— C'est-à-dire ?

— Étant donné les circonstances particulières, j'ai envoyé quatre fragments pour datation. Trois sont estimés entre 1465 et 1510 et proviennent probablement d'un seul et même individu. Ils sont donc très vieux, aucune relation possible avec les récents décès survenus à Whalsay. L'âge colle parfaitement avec la théorie de Hattie James sur le bâtiment. XVe siècle, comme les monnaies.

Ainsi, ce n'est pas le squelette du Norvégien. Cette vieille histoire remontant à la jeunesse de Mima ne serait-elle qu'une fausse piste ?

Val Turner continuait.

— J'aurais voulu pouvoir le lui apprendre. Peut-être que si elle avait eu la certitude d'avoir vu juste sur l'époque et la fonction de la maison, elle ne se serait pas suicidée.

Si tant est que ce soit le cas. Mais Perez garda cette réflexion pour lui. Une seule remarque hasardeuse pouvait suffire à lancer une rumeur. Pour l'instant, ça l'arrangeait que les gens croient au suicide. Brusquement, il saisit l'importance des premiers mots de Val.

— Tu as dit que *la plupart* des os étaient anciens. Qu'est-ce que tu entendais par là ?

— L'un des fragments paraît plus récent que les autres. Je leur ai demandé de revérifier. C'est probablement une erreur.

Elle sembla soudain s'apercevoir de l'effet que produisait cette information sur son interlocuteur.

— Je t'assure, ça arrive. Ne te mets pas martel en tête.

— Est-ce que tu sais à quel endroit du site il a été découvert ?

— Je peux le retrouver. Hattie consignait tout très méticuleusement. Je demanderai à Sophie.

— Elle est rentrée chez elle.

— Alors elle a dû laisser les documents à Evelyn.

— Tu connaissais bien Hattie ?

— Je l'ai rencontrée plusieurs fois, bien sûr. Le chantier a beau être le sujet d'une thèse de doctorat, il est sur mon territoire. En définitive, il en va de ma responsabilité qu'il soit conduit de manière professionnelle.

— Que va devenir le projet ?

— J'espère que l'université prendra le relais, y mettra les moyens pour développer l'initiative. L'Amenity Trust apporterait son soutien, sans l'ombre d'un doute. Whalsay serait un bon endroit pour une reconstitution ouverte au public. Il y a des bénévoles très actifs sur place.

— Evelyn ?

— Tu la connais ? Oui. C'est une vraie perle. Je n'en reviens pas de la façon dont elle a réussi à s'y retrouver dans le labyrinthe des subventions.

— J'ai cru comprendre que Joseph Wilson n'était guère emballé par les fouilles, et c'est lui le propriétaire de Setter, maintenant.

— Ah bon ?

Val ne semblait pas particulièrement inquiète. Peut-être pensait-elle qu'Evelyn obtenait toujours ce qu'elle voulait.

— Quelle est la prochaine étape ? reprit Jimmy.

— Une présentation publique. C'est encore Evelyn qui a pris les choses en main. Elle prépare une soirée à la salle des fêtes de Lindby pour expliquer les pièces et les ossements aux habitants de l'île. La semaine prochaine. Elle m'a demandé si on pouvait faire ça ici, au musée, mais c'était trop juste pour l'organisation. Tu pourras venir ?

Fran sera de retour à ce moment-là, songea-t-il. Ça pourrait lui plaire.

— Pourquoi tant de précipitation ?

Val éclata de rire.

— Evelyn n'est pas vraiment du genre patient.

— Mais ce n'est pas un peu déplacé, si tôt après la disparition de Hattie James ?

— L'idée est que l'événement soit aussi un hommage à sa mémoire. Un éloge de son travail. Evelyn a invité sa mère, la députée.

— Gwen James a accepté ?

L'inspecteur était surpris. Elle avait refusé de venir aux Shetland à la mort de sa fille. Pourquoi assisterait-elle à une manifestation aussi publique ? Peut-être pour ça, justement : parce que c'était dans le domaine public qu'elle se sentait le plus à l'aise.

— Apparemment.

Perez regarda le quai en contrebas, où étaient présentés des modèles d'embarcations traditionnelles shetlandaises. Assis à cette table, Val et lui auraient pu se trouver sur le pont d'un bateau, un grand vaisseau majestueux, comme les navires de croisière qui faisaient escale dans l'archipel en été.

— Evelyn compte sur la présence de Paul Berglund ?

— Vraisemblablement. Maintenant que Sophie est partie, il n'y a plus que lui pour représenter l'université. Je tiens à ce que le travail des fouilles soit correctement décrit. C'est à lui que ça revient.

Ils se turent un moment.

— Qu'est-ce que tu pensais de Hattie ? lança Jimmy.

— Elle était très douée, passionnée, minutieuse. Elle aurait eu un brillant avenir dans l'archéologie.

Val s'interrompit à l'arrivée des plats.

— Ça va te paraître super-sexiste, mais je me disais qu'elle avait besoin d'un homme dans sa vie. Quelqu'un avec qui partager des choses. Quelqu'un qui l'empêche de se prendre trop au sérieux.

L'inspecteur ne répondit pas.

— J'ai oublié de te préciser quelque chose, poursuivit l'archéologue. À propos des ossements. Ceux qui ont été précisément datés. Je suis sûre que ça va t'intéresser.

Perez leva les yeux. Il avait la tête ailleurs. À Whalsay, auprès d'une belle jeune femme étendue dans une tranchée à deux pas de l'endroit où ces restes anciens avaient reposé pendant des siècles.

Val ne parut pas s'en apercevoir.

— Ils appartiennent à un homme. Le fragment du bassin a permis de déterminer le sexe. Et il n'est pas mort de mort naturelle. Il a été assassiné. Poignardé. Du moins, selon toute apparence. Les côtes ont été brisées. Le crâne seul n'aurait jamais pu nous fournir cette indication. Évidemment, on ne saura jamais pourquoi il a été tué, mais c'est amusant d'essayer de deviner.

Là, Jimmy commença à dresser l'oreille.

— D'après toi, qu'est-ce qui a pu se passer ?

— Selon la théorie de Hattie, ce serait un insulaire qui aurait repris le rôle du marchand à Whalsay. Il se serait brusquement retrouvé riche et puissant. On peut imaginer que ses voisins n'ont pas tellement apprécié.

— Tu penses qu'on l'a tué pour lui voler sa fortune ?

— Oui, ou bien par jalousie. Les autres étaient pauvres, lui était riche. C'est peut-être l'envie, le monstre aux yeux verts, qui a eu raison de lui.

Val Turner fila dès la fin du dîner, mais Jimmy s'attarda un moment dehors avant de rentrer chez lui. Derrière les vastes baies vitrées, il contempla la reconstitution de la lanterne d'un phare, son énorme lentille de verre et ses mécanismes. Autrefois, ses rayons intermittents guidaient les navires afin d'éviter les écueils. Éclaire-moi un peu, l'adjura-t-il. Cependant, il se sentait avancer lentement vers la solution. En quittant Whalsay il avait pris du recul, et sa conversation avec Val avait encore aiguisé ses idées.

36

Bien que sa chambre à Utra soit de nouveau libre, Sandy n'avait pas cherché à la réintégrer. Il avait même pris l'initiative de traire la vache de Mima. Tôt le matin et en fin d'après-midi, il s'asseyait sur la caisse dans l'abri, lui essuyait les mamelles à l'aide du chiffon qu'il avait eu soin d'apporter et regardait le liquide gicler dans le seau. Après quelques essais sous l'œil souriant de son père, il avait retrouvé les gestes. Peut-être était-ce comme le vélo, songea-t-il, une de ces aptitudes qu'on n'oubliait plus. Il revoyait sa grand-mère en train de lui apprendre quand il était gamin, éclatant de rire à ses premières tentatives maladroites pour faire venir le lait. « Il va falloir que tu sois plus énergique que ça, mon garçon. Pince et tire fermement. Ça ne va pas te rester dans les mains. Voilà, c'est mieux. » C'était une des rares choses qu'il réussissait mieux que Michael. Assis là ce matin, l'odeur était exactement la même. Odeur de vache et de bouse, mêlée à celle, riche et douceâtre, du lait frais. Il éprouva le même sentiment d'accomplissement aussi, une fois le seau rempli.

Plus tard, il apporta le bidon à Utra. Son père était parti dans les collines. Sandy l'aperçut au loin en descendant le chemin vers la maison. Assise à la table de la cuisine, Evelyn était penchée sur des papiers. Encore des listes. Le jeune homme avait cru que c'en serait terminé après les obsèques, mais à présent elle semblait avoir d'autres projets, autre chose à organiser. D'abord elle n'en parla pas. Elle prit le lait et en versa la moitié dans une carafe pour le mettre au frigo, laissant le reste à l'extérieur.

— Je me disais que j'allais faire du fromage frais. Tu te rappelles, Sandy ? On en faisait quand vous étiez gamins.

— Qu'est-ce que c'est que tout ça ? demanda-t-il en désignant les papiers couverts de tableaux, de lignes à l'écriture soignée.

— On va donner une réception à la salle des fêtes de Lindby. Une sorte d'hommage à Mima et Hattie. Et aussi pour montrer les pièces d'argent et expliquer les fouilles aux villageois. Ça va intéresser la presse. Je me charge d'organiser le buffet.

Evelyn tout craché. Une fois qu'elle s'était mis quelque chose en tête, ça ne pouvait pas attendre, il fallait que ça se fasse illico. Le jeune homme trouvait le moment mal choisi. Quel besoin y avait-il de se hâter ainsi ?

— Et papa, qu'est-ce qu'il en dit ?

— Il trouve que c'est une bonne idée.

— Vraiment ?

Le policier était surpris. Aux dernières nouvelles, Joseph était franchement opposé aux fouilles à Setter. Tous ces gens ne risquaient-ils pas de vouloir voir l'endroit précis où les monnaies avaient été découvertes ? Son père était un homme réservé. Il détesterait tout ce battage, son train-train chamboulé.

— Il comprend ce que ça représente pour moi, répliqua Evelyn.

Sur ce, son visage se ferma avec cet air buté qu'elle prenait parfois. Inutile d'insister. Elle rassembla ses papiers et les glissa dans une pochette plastique. Sandy songea une fois de plus qu'il lui faudrait un vrai travail, une affaire dans laquelle dépenser toute cette énergie. Elle leva les yeux vers lui.

— Quand est-ce que tu comptes rentrer à Lerwick ?

— Je sais pas trop, répondit-il évasivement. J'ai encore des congés à prendre.

— Alors tu seras là pour la soirée de présentation. Je l'ai fixée à vendredi. C'est parfait que tu puisses venir. La mère de Hattie a confirmé sa présence. Ça lui fera du bien de voir une tête connue. Je peux compter sur toi pour aller la chercher à l'aéroport ?

— Est-ce qu'elle sait dans quoi elle met les pieds ? Elle n'a même pas encore enterré sa fille.

Le jeune homme estimait que ces manifestations locales intimideraient n'importe qui. Lui-même était incapable de les affronter sans s'être enfilé au préalable un ou deux gorgeons de whisky et quelques cannettes de bière. Il revit Gwen James dans son appartement londonien, fumant cigarette sur cigarette, rongée par la culpabilité. Comment supporterait-elle la curiosité des insulaires, leurs questions indiscrètes ? Puis il se rappela que c'était une femme politique, probablement tout à fait capable de donner le change.

— Je lui ai parlé ce matin, fit Evelyn. Elle veut voir l'endroit où Hattie est morte.

— Elle ne préférerait pas faire ça en privé ?

— Je lui ai expliqué ce qu'on prévoyait.

Le ton buté était revenu.

— Elle a pris sa décision en connaissance de cause. Elle n'était pas obligée d'accepter.

Mais ça arrangeait bien les affaires de sa mère, songea le policier, que la députée se déplace. Une femme politique, une sorte de célébrité, ça apporterait un peu de crédibilité au projet de Setter, presque une pointe de glamour. Parfois, il était choqué qu'Evelyn puisse se montrer aussi froidement calculatrice. Elle aussi ferait une sacrée femme politique.

— Je lui ai réservé une chambre au Pier House, poursuivit-elle. J'ai proposé de la loger chez nous, mais elle ne voulait pas nous déranger.

Au moins, elle aurait un endroit où se réfugier. Sandy se demanda si Perez était au courant des projets d'Evelyn et ce qu'il en penserait.

— Tu as invité qui d'autre ? s'enquit-il.

— Toutes les personnes investies dans les fouilles. Paul Berglund, bien sûr.

— Il va venir ?

— Je ne sais pas. Il a dit qu'il serait peut-être pris ailleurs.

Tu m'étonnes !

— Mais j'ai contacté le directeur de son département à l'université pour lui dire combien la présence du professeur nous paraissait essentielle.

Sandy se surprit à sourire. Sa mère avait la force de persuasion d'un bulldozer. D'où lui venaient cette énergie et ce culot ?

— Et qu'est-ce qu'il a répondu ?

— Qu'il ne doutait pas que Berglund parviendrait à s'organiser pour un événement de cette importance, d'autant plus que la soirée serait dédiée à sa défunte étudiante.

Evelyn accrocha son regard. Ils échangèrent un éclat de rire conspirateur.

— J'aurais aimé que Sophie soit là, reprit-elle. Tu savais qu'elle était repartie ?

— Oui, je suis au courant.

— C'était un peu précipité. Elle n'est même pas passée me dire au revoir, je ne trouve pas ça très poli. Tu n'aurais pas son adresse ou son numéro de portable, par hasard ?

— Non, maman, rien du tout.

Elle parut sur le point d'insister, mais se ravisa.

— J'imagine que les Clouston viendront. Pas moyen d'écarter Jackie, elle ne rate jamais la moindre occasion.

Sandy s'en alla dans les collines à la recherche de son père. En marchant dans la bruyère, il se dit que cette semaine à Whalsay l'avait un peu retapé. Il ne sentait plus la fatigue dans ses jambes ni ce douloureux halètement qui le prenait parfois quand il suivait Joseph dans les montées. En ville, il ne se déplaçait jamais à pied et se nourrissait de plats à emporter. Il pensa avec nostalgie au porc à l'aigre-douce dans sa pâte croustillante, baigné de sauce à l'ananas riche et épaisse. Qu'est-ce qu'il y avait de si génial à se sentir en forme ?

Il trouva Joseph accroupi auprès d'un agneau mort. Déjà déchiqueté par les corbeaux et les corneilles mantelées.

— Il était minuscule, dit le fermier. Il n'aurait jamais survécu. C'était peut-être le plus chétif d'une portée de deux.

Il se redressa, laissa errer son regard sur la crête de la colline.

— Je pensais que tu rentrerais à Lerwick, maintenant que l'enterrement est passé.

— Perez m'a conseillé de prendre quelques jours de congé. J'en ai encore pas mal et je dois les solder avant la fin avril.

— Ça va faire plaisir à ta mère.

— Tu parles !

— Je t'assure, insista Joseph avec sérieux. Tu lui manques.

— C'est Michael qui lui manque, oui.

Cependant le jeune homme ne put s'empêcher d'être heureux de la remarque, et il espéra que c'était vrai.

— Qu'est-ce que c'est que cette histoire de soirée à la salle des fêtes pour présenter les fouilles de Setter ?

Son père ne répondit pas immédiatement. Il devait choisir ses mots. Un instant, il lui fit penser à Jimmy Perez.

— Tu veux un café ? proposa Joseph. Ta mère m'a fait une thermos.

Il tira la bouteille de sa poche puis ôta son manteau et l'étendit sur l'herbe. Ils s'assirent côte à côte, tournés vers la pointe nord-est de l'île.

— T'as pas réussi à la dissuader ? dit Sandy.

Le jeune homme but une gorgée à la tasse commune. Le café était fort et très sucré.

— J'ai pas vraiment essayé. Tu sais comment elle est quand elle a décidé quelque chose.

— Elle t'écoute toujours.

— Pas cette fois.

— Je veux pas qu'elle se ridiculise.

Sandy avait parlé plus fort qu'il ne s'y attendait. Le vent emporta ses paroles et il y perçut la panique, le sous-entendu : *Je ne veux pas qu'elle* me *ridiculise.*

— Oh, je pense qu'à nous deux, on peut la maîtriser.

Une tentative d'humour, mais qui tomba à plat. Le ton de Joseph était sérieux, pragmatique.

— Il y a un problème, papa ? Est-ce que je peux faire quoi que ce soit ?

L'espace d'une seconde, il crut que son père allait se confier. Un courlis poussa son cri et dans le lointain résonna le croassement rauque d'un corbeau. Puis Joseph revissa le bouchon de la thermos et se leva.

— Pourquoi il y aurait un problème ? On est tous perturbés par ces accidents. Deux morts. Quelle foutue guigne. Tout va bien entre ta mère et moi.

Sandy se remémora leur dernière conversation à Setter. À ce moment-là, Joseph avait évoqué les décès comme davantage qu'une « foutue guigne ». Il mentait, mais son fils lui en était reconnaissant. Si ses parents avaient des problèmes de couple, il ne tenait pas vraiment à le savoir.

Ils avaient rebroussé chemin vers Utra, descendaient la colline à un rythme soutenu qui faisait respirer Sandy par saccades, quand le fermier reprit la parole.

— Je me disais que ta mère avait peut-être raison pour Setter. Qu'on devrait envisager de vendre.

Le policier s'arrêta net et se plia en deux. Comme si on venait de lui asséner un grand coup dans l'estomac. Son père n'eut pas l'air de s'en rendre compte. Maintenant qu'il était parti, il continuait sur sa lancée :

— On n'est plus tout jeunes, ni l'un ni l'autre. Il faut qu'on pense à nos vieux jours. Qu'est-ce que j'ai besoin d'une deuxième maison ? Ni toi ni Michael ne viendrez jamais y habiter. En plus, j'ai déjà intégré à Utra presque toutes les terres de Setter. Cette bicoque, c'est que des vieilles pierres.

Il s'aperçut que son fils n'était plus à ses côtés, s'immobilisa pour l'attendre tout en poursuivant, une pointe de défi dans la voix :

— Mais je la vendrai jamais à Robert.

Puis, criant ses paroles au vent :

— Je la vendrai pas à ce gros plein de fric pour qu'il y installe sa gosse de riche ! On va faire ce que dit ta mère. On va la proposer à l'Amenity Trust. Ils pourront l'aménager en musée. Un monument à la mémoire de Mima Wilson. Une maison en son honneur.

Sandy s'était redressé. Il reprit sa descente. Ses jambes étaient comme du coton et il devait se concentrer pour ne pas trébucher.

— Qu'est-ce qui t'a fait changer d'avis ? Je croyais que tu voulais pas voir la maison envahie par des inconnus.

— Elle est à moi. J'en fais ce que je veux.

— Je dis pas le contraire. Mais quelque chose t'a fait changer d'avis. Qu'est-ce qui s'est passé ?

Puis revint la même question et cette fois, le policier espéra entendre la vérité :

— Est-ce que je peux faire quoi que ce soit ?

Sandy n'avait pas encore rejoint son père, il le voyait du haut de la colline. Joseph n'était pas un vieillard : il était mince, nerveux, musclé. Mais d'où il se trouvait, il semblait soudain minuscule.

— Non, répondit enfin le fermier. Tu ne peux rien faire.

37

Perez passa presque toute la journée au bureau, heureux de retrouver la routine, l'éternelle paperasse. Il se renseigna auprès d'un historien local, auteur d'un ouvrage sur le Shetland Bus, et appela l'ambassade de Norvège. En fin d'après-midi, il se rendit à son rendez-vous avec la procureure. Ils discutèrent dépression et viol entre personnes de connaissance tout en sirotant un Earl Grey et en grignotant des sablés. Mme Laing semblait imperméable aux horreurs de sa charge.

— Eh bien, je crois qu'on peut désormais classer la mort de Hattie James comme un suicide, déclara-t-elle. Elle devait être en proie à un stress considérable, contrainte de travailler avec celui qui l'avait agressée. Et qu'elle soit allée jusqu'à utiliser son couteau pour se donner la mort, je vois ça comme un ultime message adressé à Berglund – et à nous. Elle le tenait pour responsable de son malheur. En plus, vous me dites qu'elle avait confié ce viol à sa camarade juste avant de disparaître ; tout confirme nos premières conclusions.

Perez voyait bien que ça arrangerait Rhona Laing s'ils pouvaient se débarrasser comme ça de la mort de Hattie. Deux tragédies à Whalsay, un accident et un suicide, seulement liées par le fait que la mort de Mima n'avait fait qu'accroître la solitude et raviver la dépression de Hattie.

L'inspecteur garda le silence. La procureure attendit. Elle n'était pas aux Shetland depuis bien longtemps, mais elle s'était habituée à sa façon d'être et savait se montrer patiente quand il le fallait. Elle finit cependant par se lasser.

— Eh bien ? Vous n'êtes pas d'accord ?

— Je crois que c'est plus compliqué que ça. Je ne vois pas pourquoi elle m'aurait appelé si elle avait décidé de mettre fin à ses jours. Elle voulait me dire quelque chose, quelque chose en rapport avec l'assassinat de Mima.

— Parce que vous croyez qu'elle a été assassinée ?

Le ton frisait la moquerie.

— J'en suis presque certain.

— Vous êtes sûr que vous ne vous laissez pas aveugler par vos émotions, Jimmy ? Un sentiment de culpabilité peut-être, pour n'avoir pas procédé tout de suite à une fouille approfondie de Setter ?

— Je crois qu'elles ont toutes les deux été assassinées. Seulement je ne peux pas encore le prouver.

— Je ne vais pas pouvoir atermoyer beaucoup plus.

— Non.

— Combien de temps vous voulez ?

Si atermoyer ne pouvait que nuire à une réputation politique, commettre une erreur dans une affaire de mort suspecte ne valait guère mieux. Laing reposa délicatement sa tasse sur la soucoupe.

— Combien de temps, Jimmy ? Je ne peux pas laisser ce dossier ouvert indéfiniment.

— Quelqu'un là-bas sait ce qui s'est passé. Pas seulement l'assassin. Quelque part à Whalsay, un ami ou un parent garde le secret. C'est le genre d'endroit où ça se passe comme ça.

— Bon, alors combien de temps ? Je ne peux vraiment pas vous accorder plus de quelques jours.

— J'espère que ça suffira.

— Vous avez un suspect en vue ?

Il acquiesça sans mot dire. Elle le regarda avec curiosité, mais n'insista pas. À ce stade, elle ne voulait rien savoir.

— Si je n'ai aucun élément nouveau à la fin de la semaine prochaine, je conclurai au suicide de Hattie James. Je ne peux pas faire passer sa mort pour un accident, quel que soit le soulagement que ça apporterait à sa mère. Ensuite, on pourra classer l'affaire et délivrer le permis d'inhumer.

L'inspecteur acquiesça de nouveau, mais il avait déjà la tête ailleurs. Il lui fallait des preuves. Pas le temps de se perdre en longues conversations, de laisser la vérité émerger peu à peu au fil des jours. Cette méthode lui réussissait pourtant bien – il était beaucoup plus patient que la procureure. Non, cette fois, il faudrait provoquer les événements, précipiter la crise. Et il n'était pas sûr de pouvoir le faire sans mettre en danger d'autres habitants de Whalsay.

Avant de rentrer chez lui, il passa faire des courses au Co-op, mais tout en parcourant les allées, il ne cessait de penser à l'affaire. À l'affaire et à Fran, qui ne le quittait pas.

Le problème de cette histoire, c'était son extrême confusion. Comment saisir les véritables causes, les relations entre les événements ? Ça lui faisait penser aux tricots de Fair Isle : quatre fils de couleur différente, enchevêtrés les uns aux autres pour former un motif. Difficile de les suivre séparément, de savoir quel effet produirait chaque teinte sur le résultat final.

À la maison, il se servit un verre de vin, saisit rapidement une darne de saumon sur chaque face, égoutta des épinards et des pommes de terre. *Flûte, j'ai oublié d'acheter un citron.*

Jimmy venait de terminer son repas sans grand appétit lorsqu'on frappa à sa porte. Il déposa son assiette à tremper dans l'évier avant d'aller ouvrir. Dans le couloir, il sentit battre son cœur en s'imaginant que peut-être, Fran était rentrée plus tôt que prévu. Serait-ce elle qu'il trouverait sur le seuil, les yeux levés vers sa fenêtre et trépignant d'impatience de le voir ? Il se la représenta, emmitouflée dans sa veste pour s'abriter de la bruine, son écharpe bleue entrelacée de fils d'argent nouée autour du cou. Mais ce n'était pas Fran. C'était Sandy, appuyé au montant, manifestement ivre et en mal d'épanchement. Perez s'écarta pour le laisser passer.

Le jeune homme se confondit en excuses, à la manière pleurnicharde que peuvent avoir les ivrognes quand ce n'est pas la violence qui prend le dessus.

— Je suis désolé, Jimmy, j'ai pas assuré. Mais j'en pouvais plus, il fallait que je me tire de Whalsay.

Ensuite, il tint des propos incohérents. Il était rouge comme une tomate, la morve au nez. Perez le fit asseoir au salon et lui prépara un café.

— D'où tu sors ?

La crainte immédiate de l'inspecteur était que son collègue soit allé bavasser dans un bar en ville et raconter au monde entier ce qui se passait à Whalsay. Il n'était que huit heures. À quelle heure avait-il commencé à boire ?

— J'étais au Lounge avec quelques potes.

Le policier devait être assez conscient pour lire l'inquiétude sur le visage de son patron.

— Mais j'ai pas parlé de l'affaire, Jimmy. Je ferais jamais ça !

Il avala une gorgée de café, grimaça en se brûlant la langue.

— J'ai juste dit que j'en avais marre d'être coincé à Whalsay avec ma famille, que j'étais bien content d'être en ville. Tu peux pas me reprocher d'avoir bu quelques verres.

— Qu'est-ce qui s'est passé ?

Car il s'était passé quelque chose, Perez en était sûr. Sandy s'était montré très posé à son retour de Londres. Il avait accompli sa mission comme un chef. Il avait donné tort à la procureure.

Le jeune homme reposa son mug et se prit la tête entre les mains.

— J'en sais rien. J'y comprends rien.

— Tu es parti à quelle heure ?

En s'en tenant aux faits, peut-être Sandy parviendrait-il à se calmer et à aboutir à une explication rationnelle.

— En début d'après-midi. J'ai bu une bière au Pier House et j'ai tout de suite su que je pourrais pas m'arrêter là. Tu sais comment c'est, des fois. Je pouvais pas me saouler là-bas. Davy Henderson venait à Lerwick, alors il m'a emmené. J'ai appelé des copains.

Il regarda l'inspecteur, d'un air tout à la fois agressif et sur la défensive.

— Je suis en congé. Je fais ce que je veux.

— Tes parents savent que tu es ici ?

— Je leur ai pas dit.

— Bon Dieu, Sandy, il y a eu deux morts dans l'île ! Ils doivent être aux cent coups ! Appelle-les, ne serait-ce que pour les rassurer.

— Maman aura téléphoné à Cedric pour essayer de me localiser. Il lui aura dit que j'ai pris le ferry.

Le policier boudait comme un gosse.

— Ça ne suffit pas, et tu le sais très bien.

— Écoute, je m'en fous ! Tout ça, c'est de leur faute.

Perez l'observa. En début de semaine, il avait cru que son collègue avait mûri. Le jeune homme avait fait preuve de tact avec Gwen James, avait rapporté plus de renseignements sur Hattie que Jimmy ne s'y attendait. Maintenant, on aurait dit un môme de deux ans qui piquait une colère pour un jouet perdu et en voulait à ses parents du malheur qui l'affligeait.

Sandy le regarda et dut s'apercevoir de sa déception car il changea de ton.

— Bon, d'accord. Je les appelle.

L'inspecteur emporta les tasses vides dans la cuisine. Derrière la cloison, il entendit la voix étouffée, toujours en colère et sur la défensive, mais sans parvenir à distinguer les mots. Lorsqu'il regagna le séjour, Sandy avait raccroché. Jimmy tira les rideaux et attendit qu'il se mette à parler. C'était pour ça qu'il était venu, après tout. Pour quelle autre raison se serait-il présenté chez lui dans un état pareil ?

— Mes parents vont vendre Setter, annonça enfin le jeune homme.

Perez hocha la tête.

— C'est logique. Ils ne doivent pas vouloir que la maison reste vide, et Joseph exploite déjà presque toutes les terres de la ferme, non ?

— Tu comprends pas. Mon père veut pas vendre. L'idée lui est insupportable. Il voulait même pas que les fouilles continuent. Et maintenant il y a cette grande réception à la salle des fêtes. Maman dit que c'est pour présenter au public les pièces que les filles ont trouvées, mais en fait, c'est rien que pour persuader l'Amenity Trust d'acheter la maison. Si la vente se fait, ils vont fouiller tout le terrain, peut-être même abattre la bicoque de Mima pour bâtir une espèce de reconstitution. Et mon père trouve rien d'autre à dire que : « D'accord, allez-y. »

— Qu'est-ce qui t'effraie, Sandy ? Je ne vois pas vraiment où est le problème. La maison appartient à tes parents maintenant. C'est à eux de décider.

287

— Je veux savoir pourquoi il a changé d'avis ! hurla-t-il, si fort que Jimmy se dit que les voisins avaient dû l'entendre. Mon père est pas du genre à revenir sur ses décisions.

Perez ne broncha pas, attendit la suite.

— Quelqu'un a fait pression sur lui.

La voix du jeune homme avait baissé, mais le ton restait rageur.

— Ta mère, peut-être. Elle est habituée à obtenir ce qu'elle veut. Rien d'alarmant là-dedans. Tu sais à quel point elle se passionne pour l'histoire de Setter.

— Non, pas ma mère. Elle s'agite et elle fanfaronne, mais c'est mon père qui commande, à la maison.

— Alors à quoi tu penses ?

— À un chantage. Je me demande si ce serait pas ça. S'il aurait pas besoin d'argent pour payer un maître chanteur.

Sandy regarda son patron, attendant désespérément qu'il lui dise que c'était n'importe quoi. Qu'il était Sandy Wilson, celui qui avait toujours tout faux.

Seulement, l'inspecteur ne répondit pas tout de suite. Il envisageait sérieusement cette possibilité. Le chantage ne faisait pas partie du scénario qu'il avait échafaudé pour expliquer les morts de Whalsay, mais ce n'était peut-être pas incompatible. À ce stade, tout était possible.

— Qu'est-ce que ton père aurait bien pu faire pour se retrouver à la merci d'un maître chanteur ? Tu n'es quand même pas en train de me dire qu'il a tué Mima ?

— Non ! répliqua aussitôt le jeune homme. Pas ça. Pas volontairement.

Il marqua une pause.

— J'arrête pas de tourner et de retourner tout ça dans ma tête. Des idées délirantes. Elles tournicotent sans rime ni raison. J'ai cru que l'alcool m'offrirait un peu de répit.

— Si on les étudiait ? Ces idées délirantes.

— Mon père aurait pu tirer sur Mima par accident. Par erreur. Hattie l'aurait vu et alors il l'aurait tuée aussi. Tu m'as dit toi-même qu'il était à Setter le soir de sa mort.

— Mais le jour où on a tiré sur Mima, il a passé toute la soirée à Utra, devant la télé. Ta mère l'a confirmé.

— Évidemment. Elle se damnerait pour chacun de nous.

Perez esquissa un sourire.

— C'est sûr. Quelle est l'idée délirante suivante ?

— Est-ce que l'assassin aurait pu prendre Mima pour Hattie ? Elles étaient toutes les deux petites et menues, et Mima portait le ciré de Hattie. Vu qu'elle se trouvait dans le coin des fouilles… ç'aurait été plus logique que ce soit Hattie.

— J'y ai pensé aussi. Mais quelle raison aurait eue ton père de tuer Hattie ?

— Aucune. Il la connaissait à peine. Encore une idée folle.

— Assez folle, oui.

Cependant, Jimmy trouvait que son collègue ne se débrouillait pas si mal. Les mêmes réflexions lui étaient également passées par la tête.

— Autre chose ?

— Non. Je me suis arrêté là, fit le jeune homme avec un sourire d'autodépréciation. Pas terrible, comme enquêteur, hein ? Je ferais peut-être mieux de lâcher la police pour me mettre à l'agriculture, finalement.

— Je crois que tu t'emballes un peu à cause de la vente de Setter. Ça n'a rien d'étonnant, tu aimais beaucoup ta grand-mère.

— Ça va mal à la maison, lança Sandy tout à trac. J'en suis malade.

— Joseph et Evelyn sont à rude épreuve en ce moment. Ça s'arrangera quand tout sera terminé.

— Est-ce que ça se terminera un jour ?

Le policier avait à peu près dessaoulé à présent, mais il restait d'humeur lugubre.

— J'ai bien peur que personne à Whalsay ne s'en remette jamais, si on ne découvre pas ce qui s'est passé.

— Ils s'en remettront s'il le faut, assura Perez.

Les insulaires avaient connu bien pire. L'effondrement de la Ligue hanséatique au XVIIᵉ siècle. La formidable tempête de la fin du XIXᵉ qui avait emporté la moitié des hommes de Whalsay, leurs navires chavirés par des vagues monstrueuses. L'assassinat du jeune Norvégien du Shetland Bus pendant la guerre.

— Mais je veux savoir, acheva l'inspecteur. Pas pour eux : pour moi. Qu'est-ce que tu comptais faire du reste de ta soirée ?

Sandy haussa les épaules.

— J'avais l'intention de rester en ville, sauf que si je fais ça, je risque de continuer à boire. Je vais peut-être rentrer à Whalsay.

— Il est encore tôt. On peut attraper un ferry. Je te raccompagne.

Perez le regarda dans les yeux.

— Enfin, si tu es sûr que tu veux rentrer.

— Oui. T'as raison. J'ai été idiot. Mon père n'est pas un assassin.

Jimmy faillit lui dire qu'il n'avait pas été idiot du tout, mais ce n'était pas ce que le jeune homme avait envie d'entendre.

38

Sandy descendait d'un pas chancelant le chemin menant à Setter. Perez lui avait proposé de le déposer devant la porte, mais le jeune homme estimait qu'il avait suffisamment abusé de son patron pour ce soir. Il s'était déjà bien assez ridiculisé. La nuit était noire et humide, semblable à celle où il avait trouvé Mima. Il fit abstraction de l'image de ce corps, à peine plus qu'un tas d'os recouvert de tissu sous la pluie, qui s'imposait à son esprit, préféra essayer de se concentrer sur les nids-de-poule pour ne pas s'étaler tête la première dans la boue.

Passé le virage du sentier, il aperçut de la lumière dans la maison. L'avait-il laissée allumée ? Il ne voyait pas comment : il était parti pour le Pier House en début d'après-midi. Et puis ce n'était pas l'éclat blanc du néon de la cuisine de Mima, avec son cache en plastique couvert de graisse et criblé de cadavres de mouches. C'était une lueur rougeâtre et vacillante.

Le policier piqua un sprint et arriva à la bicoque hors d'haleine. En ouvrant la porte, il fut assailli par la chaleur qui lui brûla le visage. Une épaisse fumée lui piqua les yeux et le fit suffoquer. Il tenta de mettre son cerveau en marche, de se rappeler ce qu'il avait appris en stage incendie. Le feu était parti de la cuisine et n'avait pas encore atteint le reste de la maison. Il léchait la peinture des placards et les lambris sous la fenêtre. Sandy attrapa la serviette qui traînait sur la table et la jeta sur les flammes du placard pour les étouffer. Ensuite, il remplit la bassine à vaisselle et la vida sur les lambris. Un sifflement se fit entendre, mais le bois brûlait toujours. Il répéta l'opération. Cette fois, le feu s'éteignit. Le cœur battant la chamade, le jeune homme essaya de reprendre son souffle.

Il perçut un bruit à l'extérieur. Un son étrange, comme le râle d'un animal en souffrance. Il se précipita sur le seuil et scruta l'obscurité. Sa fureur l'empêchait d'avoir peur. Fureur et stupidité.

— Qui est là ? hurla-t-il. Qu'est-ce que vous foutez ?

Il avait envie de frapper, d'écraser son poing sur la tête de celui qui avait profané la maison de sa grand-mère.

Une silhouette émergea de l'ombre de l'étable. Son père se tenait devant lui. Il paraissait petit et vieux. Pour la première fois, Sandy vit à quel point il ressemblait à Mima. La même charpente menue et la même force nerveuse.

— Tu l'as vu ? s'écria-t-il. Tu as vu celui qui a fait ça ?

Joseph ne répondit pas.

— Reste ici, reprit le jeune homme. Le feu était pas parti depuis longtemps et y avait pas de voiture. Je devrais pouvoir le rattraper.

— C'est moi.

Le policier s'était déjà élancé le long du sentier. Quelque chose dans la voix du fermier l'arrêta net.

— Qu'est-ce que tu racontes ?

Dans sa veste qu'il n'avait pas eu le temps d'ôter, Sandy se sentit gros, énorme même, face à son père.

— C'est moi qui ai mis le feu à la maison de ta grand-mère.

Ils se dévisagèrent. Sandy savait qu'il aurait dû comprendre, mais il n'y arrivait pas. Même sobre comme un chameau, il ne comprendrait jamais. La bruine avait cessé et une grosse lune pâle filtrait à travers le brouillard.

— Je ne veux pas entrer, déclara-t-il. Pas avec la cuisine dans cet état.

Il contourna la maison, longea les fouilles et poursuivit jusqu'au muret qui dominait le loch. La lune se reflétait sur l'eau. Sans s'être retourné une seule fois, il savait que son père le suivait. Ils s'adossèrent au muret pour parler, en s'évitant du regard.

Sandy avait déjà interrogé des suspects. Il aimait bien cet aspect de son travail. Quand il prenait la déposition d'un prévenu ou d'un témoin, c'était lui le chef, lui qui décidait. Contrairement à ce qui passait dans le reste de sa vie. Cette fois, il aurait préféré que son père prenne l'initiative, seulement Joseph ne pipait mot.

— Pourquoi tu as fait ça ? finit-il par lui demander, pas de sa voix autoritaire de policier mais tout bas, presque avec désespoir. Pourquoi mettre le feu à ta propre maison ?

— Parce que je ne supportais pas qu'elle soit occupée par d'autres.

— Ça a quelque chose à voir avec le Norvégien ?

Une intuition soudaine. Sans un reste d'ivresse, Sandy n'aurait jamais eu le cran d'aborder le sujet.

— Qu'est-ce que tu sais de lui ? fit Joseph.

— Je sais que ton père l'a trouvé au lit avec ta mère, l'a traîné dehors et lui a tiré dessus.

— Il n'y a pas grand-chose d'autre à savoir. Je ne suis même pas sûr que cette histoire soit vraie.

Mais le jeune homme n'était pas disposé à se contenter de ça.

— Comment tu l'as découvert ? C'est Mima qui te l'a dit quand tu étais petit ?

Quel effet ça faisait d'apprendre que son père était un assassin ? Comment Mima s'était-elle débrouillée pour transmettre cette information ? Lui avait-elle raconté cette histoire avant de s'endormir, au milieu des légendes de lutins ?

— Elle ne m'en a jamais soufflé mot.

— Alors, qui ?

— Ça devait bien finir par m'arriver aux oreilles.

Sandy lui jeta un regard furtif. Le clair de lune teintait d'argent les cheveux et la barbe du fermier.

— Une bonne histoire comme ça ne peut pas rester secrète, pas dans un endroit comme ici. C'était à l'école. Notre petite école de Whalsay. Il y a eu une bagarre. Tu sais comment c'est, entre garçons. C'est là qu'Andrew Clouston a balancé le morceau. Dans un accès de colère, pour me faire mal. Il n'était pas très doué de ses poings quand il était jeune. Plus vieux que moi, mais froussard. Il devait tenir l'histoire de son père, le vieil Andy. J'ai filé droit à la maison pour demander à maman si c'était vrai.

Après une courte pause, Joseph poursuivit.

— Elle était dans le jardin, en train de planter des navets, la jupe relevée et de gros godillots aux pieds. J'avais couru et j'étais tout rouge, le visage couvert de larmes et de morve. « Pourquoi tu m'as pas dit que mon papa était un assassin ? » j'ai crié. Elle s'est redressée et m'a répondu, les yeux dans les yeux : « Parce que je ne suis pas sûre que ce soit le cas. »

Le fermier regarda son fils.

— J'étais furieux. Aussi furieux que tu l'es en ce moment. Je me suis mis à lui hurler dessus, qu'elle s'explique. Elle est restée très calme. « Ils ont emmené ce monsieur. Je n'ai jamais vraiment su ce qui lui était arrivé et ton père refusait d'en parler. J'espérais qu'ils l'avaient emmené à Lunna, peut-être un peu tabassé. Je ne savais pas qu'il était mort. Même quand le bruit a commencé à courir. J'aurais dû te le dire. Mais j'espérais que tu n'aurais pas à l'apprendre. » Et elle a continué ses semis, les épaules voûtées et les yeux rivés sur la terre.

— Elle ne t'a jamais donné d'autres explications ?

— Si, plus tard dans la soirée. Elle avait bu quelques gorgeons. Elle m'a parlé du Norvégien. « On l'appelait Per. Je n'ai jamais connu son nom de famille. Il était grand et blond, et il me traitait avec douceur. Ton père était un homme fascinant, mais il n'a jamais été doux avec moi. » C'est ce qu'elle a dit.

— Ce Per, où est-ce qu'il a été enterré ?

— Je n'en sais rien. Je viens de te le dire, elle ne savait même pas qu'il était mort. On n'a pas parlé de ça.

— Mais tu as dû y penser.

Le brouillard s'était dissipé, il ne restait plus que quelques traînées de nuages devant la lune. La nuit était si claire qu'on se serait cru en plein été.

— À l'adolescence, je me suis mis en tête que le Norvégien était peut-être mon père, reprit Joseph. J'avais entendu des choses sur mon vrai père qui ne me plaisaient pas trop. On racontait qu'il battait Mima. Sauf que je ne peux pas être le fils du Norvégien. Les dates ne collent pas. Je ne suis pas né pendant la guerre.

Et tu ressembles trop à Jerry, songea Sandy en se rappelant la photo de Setter. Impossible que tu sois né de quelqu'un d'autre.

— Tu crois que ton père s'est noyé en mer ? demanda-t-il brusquement, sans réfléchir.

Là, Joseph se tourna vers lui.

— C'est ce qu'on m'a toujours dit.

— Je comprends pas pourquoi tu dois te défaire de Setter. Était-il idiot ? Trop obtus pour saisir ?

— Pourquoi maintenant ? poursuivit Sandy. Alors que tu étais opposé à la vente, alors que l'idée même t'est tellement insupportable que tu es prêt à mettre le feu à la maison pour toucher l'assurance plutôt que de la céder à qui que ce soit ?

Car il devait bien y avoir des considérations financières quelque part. L'argent était toujours important à Whalsay.

— C'est pas à moi de te l'expliquer, répondit Joseph. Il faudra que tu poses la question à ta mère. Allez, rentre avec moi. Vu les dégâts, tu peux pas dormir ici.

— Je dirai à maman que c'est moi. En voulant me faire des frites. Elle sait que j'ai bu.

Joseph ne souffla mot. Il prit son fils par l'épaule et ensemble, ils regagnèrent Utra.

39

Sandy dut essuyer un sermon d'Evelyn le lendemain matin sur les méfaits de l'alcool et des frites au milieu de la nuit.

— Tu aurais pu y passer. Ou réduire la maison en cendres !

Le jeune homme pensa à Joseph et joua la contrition.

Il n'avait pas bien dormi. Avec tout ce qu'il avait bu, il aurait dû s'écrouler comme une masse, mais les idées lui avaient tourbillonné toute la nuit dans la tête. Il avait essayé de se repasser sa conversation avec son père. Ses souvenirs de la fin de l'après-midi étaient nets : il s'était enivré dans un bar de Lerwick, le bras sur l'épaule de cette grosse fille, celle qui avait épousé un Albionnais employé à la conserverie de poisson. Ensuite il avait débarqué comme un imbécile chez Perez. Le temps qu'ils arrivent à Whalsay, il avait à peu près dessaoulé. Du moins lui semblait-il. Pourtant la découverte du début d'incendie, la discussion avec Joseph au clair de lune sur le muret, tout ça lui paraissait plus flou. Comme s'il l'avait rêvé. Peut-être ne voulait-il tout simplement pas se rappeler son père dans cet état.

Evelyn posa un sandwich au bacon et une tasse de café devant lui. Joseph était déjà sorti, bien avant le réveil de Sandy.

— Tu veux pas prendre le petit-déj' avec moi ? demanda celui-ci.

Sa mère faisait trois choses à la fois, comme d'habitude. Elle bourdonnait dans la cuisine telle une mouche coincée dans une bouteille.

— Je l'ai déjà pris il y a des heures.

— Alors assieds-toi juste pour boire un café !

Elle le regarda bizarrement, mais obtempéra.

— Pourquoi est-ce que papa a changé d'avis sur la vente de Setter ?

— Il a compris que c'était la meilleure solution. Qu'est-ce qu'il ferait d'une vieille bicoque ?

Sandy reconnut le ton. Fanfaron et bravache, pareil à celui de l'ado qui a volé une voiture et l'a envoyée dans le fossé. Il secoua la tête.

— Il adore cette baraque. Il y a passé son enfance. Il ne veut pas la voir envahie d'étrangers.

— Sentimentalisme. Les sentiments, ça ne nourrit pas son homme.

— Il m'a dit que tu m'expliquerais.

Elle s'immobilisa un instant, le regarda d'un air triste.

— Oh, Sandy, tu es bien la dernière personne à qui je pourrais expliquer.

Ces mots lui firent l'effet d'une gifle.

Le téléphone se mit à sonner et elle alla répondre. Lorsqu'elle revint, elle s'était rembrunie.

— C'était ta tante Jackie. Elle demande si tu peux monter à la villa. Elle dit qu'Andrew trépigne d'envie de te parler.

— Bon. Pourquoi pas ? J'y vais.

C'était lâche, mais il avait hâte de s'échapper de la maison. Dehors, en montant chez les Clouston, il se sentit mieux. Un traquet motteux sautillait sur le muret, et plus loin des alouettes chantaient. Il trouva Jackie dans la cuisine. La table était couverte d'ingrédients de toutes sortes – paquets de farine, de sucre et de flocons d'avoine, boîtes de sirop et de mélasse.

— Tu m'as l'air drôlement occupée. C'est pour quoi, tout ça ?

— Ta mère m'a demandé de faire des gâteaux pour sa réception à la salle des fêtes. Je me suis dit que j'allais commencer dès aujourd'hui. Anna me donne un coup de main.

C'est alors que Sandy aperçut la jeune femme. Assise dans un coin, elle donnait le sein au bébé. On ne voyait pas grand-chose car elle portait un pull très ample, malgré tout le policier se sentit rougir, gêné. Il se détourna.

— Comme tu peux le constater, fit Anna, mon coup de main est assez limité pour l'instant.

— Je lui ai dit qu'elle devrait le mettre au biberon, lança Jackie en commençant à battre un morceau de beurre avec du sucre. Comme ça, il ferait peut-être ses nuits. Il doit mourir de faim.

— Il va très bien. Il ne restera pas longtemps bébé. Ça ne me dérange pas d'être un peu bousculée pendant quelques mois. De faire des efforts pour mon fils.

Le sous-entendu était évident : elle trouvait Jackie égoïste.

Le jeune homme songea que c'était ainsi que les femmes se battaient : à coup de paroles civilisées mais empoisonnées.

— Où est Andrew ?

Il venait de comprendre pourquoi la pièce lui paraissait différente : son oncle n'y était pas. D'ordinaire, il siégeait à côté du poêle, faisait partie du décor au même titre que le frigo américain rutilant ou le chien de porcelaine sur le buffet. Immense et imposant, il parlait peu mais on ne pouvait ignorer sa présence.

— Il est au salon. On va faire refaire une des chambres, alors je lui ai demandé de débarrasser quelques vieilleries. Il est tombé sur des photos et il s'est dit qu'elles pourraient t'intéresser. Vas-y.

Andrew était assis dans un des grands fauteuils, le dos à la fenêtre, une pile d'albums sur la table basse devant lui. Quand Sandy entra, il leva la tête et lui sourit. Sans mot dire. Le policier eut du mal à se l'imaginer gamin, en train de se bagarrer avec Joseph dans la cour de l'école. Lui aussi s'était battu verbalement, comme les femmes qui se chamaillaient dans la cuisine autour d'un bébé d'à peine un mois.

— Tu te souviens de Jerry, fit le jeune homme. Jerry Wilson, mon grand-père.

Son oncle grimaça sous l'effet de la concentration.

— Je me rappelle plus grand-chose ces temps-ci.

Sa phrase n'était qu'une suite de bégaiements. Sandy le regarda. Ça pouvait être bien commode, la mémoire qui flanche.

298

— Mais tu m'as raconté des choses sur lui. Tu m'as dit qu'il avait tué ce Norvégien pendant la guerre.

Andrew fronça les sourcils et acquiesça.

— Et lui, Jerry, comment il est mort ? insista son neveu – il avait déjà posé la même question à Joseph, sans vraiment obtenir de réponse.

— Dans un accident de pêche. Il était sorti avec mon père. Il y a eu une tempête. Une énorme vague a chaviré le bateau. Il s'est noyé.

— Mais ton père en a réchappé.

— Il nageait mieux et il a réussi à s'agripper à la coque. Il a essayé de retenir Jerry Wilson, mais sans succès.

— Tu es sûr que c'est la vérité ? Que c'est pas encore une de ces rumeurs qui circulent dans l'île ? Tu sais comment ça se passe. Les gens inventent des trucs. Comme ce que tu m'as raconté sur le fait que mon grand-père était un assassin.

Un instant, ils se dévisagèrent. Sandy entendit les mouettes sur le toit, les moutons dans l'herbe rase près du rivage.

— C'est pas une invention, protesta Andrew. J'étais là quand ton grand-père est mort.

— Tu devais être haut comme trois pommes !

— J'avais dix ans. Assez grand pour aller pêcher avec eux. On n'avait que le petit rafiot à l'époque.

— Comment tu as pu en réchapper et pas mon grand-père ?

— Tu comprends donc pas ?

Son oncle le fixait de ses grands yeux bleus.

— Mon père pouvait pas nous sauver tous les deux. Alors il m'a choisi, moi. On peut pas le lui reprocher.

C'était sans doute vrai. Un père choisirait toujours la vie de son enfant avant celle de son ami.

— Le corps de Jerry a fini par échouer sur le rivage ?

— Pas ici. Pas à ma connaissance.

— Je me demandais s'il avait été enterré à Setter.

Le jeune homme y avait réfléchi pendant la nuit. Ça aurait pu expliquer la réticence de son père à se défaire de la maison.

Son oncle leva les yeux vers lui.

— Non, j'ai jamais entendu dire ça.

— Bon, alors on les regarde, ces photos ?

— Oui, allons-y.

Mais Sandy demeurait hanté par le passé, les secrets enfouis.

— Est-ce que tu as entendu parler de ce qu'ils avaient fait du Norvégien ?

Andrew ne répondit pas.

— Le Norvégien du Shetland Bus, insista le policier.

La lenteur de son oncle recommençait à l'agacer. Comment Jackie et Ronald parvenaient-ils à rester aussi patients ?

— L'amant de Mima. Qu'est-ce qui lui est arrivé ?

Toujours pas de réponse. Sandy revoyait le Clouston d'autrefois, fort, exubérant, soupe au lait. Un jour, Mima avait déclaré : « Andrew Clouston est un homme impétueux. Comme une tempête au grand large. » Elle sortait parfois ce genre de phrases. Aujourd'hui, cependant, toute trace d'impétuosité avait disparu. Andrew évoquait plutôt un bateau en panne, inerte.

— Allez, montre-moi ces photos, lança le jeune homme de guerre lasse.

Il ouvrit l'album et reconnut aussitôt la première image. C'était celle qui se trouvait au mur de la chambre de Mima, les femmes qui tricotaient tout en charriant la tourbe.

— Tu les connais, Andrew ? Qui c'est ?

Pour la première fois depuis que Sandy était arrivé, son oncle parut pleinement présent. Il désigna la femme de gauche.

— Elle, je la connais. C'est ta grand-mère.

— C'est pas Mima ! Elle a jamais tricoté !

— Non, non, non.

L'ancien pêcheur s'énervait de ses propres difficultés d'élocution.

— Evie. On l'appelait Evie. La mère d'Evelyn.

À présent Sandy saisissait la ressemblance. Il n'avait connu sa grand-mère maternelle que comme une vieille dame. Mais il y avait bien un air de famille. Il retrouvait Evelyn dans sa charpente robuste, l'expression décidée de ses traits. Voilà d'où je viens, se dit-il.

Déjà Andrew avait tourné la page, il regardait fixement la photo suivante, perdu dans ses souvenirs. Le jeune homme se pencha pour mieux voir le cliché.

— Qui c'est, ça ? Des gens que tu reconnais ?

Deux hommes, debout, se tenaient par l'épaule et souriaient à l'objectif. Tous deux portaient un pull tricoté main aux motifs recherchés, un pantalon bouffant et une casquette. Ils devaient avoir le soleil en face car ils plissaient les yeux. La photo avait été prise sur la plage de Lindby, Sandy reconnut le bout du mur de pierres sèches visible à l'arrière-plan.

— Alors, Andrew, qui c'est ? répéta-t-il en l'absence de réponse. Est-ce que l'un des deux est ton père ?

— Oui. Lui, fit son oncle en posant un doigt sur l'homme de gauche. Je devais être tout petit à l'époque. L'autre, c'est Jerry Wilson.

À présent, le policier reconnaissait son grand-père. Il arborait le même sourire de guingois que sur le portrait encadré dans la cuisine de Mima. Qui lui donnait un air un peu cruel, ici. L'air du genre à se moquer, sur le ton de la plaisanterie mais en visant là où ça fait mal.

Deux amis partis ensemble à la pêche et dont un seul était revenu. Avec son fils de dix ans.

— Il faut que je rentre, lança Sandy. Ma mère va ameuter tout le monde pour me rechercher. Merci pour les photos.

C'est tout ce qu'il voulait que je voie ? C'est pour ça qu'il m'a fait monter jusqu'ici ? Ou bien c'était une idée de Jackie ? Pour pouvoir préparer ses pâtisseries en paix ?

Il attrapa le bras de son oncle et l'aida à se lever. *Si jamais je deviens comme ça un jour, j'espère qu'on m'abattra. Ou que j'aurai le courage de me jeter du haut d'une falaise.* Cependant il ne pouvait s'imaginer devenir ainsi. Il était jeune, c'était impensable. Lentement, Andrew gagna la fenêtre de l'angle. De là, on voyait Setter et, derrière la maison, les tranchées des fouilles.

— Le Norvégien n'a pas été enterré là-bas, déclara-t-il. Ils ont emmené sa dépouille dans le bateau de Jerry Wilson et l'ont jetée par-dessus bord. C'est ce que m'a dit mon père.

40

Vendredi matin. Perez se rasa avec soin. Il faisait froid dans la salle de bains et il dut essuyer la buée sur le miroir pour vérifier qu'il avait le menton bien net. Aujourd'hui était un jour spécial : Fran et Cassie rentraient. Il irait les chercher à l'aéroport et les ramènerait chez elles. Il se sentait nerveux et excité, comme si ce rendez-vous avait quelque chose d'illégitime, comme s'il était déjà marié et que Fran ait été sa maîtresse. Il ne comprenait pas ce sentiment, d'autant qu'il ne passerait même pas la soirée avec elle. Après les avoir déposées à Ravenswick, il devrait se rendre à Whalsay.

Il ne pouvait pas y couper, c'était un déplacement professionnel. Fran comprendrait ; elle aussi attachait une grande importance à son travail. Elle ne piquerait pas de crise, ne ferait pas de scène, mais elle ne se mettrait pas en quatre pour lui non plus. Elle ne l'attendrait pas en déshabillé coquin avec une bouteille de champagne. Il n'était même pas sûr qu'il pourrait rentrer avant le lendemain. L'expérience avait appris à la jeune femme que lorsque Jimmy était sur une affaire, il lui arrivait de bosser toute la nuit. Elle allait se coucher et quand il revenait, si elle dormait, il craignait de la réveiller. Ça l'embarrassait toujours.

L'inspecteur pensait que ce jour marquerait la fin de l'enquête, dans un sens ou dans l'autre. À son réveil, le brouillard était si dense que, depuis la fenêtre de son salon, on n'y voyait pas plus loin que le quai Victoria. Il avait aussitôt pensé que les vols seraient annulés, que ni Fran ni Gwen James ne pourraient gagner l'archipel. Evelyn serait privée de la star de sa soirée et Jimmy devrait attendre vingt-quatre heures de plus la femme qu'il adorait. Et puis en quelques minutes, le temps de se préparer un thé, le soleil brûlant avait dissipé les nuages et c'était le beau fixe – un jour clair et ensoleillé, aussi chaud qu'en plein été. Pendant qu'il déjeunait, il aperçut un macareux volant au ras de l'eau. Le premier de la saison. Il aurait dû y voir un bon présage, mais ça n'apaisa pas sa nervosité.

Au bureau, un message de Val Turner l'attendait : « Jimmy, je voulais juste te dire que je pars pour Whalsay ce matin. On se retrouve à la salle des fêtes ce soir. Tout est prêt. »

Il voulut convenir d'un rendez-vous avec la procureure, mais sa secrétaire lui apprit qu'elle venait de prendre quelques jours de congé sans préavis. Et sans explication, ce qui lui rappela une fois de plus combien sa vie privée était bien gardée. Elle parvenait à la préserver comme aucune personnalité un peu connue de l'archipel n'avait jamais su le faire. Malgré la faible sympathie qu'elle lui inspirait, Perez se sentit abandonné ; la présence maladroite de Sandy lui manquait. Lors de ses précédentes enquêtes pour homicide, Jimmy avait son collègue d'Inverness, Roy Taylor, avec qui partager inquiétudes et responsabilités. Si leur relation n'avait pas toujours été facile, il avait apprécié le franc-parler et le bon sens de l'inspecteur Taylor. *Je prends mon boulot trop au sérieux. Je complique tout. Il me faut quelqu'un pour m'empêcher de me disperser et de divaguer.*

Plus tard, il appela Sandy sur son portable et avant même que celui-ci ait prononcé un mot, il entendit Evelyn crier des ordres en fond sonore.

— Comment ça se passe ?

— C'est du délire ici. On croirait que ma mère organise la soirée des Oscars, pas une bête conférence d'histoire à la salle des fêtes de Lindby.

Perez s'apprêtait à lui dire qu'il le verrait là-bas, mais le jeune homme poursuivit.

— Je suis allé voir Andrew hier. Selon lui, le Norvégien n'a jamais été enterré à Setter, en fait. Après l'avoir tué, ils l'ont emporté en bateau et l'ont passé par-dessus bord.

— « Ils » ? Qui ça, « ils » ?

Et si le Norvégien n'est pas là-bas, à qui appartient le fragment d'os plus récent dont m'a parlé Val Turner ?

— Je sais pas trop. Je crois que c'était mon grand-père Wilson et le père d'Andrew. Ils étaient amis. Grands amis.

Sandy marqua un temps d'arrêt.

— Ils étaient en mer ensemble quand Jerry s'est noyé.

Nouveau silence. Perez attendit la suite, il sentait presque la tension à l'autre bout de la ligne tandis que son collègue cherchait ses mots.

— Andrew était avec eux aussi, reprit-il enfin. Il avait dix ans. Apparemment, c'est pour ça que Jerry s'est noyé. Le vieil Andy ne pouvait pas les sauver tous les deux. Il a choisi son fils.

Perez avait prévu de s'offrir un déjeuner tardif au restaurant de l'hôtel Sumburgh House. Il préférait patienter là plutôt que dans l'aérogare. Ça faisait toujours un peu pathétique d'arriver en avance. Pathétique et névrosé. Mais finalement, après avoir longé la piste de l'aéroport, il bifurqua vers Grutness, le terminal du bateau postal de Fair Isle. C'était jour de traversée et s'il se dépêchait, il aurait le temps d'échanger quelques mots avec son père et l'équipage avant que le *Good Shepherd* prenne le chemin du retour. La famille Perez tenait la barre du bateau postal depuis des temps immémoriaux. Quand Jimmy était enfant, son grand-père en était capitaine ; à présent c'était au tour de son père. Qui reprendrait le flambeau lorsque celui-ci aurait atteint l'âge de la retraite ?

Lorsque Perez atteignit l'embarcadère, les hommes chargeaient le navire. Une voiture à transborder. En descendant vers le quai, il les vit la déposer sur le pont à l'aide d'un treuil. Les caisses de provisions pour l'épicerie étaient déjà entassées dans la cale. Deux passagers attendaient de pouvoir embarquer : un ornithologue amateur d'un certain âge, jumelles autour du cou, et une jeune femme que Perez avait déjà vue. Elle devait travailler à l'observatoire. Sans distinguer ce qu'elle disait, il comprit qu'elle plaisantait avec les marins.

Elle arborait une longue crinière noire aux boucles folles et rejeta la tête en arrière dans un éclat de rire.

Quand Jimmy descendit de voiture, son père sauta à terre. Ses cheveux étaient toujours très bruns, son allure robuste et en pleine forme, mais ses traits avaient vieilli, comme si le visage s'était dissocié du corps.

— Alors, fiston, tu rentres avec nous ?

L'inspecteur ne savait jamais ce que pensait son paternel. Il percevait toujours une pointe de reproche ou de défi dans ses propos. Cette fois, était-ce une manière d'insinuer qu'il ne rentrait pas assez souvent à la maison ? ou bien que son boulot était drôlement pépère s'il pouvait décider sur un coup de tête d'aller passer quelques jours en famille ? Il se raisonna : c'était ridicule, son père n'avait rien voulu insinuer du tout, il posait simplement une question. Jimmy se montrait trop susceptible avec lui.

— Non, répondit-il. Je vais chercher quelqu'un à l'aéroport et je suis en avance.

— Tu devrais venir nous voir plus souvent. Nous rendre visite avec ta nouvelle compagne.

Perez avait évité d'emmener Fran à Fair Isle. Ses parents l'avaient rencontrée, mais uniquement lors d'une escale à Lerwick pour se rendre dans le Sud. Il craignait que leurs attentes ne la fassent fuir, leur désir d'avoir un petit-fils pour perpétuer le nom. S'il n'engendrait pas un garçon, Jimmy serait le dernier Perez aux Shetland.

— Oui, acquiesça-t-il. Peut-être. Pas cet été, Fran a une exposition à préparer, elle aura trop à faire. Mais on viendra à l'automne.

Impossible de repousser beaucoup plus loin. En regardant les hommes avec lesquels il avait grandi, qui riaient en transportant les cartons et les sacs de courrier jusqu'au bateau, l'inspecteur eut un pincement au cœur. Il aurait pu en faire partie. L'occasion de retourner s'installer sur l'île s'était présentée et il l'avait refusée. À cet instant pourtant, cela lui paraissait bien plus simple et alléchant que la soirée qui l'attendait.

Il suivit le bateau des yeux jusqu'à le voir disparaître à l'horizon. La mer était calme mais une barre de nuages s'étirait au loin, qui l'avala rapidement. Le navire s'estompa d'abord, à la manière d'un vaisseau fantôme, puis se volatilisa complètement. La traversée durerait plus de trois heures. Fair Isle n'est pas Whalsay. Elle n'est pas reliée à Mainland par un ferry roulier toutes les demi-heures. C'est l'île habitée la plus isolée du Royaume-Uni. On le leur avait appris à l'école. Pourtant, pour Jimmy, c'était toujours « chez lui ».

Quand Perez arriva à l'aéroport, Sandy s'y trouvait déjà. En avance lui aussi, de peur de rater sa mission, qui consistait à récupérer la mère de Hattie. Assis à une table devant la boutique, il serrait une tasse de café, la mine grise et fatiguée. Jimmy s'acheta un espresso et un sandwich et alla le rejoindre.

— Je comprends rien à toute cette histoire, fit le jeune homme. Tu connais cette expression sur les cadavres dans les placards. Un secret enfoui qui revient hanter les gens. C'est bien ça que ça veut dire, hein ?

L'inspecteur acquiesça.

— Pour nous, c'est les os trouvés à Setter. De vieux os tout rouges. Mais je vois pas quelle importance ils peuvent avoir après toutes ces années.

— Rouges ? intervint Perez, avec à l'esprit une image fantaisiste d'os imprégnés de sang.

— Oui, ma mère dit qu'ils prennent cette couleur-là après un long séjour dans la terre.

— C'est comme les histoires d'enfance qui te restent dans un coin de la tête. Difficile à oublier.

Ils s'approchèrent de la grande baie vitrée et regardèrent l'avion atterrir, les passagers descendre la passerelle et s'avancer sur le tarmac. Fran et Cassie étaient parmi les dernières et, ne les voyant pas arriver, Jimmy sentit son estomac se serrer d'angoisse. Peut-être la jeune femme n'était-elle pas là. Peut-être avait-elle changé d'avis à la dernière minute et décidé que la ville lui convenait mieux.

— Voilà Gwen James, lança son collègue.

Perez ne se rappelait pas l'avoir jamais vue à la télévision, pourtant il se dit qu'il l'aurait repérée immédiatement parmi les autres passagers. Elle portait un long manteau noir qui lui tombait presque jusqu'aux chevilles, des bottes noires, à l'épaule un grand fourre-tout en cuir. Ce devait être son seul bagage car elle passa sans s'arrêter devant le tapis roulant et fila droit sur Sandy, lui tendit la main.

L'inspecteur l'avait appelée la veille au soir, il voulut se présenter mais au même moment, Fran et Cassie firent leur apparition. Rayonnante de joie, la jeune femme lui adressa de grands signes de la main. Il répondit de même, en essayant de ne pas sourire comme un dément. Quelque chose en elle avait changé. Une nouvelle coupe de cheveux, une nouvelle paire de baskets, roses et pailletées. Il se demanda si elle les porterait quand il l'emmènerait à Fair Isle, ce qu'en penserait son père.

— Je vous présente mon patron, disait Sandy. Jimmy Perez.

— Nous nous sommes parlé au téléphone, fit Gwen James de cette voix jazzy qui avait frappé l'inspecteur.

— Vous êtes sûre que ce que nous avons prévu vous convient ? s'enquit celui-ci.

Il ne comprenait pas comment elle pouvait être aussi calme et posée.

— Oui. J'ai besoin de savoir ce qui s'est passé.

— La voiture est dehors, intervint Sandy d'un air gêné. Je vais vous conduire à Whalsay.

— Je vous revois ce soir, inspecteur Perez ?

— Oh oui, j'y serai.

Le jeune homme s'empara du sac de la députée et s'élança à grands pas vers la sortie. Soudain, Jimmy s'aperçut qu'il faisait son possible pour entraîner la visiteuse hors de l'aérogare avant que Cassie ne leur saute dessus avec ses câlins et ses babillages. Il ne voulait pas risquer de peiner Gwen James en lui rappelant Hattie enfant. Oh, Sandy, songea l'inspecteur, comme tu as mûri !

Cassie était trop impatiente pour attendre les bagages. Elle escalada le portillon et courut vers Jimmy pour lui enlacer la taille. Alors qu'il la soulevait dans ses bras, il vit Gwen et Sandy disparaître dans la porte à tambour.

— Alors ? lança-t-il à la fillette. Je t'ai manqué ?

Fran arrivait auprès d'eux, surchargée de sacs plastique et traînant derrière elle une énorme valise. Ce fut elle qui répondit.

— On n'a pas du tout pensé à toi. Hein, Cass ? Quasiment pas.

— Si ! Maman arrêtait pas de dire à tout le monde que tu lui manquais. C'était casse-pieds, elle répétait tout le temps qu'elle voulait rentrer à la maison.

— Eh ben alors, pas de temps à perdre, allons retrouver cette bonne vieille baraque de Ravenswick.

Il reposa Cassie et attrapa la poignée de la valise de Fran. À cet instant, il songea qu'il ferait n'importe quoi pour veiller sur cette petite famille et la maintenir unie. Il serait capable de tuer pour ça.

— Tu n'as pas eu à payer un excédent de bagages, avec tout ce que tu as ?

— Non, j'ai fait de l'œil au charmant garçon de l'enregistrement à Aberdeen.

C'est alors, tandis qu'ils se dirigeaient vers la sortie, que Perez s'aperçut qu'une autre personne liée à Whalsay se trouvait également dans l'avion. Au comptoir de location de voitures, l'air un peu renfrogné, Paul Berglund remplissait un formulaire.

41

Anna Clouston gravissait la colline en direction de la salle des fêtes. Elle se sentait étrangement libérée, sans le bébé. Plus légère et un peu étourdie. Un nuage de brume s'était accumulé dans la cuvette autour du loch, de sorte que le bâtiment municipal semblait échoué au beau milieu de son propre îlot. Tout le paysage environnant en paraissait changé.

Lorsqu'elle poussa la porte, elle fut surprise de trouver Evelyn seule. Les tables à tréteaux installées bout à bout couraient le long du plus grand mur de la salle et la mère de Sandy s'activait à les recouvrir, secouant les nappes blanches qui battaient comme des voiles au vent. Quelques tables plus petites avaient été disposées au milieu de l'espace, façon cabaret. Tout au bout, une autre était réservée aux intervenants, qui jouiraient également des meilleures chaises. On avait prévu un écran et un vidéoprojecteur. La grosse bouilloire pour le thé sifflait déjà. Tout était efficacement organisé.

Si Evelyn avait passé un tablier, Anna remarqua qu'elle s'était mise sur son trente et un pour l'occasion. Elle portait de longues boucles d'oreilles vertes et de petits escarpins à talons.

— Dis-moi ce que tu veux que je fasse.

— Tu peux sortir les tasses et les soucoupes du placard, répondit l'organisatrice, avant d'ajouter : Sandy est allé chercher Gwen James à Sumburgh. Il lui a fait visiter Whalsay – le Bod et les fouilles de Setter, l'endroit où Hattie est morte. Je trouve ça morbide, mais elle voulait le voir. Elle est à l'hôtel maintenant, elle se prépare. Sandy passera la prendre avant le début de la soirée.

— Bien.

La jeune femme ne comprenait pas comment Gwen James pouvait supporter de participer à ça. S'il était arrivé malheur à son fils, si on l'avait retrouvé mort dans un trou, elle n'aurait pas voulu être exhibée ainsi devant une assemblée de curieux qu'elle ne connaissait ni d'Ève ni d'Adam. Elle n'aurait pas voulu manger des meringues et boire du thé insipide. Quel genre de mère était donc cette femme ?

L'Anglaise disposa tasses et soucoupes à côté de la bouilloire, après les avoir essuyées une par une à l'aide d'un torchon propre à mesure qu'elle les sortait du placard, comme le faisaient toutes les Shetlandaises.

— Je suis étonnée qu'il n'y ait pas plus de monde pour te donner un coup de main, lança-t-elle.

— Oh, j'ai dit à Jackie que je me débrouillerais. Et Joseph est venu m'aider à déplacer les tables.

Evelyn avait maintenant commencé à punaiser au mur des photos des fouilles. L'une d'elles montrait Sophie et Hattie accroupies dans la tranchée. Hattie souriait, la tête levée vers l'objectif ; Anna ne se rappelait pas l'avoir jamais vue aussi radieuse. C'était une belle photo. Elle se demanda qui l'avait prise. Peut-être Ronald. Il avait passé pas mal de temps sur le chantier l'été précédent.

— Jackie dit qu'Andrew est encore agité aujourd'hui, poursuivait son amie. Elle viendra dès qu'elle aura réussi à le calmer, mais sans lui. Ce n'est pas plus mal. On n'a pas besoin d'un incident.

Sans doute Evelyn préférait-elle cela : tout maîtriser et tout assumer de bout en bout. La jeune femme le comprenait parfaitement.

La porte de la salle des fêtes s'ouvrit et une silhouette masculine se profila dans la lumière diffuse du soleil couchant. Un nouveau banc de brume était arrivé de la mer. L'ombre s'avança dans la pièce et Anna reconnut Jimmy Perez. Il parut surpris de la trouver là. Elle devina qu'il avait espéré voir la mère de Sandy seul à seule et qu'il se tâtait, hésitant sur l'attitude à adopter à présent. Le dos tourné à la porte, l'intéressée ne l'avait pas remarqué.

— Evelyn.

Elle se retourna vivement.

— Oh, Jimmy. Vous êtes en avance. Ça ne commence pas avant sept heures.

— Je voulais vous parler en privé. On pourrait peut-être aller à Utra, ce ne sera pas long.

Elle se tut un instant, parut se redresser.

— Ça ne va pas être possible, Jimmy. Il reste beaucoup trop à faire avant que tout le monde arrive.

— Je crois vraiment qu'il vaudrait mieux qu'on discute maintenant. Pas la peine de risquer un incident.

Encore ce mot, songea Anna. « Incident ». Qu'est-ce qu'ils craignaient, au juste ? Elle aurait bien proposé de sortir pour leur permettre de parler tranquilles, mais elle savait que c'était la dernière chose que souhaitait son amie.

Celle-ci eut l'air de réfléchir. Elle semblait très calme.

— Oh, mais je ne vois aucune raison de nous inquiéter de ça, pas vous ? Ce n'est pas moi qui vais faire des histoires. Rien ne presse. Je n'ai pas l'intention de m'enfuir, vous savez.

L'Anglaise eut l'impression que l'échange avait un sens qui lui échappait. L'inspecteur resta immobile un instant puis hocha la tête et tourna les talons. Après son départ, Evelyn s'essuya le visage dans le bas de son tablier. Son seul geste de faiblesse. Puis elle attrapa une pile d'assiettes dans le placard.

— On pourra y mettre les gâteaux, dit-elle. On les enveloppera de cellophane en attendant la fin de la présentation. Il doit y avoir des serviettes quelque part.

Elle ne fit aucune allusion à sa conversation avec Perez.

Au final, Anna dut reconnaître que la soirée était un succès. L'ambiance était pile dans le ton. Une fois ôté son tablier, Evelyn devint quelqu'un d'autre – sûre d'elle, cultivée, charmante. Elle accueillit les invités et fit le lien entre étrangers et insulaires. Elle commenta toutes les photos à Gwen James et ne tarit pas d'éloges sur Hattie, le plaisir que ç'avait été de l'accueillir à Lindby, son enthousiasme contagieux. « Elle a su me rendre l'histoire parfaitement concrète. J'ai fini par voir Whalsay à travers les yeux du marchand de Setter. Ces gens sont nos ancêtres, pourtant il aura fallu une jeune femme venue d'ailleurs pour leur redonner vie. » Lorsqu'elle présenta l'objet de la soirée et les intervenants, elle s'exprima avec aisance et sans notes. « Le décès prématuré de deux des plus ferventes adeptes de ce projet est une véritable tragédie. Mais nous devons à leur mémoire de poursuivre les fouilles de Setter et de les mener à bien. »

L'Anglaise songea que si elle avait vécu ailleurs, Evelyn aurait pu devenir une grande femme d'affaires. Elle la voyait très bien présider un conseil d'administration, motiver ses troupes.

Jimmy Perez était revenu, accompagné cette fois. Une trentenaire au chic bohème, petite et pleine d'entrain. Ils formaient un couple insolite, lui ténébreux et impassible, elle toujours en mouvement, s'intéressant à tout. Après avoir longtemps cherché pourquoi elle avait l'impression de la connaître, Anna finit par l'identifier comme Fran Hunter, l'artiste peintre de Ravenswick. Un papier lui avait été consacré dans le dernier *Shetland Life*, ainsi que dans le supplément artistique d'un grand quotidien national. Ce pourrait être moi dans quelques années, se dit la jeune femme, et son cerveau se mit à bouillonner de projets d'avenir. *La presse parlera de mon atelier de filage et de mes tricots ; j'appellerai ça la « collection Whalsay » et je m'inspirerai de la maison du marchand de Setter, des motifs des monnaies. Je demanderai à Ronald de m'aider à faire des recherches sur les costumes et les bijoux de l'époque. On gagnera peut-être assez pour qu'il puisse laisser tomber la pêche. Ce sera une entreprise familiale.* Tout à coup, tout semblait possible.

L'inspecteur se tenait debout au fond de la salle, à l'opposé des intervenants. Même si toutes les chaises étaient occupées, Anna pensait qu'il avait volontairement choisi de se poster là. Il voulait avoir une vue d'ensemble. Sandy Wilson se trouvait dans les premiers rangs, à côté de la mère de Hattie. Aucune trace de Joseph, bizarrement. L'Anglaise pensait qu'Evelyn l'aurait traîné à sa suite. Sandy avait passé un costume, celui qu'il portait à leur mariage, à Ronald et elle. Il était tout rouge et semblait mal à l'aise. La jeune femme était sûre que son mari aurait détesté tout ça. *Il va me bénir de lui avoir fourni une excuse pour rester à la maison !* Elle avait hâte de lui raconter la soirée. Après tout, il était passionné d'histoire. Elle savait que ça l'intéresserait.

Jackie arriva précipitamment à la dernière minute, juste au moment où Evelyn allait prendre la parole. Malgré le temps exceptionnellement calme, elle affichait une allure débraillée et échevelée qui ne lui ressemblait pas. Une de ses nièces, coiffeuse, venait toujours lui faire un brushing avant une sortie. Ce soir, elle semblait avoir à peine eu le temps de se passer un coup de peigne.

Anna l'observa depuis son siège et conclut qu'Andrew avait dû avoir une nouvelle crise. Elle se dit qu'elle devrait être plus prévenante envers ses beaux-parents. Ne pas faire autant d'histoires quand Ronald montait donner un coup de main à la villa. Elle s'était montrée assez teigne à leur endroit.

Tout cela lui trottait dans la tête tandis qu'elle écoutait les présentations. Devant son attitude concentrée, nul n'aurait pu se douter que ses pensées vagabondaient ailleurs. Sauf que si ça se trouve, tout le monde fait pareil, songea-t-elle en jetant des regards dérobés à l'assistance pour essayer de se représenter les idées et préoccupations des individus assis dans un silence respectueux. Ils applaudissaient chaque fois qu'un intervenant se rasseyait, mais peut-être déroulaient-ils d'autres images comme un film dans leur esprit, eux aussi. *On croit se connaître, mais on a tous nos secrets.*

Paul Berglund s'exprima le premier. Anna ne le connaissait que de vue. Elle était à la maternité au moment de la découverte du crâne et Evelyn ne les avait jamais présentés. Son intervention fut extrêmement brève. Était-ce dû à son accent ? Ses propos parurent désobligeants, presque dédaigneux. « L'université a toujours soutenu avec enthousiasme les fouilles de Whalsay et naturellement, elle continuera à le faire, malgré la disparition tragique de Hattie James. »

La jeune femme eut l'impression qu'Evelyn en attendait davantage, une promesse ferme de subventions, de nouveaux doctorants pour prendre le relais, bref, un projet d'une tout autre ampleur. Au final, le chantier finirait probablement par être oublié – du moins par l'université.

À l'évidence, l'organisatrice trouva l'exposé de Val Turner plus à son goût. L'archéologue avait préparé son topo, étayé d'un diaporama replaçant la maison du marchand dans son contexte historique et expliquant l'importance de la Ligue hanséatique. L'auditoire sembla s'investir davantage lorsqu'elle en vint à la découverte du crâne, aux traces de violences sur les côtes, et lorsqu'elle présenta les petites pièces ternes désormais étalées sur une mousse spéciale en polyuréthanne. « Je ne doute pas un instant que Setter se révélera un site majeur pour l'archéologie des Shetland. »

Anna regarda sa montre. James avait-il bu son biberon de lait maternel ? Elle en avait tiré un peu dans la journée pour faire un essai et ça n'avait pas eu l'air de le contrarier. De nouvelles idées vinrent s'ajouter à celles qui lui trottaient déjà dans la tête. *Je n'aurais pas dû le laisser. Il est si petit... La culpabilité. Les mères doivent vivre avec ce sentiment en permanence. Autant que je m'y habitue.*

Puis Jimmy Perez s'avança jusqu'au-devant de la salle. Val Turner le présenta :

— Maintenant, l'inspecteur Perez souhaite nous dire quelques mots sur la mort tragique de Hattie James.

Un frisson d'excitation parcourut l'assistance. Même la présentation du crâne et des monnaies n'avait pas suscité un tel intérêt. En regardant le visage de marbre de Gwen James, Anna se dit qu'elle était au courant. Elle était préparée à cette annonce, l'avait attendue toute la soirée. La police avait dû l'avertir. La jeune femme sentit son pouls s'emballer. Elle aussi était impatiente d'entendre ce que l'inspecteur avait à dire.

Perez se posta devant la table. Légèrement appuyé dessus, il se redressa afin de se tenir parfaitement droit, presque au garde-à-vous, et prit la parole :

— Je suis maintenant en mesure de vous informer que nous traitons la mort de Hattie James comme suspecte. Elle ne s'est pas suicidée. Nous pensons que quelqu'un a été témoin du meurtre et nous sommes sur le point de procéder à une arrestation. En attendant, nous serions reconnaissants à tous les habitants de Whalsay de continuer à nous apporter leur concours et de nous communiquer toute information susceptible de nous être utile.

Un silence total s'ensuivit, puis les conversations reprirent à voix basse. Anna ne comprenait pas un traître mot à la déclaration de Perez. Elle songea que malgré sa célébrité, les insulaires devaient regretter que Gwen James se trouve parmi eux. Ils auraient préféré pouvoir cancaner en paix.

La soirée tirait à sa fin. Les différentes interventions terminées, les femmes de l'île étaient allées prendre place derrière les tables pour servir le thé préparé dans de grandes théières métalliques. On avait ôté le film alimentaire des gâteaux et les assiettes étaient maintenant presque vides. Perez circulait dans la pièce, parlait aux villageois. Ou plutôt, *écoutait* les villageois, se rectifia Anna. Chaque fois qu'elle l'apercevait, il se taisait, les yeux rivés sur le visage de son interlocuteur.

Elle n'avait plus qu'une hâte à présent : rentrer chez elle. Gwen James parut soudain perdue et Sandy, plus attentif que la jeune femme ne l'en aurait cru capable, lui proposa de la raccompagner à l'hôtel. Alors qu'il lui tendait son manteau, deux hommes sortis fumer rentrèrent dans la salle.

— Sois prudent sur la route. Il y a un tel brouillard qu'on voit à peine la main qu'on se met sous le nez. On voudrait pas que vous vous retrouviez dans le fossé.

Et quand Sandy ouvrit la porte, Anna constata que c'était vrai. On n'y voyait goutte. Pas même les lumières des maisons avoisinantes, sans parler de celles de Mainland au loin.

42

Sandy descendit jusqu'au Pier House en roulant au pas. Il était content que la soirée se soit déroulée sans anicroche ; tout le monde avait loué l'organisation impeccable d'Evelyn et il ne se rappelait pas l'avoir vue si calme depuis des lustres. Il espérait qu'elle parviendrait à prolonger cet état. Maintenant, il n'avait plus qu'à raccompagner sa passagère jusqu'à sa chambre et peut-être pourrait-il enfin se détendre. Penché sur le volant, il se concentrait pour rester sur la route, entre les deux bandes d'herbe. Gwen James fumait. Il l'avait observée toute la soirée, admirant son élégance, son aptitude à donner le change. Elle devait avoir de l'entraînement. Pour faire carrière en politique, il fallait être un peu acteur. Même sa mère, qui n'avait qu'un tout petit pied dans la vie publique, était capable de tenir un rôle le cas échéant. Au fil des ans, il l'avait vue sourire et employer des expressions toutes faites vides de sens quand elle défendait ses projets pour Whalsay face aux décisionnaires de Lerwick. Même fatiguée ou déprimée, son sourire ne la quittait pas.

À peine sorti de la salle, le jeune homme avait compris quelle épreuve ç'avait été pour Gwen James. Elle avait tiré une cigarette de son paquet d'une main tremblante et n'avait cessé de fumer depuis.

Soudain, presque avant qu'il s'en soit rendu compte, ils étaient à Symbister. Un feu de circulation orange au-dessus de lui, un mur d'un côté, un trottoir de l'autre. Puis ils arrivèrent au Pier House et le policier se surprit à trembler à son tour. Effet de relâchement après la tension de la conduite.

Il s'attendait à ce que Gwen James file droit dans sa

chambre. Elle avait dîné et il pensait qu'elle aurait envie d'être seule. Mais apparemment, ce n'était pas le cas.

— Bon sang, j'ai besoin d'un remontant. Vous allez bien m'accompagner, n'est-ce pas ?

Le brouillard avait dissuadé les gens de sortir, la salle était déserte. Jean tenait le comptoir et Cedric Irvine occupait un tabouret de bar côté clientèle. Il adressa un clin d'œil à Sandy.

— Alors ? lança celui-ci.

— C'est fait, répondit le patron.

Le jeune homme aurait bien voulu lui demander davantage de précisions, mais Mme James se trouvait juste à côté de lui et Jean attendait déjà la commande.

— Une grande vodka-tonic pour moi, dit la députée. Sandy ?

Il commanda une bière, commença à tirer son portefeuille de sa poche.

— Mettez tout sur la note de ma chambre, s'il vous plaît, trancha Gwen.

Elle alla s'installer à une table et attendit que le policier apporte les boissons. Il se demanda si elle avait traité Hattie de cette manière autoritaire – généreuse, certes, mais ne souffrant pas la contradiction.

Ils en étaient à leur deuxième verre quand Berglund fit son entrée. Il avait dû parcourir au moins une partie du trajet à pied depuis la salle des fêtes, car de minuscules gouttelettes constellaient ses cheveux et son manteau. Le professeur aurait probablement préféré ne pas se joindre à eux, mais Gwen bondit sitôt qu'elle le vit et le héla pour lui offrir à boire. Il ne pouvait pas refuser sans paraître grossier.

Un silence pesant s'installa lorsque Jean lui eut apporté son whisky. Trois personnes sans rien en commun, songea Sandy, hormis une jeune fille morte. L'une lui a donné naissance, l'autre a fait l'amour avec elle, et moi je la trouvais simplement bizarre.

— J'espérais que Sophie serait là, lança soudain Gwen. J'aurais aimé lui parler. Elles étaient amies, n'est-ce pas ? Je pensais qu'elle viendrait, en signe de respect. Qu'elle tiendrait à être présente.

— Nous n'avons pas réussi à la joindre, répondit Berglund. Pas à temps. Je suis navré.

La députée se leva et déclara qu'elle avait besoin d'une cigarette. Elle gagna la sortie d'une démarche un brin chancelante. Si elle continuait à ce rythme, elle serait bonne pour la gueule de bois au réveil. Ils l'aperçurent devant la porte de l'hôtel, peinant à allumer sa cigarette.

À la table, nouveau silence. Cette fois, ce fut Berglund qui le rompit. Sandy devina qu'il n'en était pas à son premier verre de la journée. C'était peut-être pour ça qu'il avait fait si court à la salle des fêtes.

— Je tenais à elle, vous savez. Hattie. Je vous assure. Mais pour un homme, c'est pas pareil, non ?

Le policier songea qu'il n'y avait pas si longtemps, il aurait été d'accord. Seulement il avait vu combien ça avait bousillé la jeune femme. Il avait lu ses lettres. Et à présent, il n'était plus très sûr que ce soit une excuse. Il plongea dans sa bière et essaya de trouver quelque chose à répondre.

Le professeur continua :

— J'étais marié. J'aime ma femme et mes enfants. Mais Hattie était là, et tellement empressée ! N'importe quel type en aurait fait autant, non ? Je suppose que ça flattait mon ego. Qu'elle me donnait l'impression d'être de nouveau libre. Attirant.

C'est pour ça que vous avez dû la forcer ?

Mais Sandy ravala sa question car Gwen James était rentrée, elle commandait une nouvelle tournée, alors même que leurs verres étaient encore pleins. De toute façon, il n'aurait jamais eu le courage de balancer ça. Il en était incapable. De même qu'il était incapable de rester là à regarder deux Anglais de bonne éducation se ridiculiser et échanger de fausses politesses. Gwen remercierait Berglund d'avoir veillé sur sa fille et dirigé le projet, Berglund encenserait Hattie, une étudiante exceptionnelle, vouée à un si brillant avenir. Tant aimée de tous. Le policier se dit qu'entendre ce genre de choses lui donnerait envie de vomir.

318

Perez lui avait demandé de ne pas quitter le Pier House tant que le professeur et la mère de Hattie ne seraient pas montés se coucher. « Je ne veux pas qu'ils aillent traîner dans l'île ce soir. Tu peux comprendre. » Et quand le jeune homme avait fait mine de protester : « C'est important, Sandy. Mme James te connaît et elle te fait confiance. Il n'y a qu'à toi que je peux confier cette mission. »

Seulement maintenant, il fallait qu'il s'en aille. Il avait un problème plus personnel à régler et il voulait se trouver au cœur de l'action. En outre, s'il restait là, il continuerait à boire, parce qu'il ne pouvait pas affronter Berglund à jeun. Et alors il finirait par le cogner ou lui dire des grossièretés. Les deux oiseaux n'étaient pas près de ressortir. Pas par une nuit pareille. Ils ne retrouveraient même pas leur chemin jusqu'à la route. Il s'excusa et prit congé. En partant, il croisa Fran Hunter. Jimmy avait dû lui réserver une chambre. Elle lui fit un signe de la main et monta l'escalier.

Il trouva sa mère seule dans la cuisine à Utra. Elle avait quitté ses vêtements chics et passé la vieille robe de chambre défraîchie qu'il lui avait toujours connue. Elle sirotait une tasse de lait chaud. À son entrée, elle leva les yeux et lui sourit.

— Où est papa ? demanda-t-il.

— Je l'ai envoyé au lit. Il dort mal ces temps-ci.

— Il m'inquiète depuis un moment.

— Il ne faut pas. Plus maintenant. On a traversé bien des épreuves ces dernières semaines. On surmontera ça aussi.

— Comment ça a commencé ?

Evelyn ne répondit pas immédiatement.

— Les vols, maman. Je parle des vols.

Pour la première fois de sa vie, Sandy eut l'impression de s'adresser à elle d'adulte à adulte.

— Les *vols* ? lança-t-elle d'un air choqué. Je n'ai jamais considéré ça de cette manière !

— Mon patron, si. Et les tribunaux le verraient comme ça aussi.

— Oh, Sandy, soupira-t-elle, et il sentit qu'elle était soulagée de pouvoir enfin lui en parler. C'était si facile !

— Raconte-moi.

Il était arrivé bouillonnant de colère, prêt à exiger des réponses. À présent, il ne désirait plus qu'entendre ce qu'elle avait à dire.

— On a toujours tiré le diable par la queue. Tu ne te rends pas compte comment c'était ici. Les familles de pêcheurs avec leurs grosses voitures, leurs beaux habits, leurs vacances au soleil. Tout ça en ayant l'air de ne bosser que deux mois par an. Et nous, à côté, à nous démener pour joindre les deux bouts avec ce que Joseph ramenait en trimant pour Duncan Hunter. Jackie Clouston qui me toisait comme si j'étais une crotte sur sa chaussure. J'estimais que je méritais bien les petits extras que je pouvais grappiller. C'est comme ça que tout a commencé. Je travaillais pour la municipalité et je ne gagnais pas un penny. Ils se gardaient tout pour eux. Je trouvais ça injuste.

Est-ce que c'est ainsi que naît la corruption dans tous les milieux ? Les politiques et les dirigeants d'entreprise se persuadent que les extras, les pots-de-vin leur sont dus pour les risques qu'ils prennent et leur contribution aux affaires ? Et Sandy ne valait pas mieux qu'eux. Une fois, il avait coincé Duncan Hunter pour conduite en état d'ivresse, mais il l'avait laissé filer parce qu'il craignait que ça ne cause des ennuis à son père.

— Comment tu as fait ?

— J'ai juste un peu gonflé les notes de frais. J'avais déposé des demandes de subventions auprès de l'Amenity Trust pour différents projets culturels – le premier, c'était le théâtre. J'ai ouvert un compte en banque au nom du Forum de Whalsay. Je transmettais les reçus correspondant aux frais engagés et les remboursements étaient portés à l'ordre de ce nouveau compte. Peut-être que toutes les dépenses n'étaient pas absolument en rapport avec les projets, mais personne ne vérifiait. Personne ne s'est aperçu de rien. À partir de là, j'ai pris de plus en plus de risques.

— Tu as pris de plus en plus d'argent.

Sandy sentit un abîme s'ouvrir au creux de son estomac. Sa mère lui avait inculqué l'honnêteté. Une fois, il avait volé des bonbons à l'épicerie de Symbister et elle l'avait renvoyé là-bas pour avouer son méfait et demander pardon.

— Je travaillais gratis ! s'écria-t-elle.

Elle était cramoisie à force d'essayer de se convaincre.

— Je voyais ça comme un salaire.

— Le Conseil des Shetland t'a octroyé une petite subvention pour qu'Anna Clouston puisse démarrer ses ateliers. Elle n'en a jamais vu la couleur.

— Ce n'était qu'un emprunt. J'avais l'intention de rembourser. Et puis, elle me devait bien ça. Elle m'a pris mes idées et mes motifs et n'a même pas voulu de moi comme associée.

— Comment tu comptais rembourser, maman ? Pourquoi tu ne m'as jamais demandé d'aide ? Ou à Michael ? On se serait débrouillés pour régler ça. Tu sais bien qu'on s'y serait mis tous les deux pour te tirer de là.

Evelyn enfouit sa tête dans ses mains sans répondre.

— C'est pour ça que papa a changé d'avis à propos de la vente de Setter ? Il y a vu un moyen de rembourser tes dettes ?

— J'ai été obligée de lui dire. Il a compris que quelque chose clochait le soir de l'enterrement de Mima.

— Sauf que c'était au-dessus de ses forces, hein ? Il ne pouvait pas supporter que quelqu'un d'autre habite la maison de sa mère. Tu sais qu'il a essayé d'y mettre le feu pour toucher l'assurance ? Ce début d'incendie, c'était pas une énième bourde de ma part.

— Je sais. Il n'y a plus de secrets entre nous maintenant.

— Mima était cosignataire du compte. J'ai vu le carnet de chèques dans le tiroir. Elle savait que tu détournais de l'argent. Tu croyais qu'elle ne s'intéressait pas assez à tout ça pour aller vérifier.

— Elle n'avait aucune preuve.

— Mais elle avait deviné.

Sandy songea que c'était l'interrogatoire le plus difficile qu'il ait jamais mené, mais le plus facile aussi : il connaissait parfaitement toutes les personnes concernées et il savait ce qu'elles pensaient.

— Elle t'en a parlé ? reprit-il. C'est de ça que vous avez discuté l'après-midi précédant sa mort ?

— Elle s'inquiétait pour elle-même. Elle avait peur de ce que les gens diraient si l'affaire transpirait. « Je sais ce que c'est que d'être le centre des commérages. Crois-moi, Evelyn, il vaut mieux éviter ça. Je ne le souhaite à personne. »

— Elle devait aussi s'inquiéter pour papa, intervint sèchement Sandy. Le mal que ça lui ferait.

— Oui. Tu as raison, bien sûr. Mima chérissait ton père comme la prunelle de ses yeux.

— Est-ce que tu y es retournée le soir pour la tuer ?

La question qui n'avait cessé de le tourmenter depuis l'instant où il avait senti un malaise entre ses parents.

Evelyn écarquilla les yeux, horrifiée. Elle n'avait pas imaginé un seul instant qu'il puisse la soupçonner du meurtre. Elle se considérait toujours comme une honnête femme.

— Tu as vu Ronald dehors avec son fusil et tu t'es dit que ce serait un bon moyen de la faire taire ? Un accident par mauvais temps. S'il lui tirait dessus par erreur, personne ne saurait jamais que tu avais volé. Et ensuite, tu t'es débrouillée pour concrétiser ton plan ?

— Non ! cria-t-elle. Non ! Sandy, tu me crois vraiment capable de ça ?

Il ne sut que répondre. Il ne l'avait pas crue capable de fraude ni de vol.

À présent, Evelyn semblait éprouver le besoin de s'expliquer.

— J'aurais pu épouser un fils de pêcheur. Déjà à l'époque, ils gagnaient plus que les petits fermiers. Ils n'avaient pas encore investi dans ces gros chalutiers, mais ils étaient riches comparés aux autres habitants de l'île.

Elle regarda son fils et lui sourit.

— On ne dirait plus aujourd'hui, mais dans le temps je faisais des ravages. Tout le monde disait que j'étais ravissante. Andrew Clouston était fou de moi, seulement moi, je ne pensais qu'à Joseph. Depuis qu'on était petiots, à l'école, je n'aimais que lui. Je me fichais pas mal de sa folle de mère et de l'argent qu'il n'avait pas.

— Je devrais pas monter le voir, justement ?

— Non. Surtout pas. Ne le dérange pas. Je lui ai donné un somnifère et il s'est endormi.

Tout à coup, le jeune homme se sentit épuisé. Il se leva. Il devait retrouver Perez. La nuit promettait d'être longue.

— Où tu vas ? s'enquit Evelyn.

— Bosser.

En temps normal, elle l'aurait assailli de questions. Ou bien elle aurait tenté de le dissuader de sortir par un temps pareil. En l'occurrence, elle se contenta de se lever à son tour pour l'accompagner jusqu'à la porte. Ils se tinrent un moment sur le seuil. Maladroitement, elle se dressa sur la pointe des pieds et lui déposa un bécot sur la joue.

— Tu as raison, déclara-t-elle. J'aurais dû vous demander de l'aide à tous les deux, mes garçons.

C'était la première fois de sa vie que Sandy l'entendait reconnaître qu'elle avait eu tort.

43

Fran avait complètement déconcerté Perez en décidant de le suivre à Whalsay. Duncan, son ex-mari, avait débarqué pour emmener Cassie avec lui à Brae jusqu'au lendemain, et dès qu'elle s'était rendu compte que, du coup, sa soirée était libre, la jeune femme avait insisté pour venir.

— Allez, Jimmy. Laisse-moi t'accompagner. Je ne t'ai pas vu depuis des semaines. Je te promets de me tenir. Je ne te dérangerai pas et je ferai ce que tu me diras.

Comment aurait-il pu lui résister ? Comment aurait-il pu lui refuser ?

En roulant vers Laxo, il se laissa distraire par l'odeur de sa compagne, la pression de sa main sur son genou, sa conversation badine sur Londres et Cassie et ses amis de la capitale. Elle ne posa pas de questions sur l'enquête. Il savait qu'elle faisait son possible pour ne pas le mettre en situation de refuser d'évoquer une affaire. Sur le ferry, elle tint absolument à descendre de voiture pour s'appuyer à la rambarde métallique afin de humer le sel, de sentir l'air sur sa peau.

— Ça m'a manqué. Aujourd'hui, j'ai l'impression de ne plus pouvoir respirer, en ville.

Il désigna un guillemot à miroir qui paradait au-dessus des flots. Le soleil était laiteux, de temps en temps le bateau traversait un banc de brume et la terre disparaissait, parfois même la mer. Le ferry semblait alors en apesanteur, étrange vaisseau aérien flottant dans l'espace.

À Symbister, il l'emmena au Pier House et réserva une chambre.

— Une double cette fois, hein, Jimmy ?

Derrière le bureau de réception, Jean n'alla pas jusqu'au clin d'œil, mais elle souriait de toutes ses dents.

— C'est noté, suite « Lune de miel ».

La chambre était bien plus spacieuse que celles qu'il avait occupées jusqu'à présent, avec vue sur le port, grande baignoire en émail et cabine de douche. Le papier peint s'ornait de fleurs roses aussi grosses que des choux-fleurs et au centre de la pièce trônait un immense lit en acajou.

Tout au long de la soirée à la salle des fêtes, Perez ne cessa d'observer Fran de loin. Elle parlait à tout le monde, à Evelyn et à Sandy, à Jackie Clouston et aux dames qui servaient le thé. Il savait ce qu'elle disait sans avoir besoin de l'entendre, rien qu'à sa façon de bouger. Tout ce temps, il aurait voulu pouvoir être seul avec elle, faire courir ses mains le long de sa colonne et sentir ses formes sous ses doigts. L'affaire qui avait occupé le centre de ses pensées depuis la mort de Mima ne lui paraissait plus à présent qu'une distraction insignifiante.

Il se força à y revenir. Le temps lui était compté pour élucider les deux décès. La procureure avait été très claire sur ce point. Son annonce publique selon laquelle Hattie ne s'était pas suicidée était un coup de poker. Si ça ne marchait pas, personne ne serait jamais inculpé. Après la réception, il reconduisit Fran à l'hôtel. Il l'accompagna jusque dans l'entrée.

— Ne m'attends pas pour aller te coucher. La nuit risque d'être longue.

Elle lui sourit.

— Ce n'est pas exactement la soirée de retrouvailles que je m'étais imaginée.

Il l'embrassa, sans se soucier qu'on puisse les voir depuis le bar.

Fran attendit sur le pas de la porte qu'il ait démarré et disparu. Jimmy trouva le brouillard plus dense que jamais, il réfléchissait la lumière de ses phares. *C'est du délire. Qu'est-ce que j'espère obtenir à ce jeu-là ?* Il pensa à la douillette chambre d'hôtel, à la grande baignoire profonde.

L'inspecteur se gara dans une ancienne carrière entre la salle des fêtes et Setter et attendit. Il ne se passerait rien avant au moins deux heures. Une voiture bourdonna à proximité, mais il ne put la voir. Le temps semblait s'écouler avec une infinie lenteur. Il avait mis son portable en mode silencieux, sursauta en le sentant soudain vibrer dans sa poche intérieure. C'était Sandy, contrit.

— J'ai pas pu rester au Pier House. Je les ai laissés au bar, bien partis pour y passer la nuit. Il fallait que je parle à ma mère. Tu comprends ça.

Perez faillit lui demander comment il se sentait, mais le nouveau Sandy semblait se débrouiller très bien sans son patron pour veiller sur lui.

— Qu'est-ce que je fais, maintenant ? reprit le jeune homme. Je me disais que je devrais aller attendre à Setter. Tout le monde croit que je me suis réinstallé à Utra après l'incendie.

— Oui. Va là-bas. Mais surtout, pas de lumière. Tu as vu Cedric au Pier House ?

— Oui, il dit que c'est fait.

— Des réactions ?

— J'ai pas pu lui demander. Mme James et Berglund étaient là.

Perez se glissa hors de sa voiture. Il se sentait déjà tout rouillé d'être resté sans bouger si longtemps. Il longea la route, sentant parfois l'herbe molle du bas-côté sous ses pieds en déviant involontairement. Les ténèbres étaient presque liquides, si denses qu'elles semblaient l'engloutir.

Il s'était arrêté pour reprendre haleine et essayer de se repérer lorsqu'il entendit des pas sur la chaussée devant lui. Ils s'éloignaient, et c'était exactement ce que Jimmy attendait. Minuit passé et le temps n'incitait pas à l'innocente balade nocturne. Il se figea. Le bruit de pas s'estompa.

Il suivit lentement, en prenant soin d'avancer le plus silencieusement possible. *C'est complètement absurde. On dirait des gamins jouant à cache-cache. Vraiment pas professionnel.* Soudain, un carré de lumière apparut comme par enchantement. Telle une balise sur la colline. Sans doute une des fenêtres de la grande villa de Jackie et Andrew, dont les rideaux étaient restés ouverts. Le brouillard devait commencer à se lever un peu, s'il la voyait depuis la route. Maintenant, Perez n'avait plus de doute sur la destination de l'assassin, et il se sentait un peu moins perdu avec un point de repère dans le paysage. Il songea aux hommes du Shetland Bus qui prenaient la mer par des nuits pareilles, sans radar ni GPS, seulement munis d'une carte marine et d'un compas.

À l'approche de Setter, le vent lui battit le visage et de nouveau, il se dit que la brume se dissipait. Il devait être tout près de la fermette à présent, mais Sandy avait suivi ses instructions : il n'y avait pas de lumière. Jimmy aurait aimé avertir son collègue de leur arrivée, seulement il ne voulait pas risquer de se faire repérer en parlant ou en déclenchant une sonnerie de téléphone dans la maison. L'assassin avait déjà tué deux fois, il était imprévisible. L'inspecteur s'immobilisa. Pas un bruit hormis le mugissement régulier de la corne de brume. Au loin, il aperçut une faible lueur mouvante : une lampe de poche dans la main du marcheur. Jusqu'alors, le brouillard plus dense la lui avait cachée.

Le sol changea sous ses pieds. Ils avaient quitté la route, se trouvaient maintenant sur le sentier criblé de nids-de-poule menant à la bicoque. Devant lui, l'assassin trébucha ; après quelques enjambées hésitantes, il retrouva son rythme. L'inspecteur était plus près à présent. La lampe éclaira le mur de la maison puis obliqua vers le sentier menant au champ de fouilles. Perez entrevit la cuve de flottation, l'ombre noire du tas de déblais. Il ne bougea pas. Ne pas se faire entendre. Pas encore. Devant lui, la torche s'agitait toujours, mais le bruit des pas s'était tu. L'assassin avançait sur l'herbe. La lumière se figea, puis décrivit un grand arc de cercle qui contraignit Jimmy à s'aplatir contre la maison pour ne pas être vu.

Quelques instants, le silence fut complet.

— Cedric !

Une voix d'homme. Pas en colère, presque implorante.

— Cedric ! Tu es là ? Qu'est-ce que tu me veux ?

Ronald Clouston apparut brusquement dans l'éclat d'une puissante lampe torche. On aurait dit qu'il était pris dans le faisceau d'un mirador, pétrifié et horrifié. Il se tenait à côté de la tranchée de fouilles, derrière lui le tas de déblais demeurait enveloppé d'un halo de brume. Il aurait suffi d'un grand mur surmonté de barbelés pour se croire dans un film d'espionnage en pleine guerre froide. Ronald portait un fusil sur le bras.

— Cedric, lança-t-il, d'une voix plus assurée cette fois. Arrête ton petit jeu, vieux. On peut discuter.

— Cedric ne viendra pas.

C'était Sandy, seulement armé de son projecteur. Clouston plissa les yeux dans la lumière. Perez se rapprocha en courant, sans sortir de l'ombre. Il s'accroupit et attendit. Rien qu'à ces quatre mots, il savait son collègue furieux, plus furieux qu'il ne l'avait jamais été de toute sa vie.

— Et maintenant, Ronald, qu'est-ce que tu vas faire ? hurla le jeune homme. Tu vas me tuer aussi ? Il y a du brouillard cette nuit. Tu pourras dire que tu étais sorti chasser le lapin. Ou bien tu vas m'assommer et me trancher les veines ? Comme à la petite étudiante du Sud ?

Le jeune homme se tut un instant. Perez crut l'entendre sangloter.

— Comment tu as pu faire ça, Ronald ? À une fille si jeune ?

Son cousin restait silencieux et immobile dans le brouillard. Le policier reprit :

— Qu'est-ce que c'était, hein ? Honneur familial ? Il fallait que deux personnes meurent pour préserver l'honneur des Clouston ?

— N'importe quoi ! rugit Ronald, enfin piqué au vif. L'honneur n'a rien à voir là-dedans. C'est qu'une question de fric.

Il leva son fusil. Sandy resta là, bras écartés, sa grosse lampe dans une main. Jimmy bondit dans la lumière.

— Donnez-moi votre arme, dit-il lentement, sans élever la voix. Vous ne pouvez pas tirer sur nous deux en même temps.

L'assassin se tourna vers lui, hésita un instant. Perez s'approcha, attrapa le fusil. Après une courte résistance, Ronald l'abandonna sans lutter – soulagé, songea Jimmy, de ne pas avoir à s'en servir. L'inspecteur jeta l'arme à terre, puis amena les mains de Ronald dans son dos pour lui passer les menottes. Un moment ils se trouvèrent tout près l'un de l'autre, comme s'ils exécutaient une danse étrange. Sandy baissa les bras. Alors seulement, son supérieur comprit que tout ce temps, le jeune homme ne savait pas qu'il était là. Il s'attendait à mourir des mains de son cousin. À ce que l'histoire se répète.

44

Assis dans la salle d'interrogatoire du commissariat, sur les hauteurs de Lerwick, Perez attendait l'arrivée de Ronald Clouston et de son avocate. Le jour n'était pas encore levé. Il gagna l'étroite fenêtre et contempla les lumières de la ville en contrebas. Fin janvier, pendant les fêtes de Up Helly Aa, les participants déguisés défilaient juste sous le bâtiment, au son des cornemuses et des cris de ralliement, entre les trottoirs bondés de spectateurs au visage éclairé par les flammes des torches. Aujourd'hui, tout était désert.

Des voix étouffées lui parvinrent du couloir. La porte s'ouvrit sur l'assassin, accompagné d'une avocate entre deux âges et de l'agent Morag. La conversation se déroulait entre les deux femmes ; Ronald avançait comme un somnambule. Il était calme mais avait les yeux vitreux. Il s'approcha de la table et serait resté debout si la juriste ne lui avait mis la main sur l'épaule pour le faire asseoir.

Jimmy s'assit à son tour, mit le magnétophone en marche, énonça le jour et l'heure ainsi que l'identité des personnes présentes. Puis il se tut un moment. Cet instant aurait dû être son triomphe, pourtant il ne ressentait qu'une profonde tristesse. L'histoire de Ronald Clouston et des meurtres de Whalsay serait racontée dans les chaumières au même titre que celle du marchand médiéval, du Shetland Bus et de l'infidélité de Mima. La tragédie concrète, intime, disparaîtrait au profit du récit.

— Pourquoi avez-vous tué Mima Wilson ?

Pas de réponse.

— Je pense que c'est parce que votre père vous l'a demandé.

Jimmy aurait aussi bien pu parler tout seul.

— Vous avez toujours fait ce qu'il vous disait, non ? Même après son attaque, c'est lui qui commandait à la villa. Vous n'avez jamais su lui tenir tête. Il vous a dit de laisser tomber vos études pour prendre sa place sur la *Cassandra*, et vous lui avez obéi. Vous n'avez donc aucune personnalité, Ronald ? Est-ce que ce sont vos parents qui ont décrété qu'il était temps de vous marier et de fonder une famille, afin d'engendrer une nouvelle génération de pêcheurs ?

Après tout, je comprends ce genre de pression. Je sais les ravages que ça peut faire.

Clouston leva les yeux, regarda Perez pour la première fois.

— Anna n'a rien à voir là-dedans. Laissez-la en dehors de tout ça.

— Il faudra pourtant bien qu'elle assume. Un mari assassin. Votre fils aussi, il devra faire avec.

Puis, enchaînant aussitôt :

— Quand est-ce que vous avez découvert que votre grand-père était un meurtrier ? Vous étiez encore tout gamin ?

Les deux hommes se dévisagèrent. Même en sachant ce qu'il avait fait, Perez éprouva soudain une pointe de compassion pour Ronald.

Mais enfin, qu'est-ce qui ne tourne pas rond, chez moi ?

Le prévenu sortit de son mutisme :

— Mon père me l'a dit quand j'étais en terminale. Je voulais faire des études. Ma mère était d'accord mais lui, il était furax. Ma place était auprès de ma famille et sur le bateau. « Tu ne sais pas tout ce que j'ai enduré pour en arriver là. Et maintenant, tu veux tout balancer par la fenêtre ! » C'est là qu'il m'en a parlé.

— Mais vous êtes quand même parti à la fac.

— Oui, je suis quand même parti. Après ce qu'il m'avait raconté, je ne voulais plus rien savoir du bateau. Je pensais que je ne reviendrais jamais à Whalsay.

— Vous avez changé d'avis quand votre père est tombé malade ?

Nouveau silence.

— Je crois que c'était une question de loyauté, répondit enfin Ronald.

— Et d'argent ! s'écria Perez, reconnaissant à peine sa propre voix tant elle était dure et amère. Vous m'avez dit que l'argent était comme une drogue. La belle vie vous manquait, dans le Sud ?

Pas de réponse.

— Votre père vous a accueilli à bras ouverts, reprit l'inspecteur. Le fils prodigue !

Cette fois, Clouston réagit.

— Je refuse de parler du rôle de mon père dans tout ça. Il est vieux et malade. J'avoue avoir commis les meurtres. Qu'on le laisse vivre en paix.

Perez ressentit une violente bouffée de fureur. Finie la compassion.

— Franchement, c'est bien la dernière chose qu'il mérite.

Le jeune homme détourna les yeux. Jimmy prit son inspiration.

— Vous refusez la discussion ? Soit, alors laissez-moi vous raconter une histoire. Laissez-moi vous expliquer ce qui s'est passé.

L'inspecteur avait toujours en tête l'image du corps de Hattie baignant dans son sang au fond de la tranchée. Comment pouvait-il rester là à entretenir une conversation raisonnée avec son assassin ? Comment avait-il pu s'apitoyer sur lui une seule seconde ? *Parce que je suis comme ça. Parce que c'est ce que je fais le mieux.*

Il se lança, s'adressant à Ronald comme s'ils étaient seuls dans la pièce, avec juste assez d'intensité dans la voix pour que le magnétophone puisse l'enregistrer.

— C'est la guerre. Trois gars courageux de Whalsay participent au Shetland Bus : Jerry Wilson, Cedric Irvine, dont le fils tient maintenant le Pier House Hotel, et votre grand-père, Andy Clouston. Ils sauvent des vies. Puis débarque un jeune Norvégien. Per. Un homme courageux lui aussi, qui mérite qu'on cite son nom. Plus financier que combattant, il est venu en Grande-Bretagne dans un but précis : récolter des fonds afin de financer la résistance.

Les yeux de Ronald s'écarquillèrent.

— Comment je le sais ? fit Perez. Parce qu'un policier, ça creuse, ça fouille le passé. Je suis un peu archéologue, moi aussi. J'ai consulté l'ambassade de Norvège et les historiens shetlandais. Quand Per a disparu, il transportait une fortune en couronnes norvégiennes, cachée dans une demi-douzaine de boîtes à tabac métalliques.

» On dirait un conte pour enfants, hein ? Une histoire d'aventure ou une légende de lutins. Un trésor enfoui. Irréel. Sauf que celui-là, il était bien réel. Jusqu'à ce qu'il disparaisse et que tout le monde en conclue que Per avait gardé l'argent pour lui.

» Sauf que Per était brave et intègre. Mima avait déjà son caractère indomptable et elle s'est mise à flirter avec le bel étranger, qui se montrait tendre avec elle, plus tendre que son mari ne le serait jamais. Jerry Wilson les a surpris ensemble au lit, ça l'a rendu furieux et il a tué son rival. Puis il s'est débarrassé du corps avec l'aide de son ami, qui comme par hasard était un Clouston. Le vieil Andy Clouston, votre grand-père. La nouvelle de la disparition du Norvégien a fini par s'ébruiter. Ça ne pouvait pas manquer d'arriver dans un endroit comme Whalsay, alors ils ont fait circuler leurs propres histoires : l'une d'elles, la version que connaissait Cedric, disait que Per avait trahi.

L'inspecteur marqua une pause. Il aurait dû penser à apporter une bouteille d'eau dans la salle d'interrogatoire. Il avait la gorge sèche et le manque de sommeil lui faisait tourner la tête. Il regarda Ronald, qui devait être épuisé lui aussi. Le jeune homme n'avait pas dû connaître de véritable repos depuis son premier meurtre.

Jimmy reprit :

— Ils ont enterré le Norvégien à Setter, dans le bout de terrain où presque rien ne poussait et qui n'était au mieux qu'un coin de fourrage vert. Mima ne l'a jamais su. Elle n'était même pas sûre que Per soit mort. Elle n'était pas non plus au courant pour l'argent, même si je pense que Jerry lui avait fait miroiter des promesses de fortune. « Un jour, on sera riches. Et alors, tu auras une belle maison, de beaux habits, tu feras

332

de grands voyages. » Les complices avaient dû décider d'attendre que la guerre soit terminée et le Norvégien oublié avant de commencer à dépenser le magot. Seulement Jerry n'a jamais vu la couleur de sa part. Il s'est noyé.

Perez leva la tête, força Ronald à croiser son regard.

— Votre père vous a raconté comment ça s'était passé ? Il n'avait que dix ans, mais il était là, il a tout vu.

Enfin Ronald prit la parole.

— Ils étaient en mer dans un petit bateau. Il y a eu une violente tempête et Jerry est passé par-dessus bord. Mon grand-père a dû choisir entre la vie de son ami et celle de son fils.

Il avait débité ces mots comme une leçon apprise par cœur. Jimmy se pencha sur la table, le visage tout près de celui de Ronald.

— Mais en vrai. Qu'est-ce qui s'est passé, *en vrai* ?

Le jeune homme ne pouvait plus feindre l'indifférence.

— Ils se disputaient à propos de l'argent. C'est Jerry Wilson qui avait commencé. Mon grand-père l'a poussé et il est tombé à la mer. Mon père a vu Jerry se noyer. Il avait dix ans. Il l'a vu couler au fond de l'eau. Mais quand il s'est mis à pleurer, mon grand-père lui a dit de ne pas faire le bébé. « C'était lui ou nous, Andrew. Tu comprends ? Ne le dis jamais à personne. Tu veux que j'aille en prison pour meurtre ? »

— Et tout à coup, les Clouston sont devenus riches. Comment ça s'est passé ? Un voyage à Bergen pour acheter un nouveau bateau. Puis un autre, un peu plus grand. Votre grand-père était malin. Il a tout investi, mais rien de trop rapide ni de trop voyant. Il y a bien eu des rumeurs sur l'origine de l'argent, mais les insulaires l'ont mis sur le compte de la chance et du bas de laine patiemment constitué. Et du super-boulot qu'il avait accompli pour le Bus pendant la guerre. Ensuite, Andrew a hérité et peut-être qu'il a réussi à se persuader que la bonne fortune de la famille n'était due qu'à un travail acharné. Il s'en sortait mieux que Joseph Wilson, qui trimait toute la semaine pour Duncan Hunter et passait ses week-ends à gratter la terre de sa ferme pour arrondir ses fins de mois. Andrew a acheté la *Cassandra* et avec ça, vous étiez à l'abri du besoin pour le restant de vos jours. Jusqu'à ce que deux jeunes femmes viennent faire des fouilles sur le terrain...

— Mima a cru qu'elles étaient tombées sur son amant norvégien. Elle pensait que c'était son crâne qu'elles avaient exhumé.

Et peut-être que l'un des os était bien le sien, songea Jimmy. Le quatrième fragment, celui qui était différent des autres. Il posa la tête sur sa main et continua :

— À partir de là, Mima s'est rappelé les histoires que Jerry lui avait racontées, sa fortune en devises étrangères, et peut-être qu'en passant en revue les dernières décennies elle a repensé au grand bateau flambant neuf, l'un des prédécesseurs de la *Cassandra*, que le vieil Andy Clouston avait acheté dans les années 50. Construit en Norvège. Elle s'est posé des questions. Et elle voulait de l'argent, pas pour elle mais pour Joseph. Evelyn s'était endettée et Mima voulait les aider à s'en sortir. Elle s'est dit que les Wilson méritaient bien de toucher enfin ce qui leur revenait. C'est comme ça que ça s'est passé ?

Ronald acquiesça.

— Pour le magnétophone !

Brusque et cinglant, parce que l'espace d'un instant, Perez s'était de nouveau surpris à éprouver de la compassion pour l'assassin et avait dû se recentrer sur la vision de Hattie dans la tranchée.

— Oui, c'est comme ça que ça s'est passé.

— Mais ce n'est pas vous qui avez eu l'idée de la tuer ?

— J'étais à des lieues de penser à ça ! Je venais d'avoir un fils. Vous savez ce que ça fait, de tenir son propre enfant dans ses bras, de voir sa femme donner la vie ? Rien d'autre n'avait d'importance...

— Vous êtes en train de me dire que vous avez tué Mima *pour votre fils* ?

La voix de l'inspecteur était si froide et si dure que Morag, qui le connaissait depuis les bancs de l'école, le dévisagea, effrayée elle aussi. Plus tard, à la cantine, elle dirait qu'elle avait eu l'impression d'entendre parler un inconnu.

— Non ! Pas du tout !

— Alors, expliquez-moi, s'il vous plaît. Expliquez-moi pourquoi vous avez tué une petite vieille sans défense.

— Elle était allée voir mon père à la villa...

— Votre mère était présente ? intervint Jimmy, cinglant comme une gifle.

— Dans la maison, oui, mais mon père l'avait fait sortir de la cuisine. Elle n'a pas su de quoi ils parlaient. Papa a dit à Mima qu'il ne pouvait pas lui donner d'argent. Tout son capital était bloqué dans la *Cassandra*. Et même s'il avait voulu la vendre, il n'aurait pas pu : il y avait les autres actionnaires. Mima a répondu que dans ce cas, elle allait en toucher un mot à son petit-fils.

— Sous-entendu Sandy, parce qu'il est dans la police ?

Clouston acquiesça de nouveau. Cette fois, Perez fit abstraction du magnétophone. Il avait des questions plus pressantes.

— Alors Andrew vous a demandé de vous charger de l'affaire ? De veiller à ce que Mima ne vous pose plus de problèmes ? Pour le bien de la famille.

Le jeune homme serra les lèvres et refusa de parler.

— Dites-moi ce qui s'est passé le soir où Mima est morte. Racontez-moi le déroulement de cette soirée en détail, s'il vous plaît.

— James n'avait pratiquement pas dormi la nuit précédente, commença Ronald, soudain tout rouge et en sueur malgré la fraîcheur de la pièce. Il avait des coliques et poussait des cris suraigus, on aurait dit je ne sais quel animal, un porcelet peut-être. Même avec la meilleure volonté du monde, impossible de fermer l'œil. Anna était tendue. Plutôt patiente avec le petit, mais elle s'en prenait à moi pour un oui ou pour un non. J'ai décidé d'aller à Lerwick, de passer à la bibliothèque et au supermarché. Ça me ferait du bien de quitter un peu la maison. Au retour, j'ai eu un ferry plus tôt que je ne pensais et j'ai fait un saut à la villa avant de rentrer chez moi. Mima venait d'appeler. Sandy était à Whalsay et elle lui avait demandé de passer la voir. Mon père était dans tous ses états.

— Alors vous lui avez proposé de régler le problème.

— Il fallait faire quelque chose ! s'emporta Ronald. Mon père s'en rendait malade et il faisait peur à ma mère. Je lui ai dit que j'irais voir Mima, que je la persuaderais de se montrer raisonnable, que je lui offrirais une compensation.

Un silence. Perez attendit qu'il continue. Ce qu'il fit, plus calmement.

— Je suis rentré à la maison et j'ai dîné avec Anna. Mais après, elle a recommencé à me houspiller. Rapport à l'alcool et au bébé. Je n'étais pas en état de le supporter. J'avais besoin d'air. J'ai dit que je sortais chasser le lapin.

— Et vous êtes allé à Setter.

— J'étais vraiment parti aux lapins. Je n'avais rien prémédité. Mais je ne pensais qu'à cette histoire. Qu'est-ce qui allait se passer si Mima commençait à déterrer le passé ? Alors je suis allé la voir.

De nouveau Perez attendit en silence. L'avocate le regardait avec insistance, l'air de vouloir qu'il pose des questions afin que l'interrogatoire se termine au plus vite. Ses mains s'agitaient nerveusement sur ses genoux.

— Il y avait du brouillard. J'ai vu la lumière aux fenêtres et j'entendais la télé derrière la porte fermée. J'ai frappé. Mima est venue ouvrir et à son haleine, j'ai tout de suite senti qu'elle avait bu. Elle avait toujours eu un faible pour le whisky. « Alors, Andrew a envoyé son fiston faire le sale boulot à sa place. » Voilà ce qu'elle a dit. Ensuite, elle a enfilé un ciré jaune et elle m'a entraîné vers le chantier. « Viens voir où ils ont enterré mon amant. Tout ça va être étalé au grand jour quand on aura les résultats d'analyse des ossements. » Elle a contourné la maison en tapant des pieds pour rejoindre le champ. C'était trop facile. Elle continuait à jacasser et j'avais eu ma dose de récriminations pour la journée. Je l'ai laissée s'éloigner. Elle s'est retournée pour voir pourquoi je ne la suivais pas. J'ai levé mon fusil et j'ai tiré.

Il se prit la tête entre les mains, presque comme s'il se bouchait les oreilles, et regarda sans la voir la haute fenêtre où le jour commençait à poindre.

— Passé le choc de la détonation, il régnait un merveilleux silence. Plus de blabla. Sur le chemin du retour, j'ai pris quelques lapins pour ne pas avoir à expliquer à Anna pourquoi je rentrais bredouille.

— Et Hattie ? Il fallait vraiment qu'elle meure ? De cette façon ?

— Elle avait deviné. Elle a compris dans les jours qui ont suivi la mort de Mima. Pas tout, mais au moins que notre famille était impliquée. Elle avait entendu Mima parler des os au téléphone avec mon père. Alors il fallait la dégager de Setter. Sauf qu'elle était obsédée par ses fouilles. Rien n'aurait jamais pu la faire abandonner. Tôt ou tard, on aurait fini par retrouver le corps du Norvégien et tout serait remonté à la surface. On aurait identifié sa dépouille et repensé à l'argent qu'il transportait, toutes ces couronnes cachées dans des boîtes à tabac.

— Et c'en aurait été fini des riches Clouston de Whalsay.

Ronald détourna les yeux et continua.

— Hattie avait entendu Mima se disputer avec mon père au téléphone. Elle n'a pas imaginé une seconde que je puisse avoir le moindre rapport avec le meurtre. J'avais fait des études dans le Sud. Je m'étais civilisé au contact des universitaires, je lisais des livres et j'avais des connaissances en histoire. On s'est croisés par hasard après son entretien avec son directeur. « Tu as deux minutes, Ronald ? Je voulais te dire que j'ai appelé l'inspecteur Perez. Je sais que ton père est malade, mais je suis presque sûre que c'est lui qui a tiré sur Mima. Je tenais juste à te prévenir… »

— Racontez-moi, s'il vous plaît. Comment vous l'avez tuée ?

— Je l'ai raccompagnée jusqu'à Setter. J'ai fait semblant d'être intéressé. « Alors comme ça, tu crois qu'il y aurait un corps plus récent à côté de l'ancien ? » Et dès qu'elle m'a tourné le dos, j'ai attrapé un gros galet pour la frapper à l'arrière de la tête.

— Pas assez fort pour lui fracasser le crâne, mais suffisamment pour l'assommer. Je comprends. Ça vous permettait de maquiller le meurtre en suicide. Pourquoi choisir le couteau de Berglund pour lui taillader les veines ?

— Il était à lui ? lança Ronald avec un air surpris. Je n'en savais rien. Il était là et il faisait l'affaire.

Le prosaïsme de l'expression écœura Jimmy. Il se pencha de nouveau vers le meurtrier.

— Comment vous avez pu lui faire ça ?

L'autre réfléchit, puis répondit au pied de la lettre.

— Je suis habitué au sang. Vider les poissons. Tuer le bétail. La gamine était inconsciente. Il fallait que ça passe pour un suicide.

Une pensée lui vint brusquement :

— C'est vous qui avez demandé à Cedric de m'appeler hier soir. Et cette histoire de témoin, c'était complètement bidon. Anna m'en a parlé en rentrant de la salle des fêtes. Cedric n'a jamais été à Setter cet après-midi-là.

Non. Mais il était quand même lié à tout ça, indirectement. Son père avait participé au Shetland Bus. Ils avaient trouvé logique de se servir de lui pour ferrer le poisson, en réclamant sa part du butin.

— Il y avait déjà eu deux morts, répondit Perez. Il fallait qu'on y mette un terme.

Il se leva et revint à la fenêtre. La matinée était superbe. L'eau scintillait sous le soleil.

45

Ce soir-là, ils se retrouvèrent chez Fran à Ravenswick. Elle avait préparé un petit dîner et quand ils eurent fini, ils s'attardèrent à table à bavarder autour d'une bouteille de vin. Le couvert était débarrassé, mais ils avaient laissé une assiette de fromage et un bol de raisin noir, comme une nature morte devant eux. Il était tard, parce que Fran avait préféré coucher Cassie avant le repas. Perez sentait son collègue mal à l'aise. Ce n'était pas son genre de soirée. Il buvait moins qu'eux, bien que Jimmy lui ait déjà suggéré de rentrer en taxi. Le jeune homme ne voulait pas se ridiculiser. Malgré tout, il était content d'avoir été invité. Ça se voyait.

— Comment va Anna ? avait demandé Fran dès que Sandy était arrivé.

Il avait passé toute la nuit précédente à Whalsay, pour prendre des dépositions.

— Elle est en état de choc, évidemment. Elle retourne chez ses parents dans le Sud, le temps de digérer tout ça. Elle dit qu'elle reviendra, mais à mon avis on ne la reverra jamais. Elle a eu beau faire plein d'efforts pour s'intégrer ici, elle n'a jamais vraiment été taillée pour faire une Shetlandaise.

— Et moi ? lança Fran en pouffant légèrement. Je suis taillée pour faire une Shetlandaise ?

Perez comprit son manège. Pour Sandy, Ronald était un ami. Il voyait les crimes de Whalsay comme une trahison personnelle. Fran essayait de détendre l'atmosphère. Rien de plus.

— Oh, toi ! répondit le jeune homme. Tu t'adapterais n'importe où, toi.

— Andrew et Jackie vont être inculpés ?

Fran attrapa un grain de raisin, se coupa un nouveau morceau de fromage.

— Pas Jackie, fit Perez. Si elle soupçonnait vaguement que Ronald était impliqué, elle n'en savait rien. Et on n'a aucune preuve qu'elle connaissait l'origine de la richesse familiale.

— Si on remonte assez loin, toutes les grandes familles du Royaume-Uni ont acquis leur fortune par des moyens douteux. Les dépouilles de la guerre, sur le dos des pauvres.

Jimmy sourit mais ne dit mot. Après quelques verres, sa compagne se prenait souvent pour la championne du peuple.

Sandy se dandinait sur sa chaise.

— Mais on doit bien avoir de quoi inculper Andrew ? On sait qu'il est impliqué jusqu'au cou. Il a essayé de nous détourner de Setter en me racontant qu'ils avaient balancé Per à la mer. Si on exhume son corps et qu'on demande aux gars de la police scientifique d'examiner les comptes professionnels d'Andrew sur plusieurs années, on devrait accumuler assez d'éléments pour satisfaire la procureure.

À l'évidence, il lui était plus facile de considérer son oncle plutôt que son cousin comme un assassin. Ronald, l'ami d'enfance, l'avait dupé. Et il avait si bien joué son rôle que Perez s'y était laissé prendre aussi.

— Oui, acquiesça l'inspecteur. C'est possible.

L'enquête serait longue et d'ici à ce qu'elle soit bouclée, Andrew ne serait probablement plus de ce monde. Peut-être serait-il assez puni de devoir passer le restant de ses jours dans sa grande villa sur la colline en compagnie d'une épouse au cœur brisé, privée de son fils par la prison et de son petit-fils par sa famille anglaise.

Jimmy regarda le phare de Raven Head au loin. La nuit était claire. Il pourrait bien geler, le dernier coup de froid avant l'été. Tout à coup il repensa à Paul Berglund. Il se tourna vers son collègue avec un sourire.

— La grand-mère de Berglund est suédoise, pas norvégienne. Aucune relation avec l'amant de Mima. Le professeur est un triste sire, mais pas un assassin.

— Alors j'avais encore tout faux.

Sandy paraissait plus détendu, plus à l'aise. Son verre était vide. Perez le remplit et se resservit également. Il avait l'impression de n'avoir pas dormi depuis des heures, que seuls la caféine et l'alcool lui tenaient les yeux ouverts.

— Des os dans la terre, déclara le jeune homme, à moitié endormi à présent. Des cadavres dans le placard.

Ils restèrent un moment silencieux, puis Sandy tira son portable pour appeler un taxi et Fran se leva pour faire du café.

Quand ils sortirent accompagner Sandy à son taxi, le froid prit Jimmy à la gorge. La lune brillait sur une mer d'argent. Le faisceau du phare de Raven Head balayait les champs entre la côte et la maison de Fran. Perez aurait pu rester des heures à contempler ce mouvement hypnotique. Il se força à regarder le ciel. Il n'y avait pas d'éclairage public ici, les étoiles se détachaient distinctement. Sa compagne se tenait devant lui, il l'enlaça à la taille. Même à travers sa grosse veste il sentit son corps pressé contre lui.

Le taxi s'éloigna, mais ils ne bougèrent pas.

— Mes amis londoniens n'arrivent pas à comprendre, dit la jeune femme. J'ai beau leur expliquer : « Pas de pollution lumineuse, pas un bruit », ils ne peuvent pas le concevoir.

— Alors tu n'as plus qu'à les inviter pour qu'ils se rendent compte par eux-mêmes.

Elle se tourna vers lui. Le visage d'abord dans l'ombre, elle pencha la tête et la lune scintilla dans ses yeux.

— Je me disais, déclara-t-elle, qu'on pourrait les inviter à notre mariage.

Remerciements

L'île de Whalsay est bien réelle, et c'est l'un des endroits les plus accueillants que je connaisse. Le village de Lindby, en revanche, ainsi que tous les lieux et personnages que j'y décris, sont purement fictifs – y compris le Bod, ce refuge pour campeurs où logent les étudiantes. La gare maritime de Symbister existe également, mais le Pier House Hotel est de mon invention.

Une foule de gens m'ont aidée dans l'écriture de ce roman, pourtant, malgré toutes ces compétences réunies, il reste probablement des erreurs : elles ne tiennent qu'à moi. Je remercie Anna Williams et Helen Savage pour leurs conseils en archéologie, de même que Cathy Batt et ses collègues de l'université de Bradford, qui m'ont expliqué les fouilles réalisées aux Shetland et montré de véritables os rouges. Val Turner m'a été d'un précieux concours en relisant le manuscrit pour y rectifier les détails d'une campagne de fouilles, et en m'autorisant à utiliser son nom.

L'excellent ouvrage de David Howarth, *The Shetland Bus*, m'a fourni une mine de renseignements sur la résistance norvégienne basée à Lunna pendant la Seconde Guerre mondiale. Sa description de la construction des caboteurs pour circuler dans les eaux intérieures de Norvège me donne à penser qu'il a pu se passer la même chose à Whalsay.

Cette fois encore, Helen Pepper m'a prodigué ses conseils sur la gestion des scènes de crime. Sarah Clarke m'a éclairée sur les éventuelles complications d'un accouchement difficile. Bob Gunn m'a tout appris des lapins et des fusils de chasse. Ingirid Eunson, Ann Prior et Sue Beardshall m'ont consacré du temps lors de longues conversations où nous avons échangé nos points de vue sur les îles autour d'un bon verre de vin.

Merci à nos amis de Whalsay : à Angela et John Lowrie Irvine pour leur hospitalité et pour m'avoir montré la photo des tricoteuses ; à Paula et Jon Dunn pour nous avoir trouvé un merveilleux logement. Je suis particulièrement reconnaissante aux membres du groupe de lecture de Whalsay pour leur honnêteté et leur chaleur, qui m'ont valu l'une des soirées les plus mémorables de ma carrière d'auteur.

Une fois de plus, les membres de l'office du tourisme et du Conseil des arts des Shetland m'ont apporté aide et soutien, et c'est toujours un plaisir de travailler avec le personnel des bibliothèques de l'archipel.

Enfin, un immense merci à Sara Menguc, Moses Cardona et Julie Crisp pour leur contribution à ce roman. Julie est vraiment l'éditrice rêvée de tout écrivain.

Cet ouvrage a été imprimé en France par

à Saint-Amand-Montrond (Cher)
en octobre 2011

Composé par Nord Compo Multimédia
7, rue de Fives, 59650 Villeneuve-d'Ascq

N° d'édition : 4642/01 – N° d'impression : 111847/1
Dépôt légal : octobre 2011